静かな成功の連続が
失敗を洗い流す

著者　ユハ・ヘルネスニエミ
監訳　加藤庸子　藤田医科大学 ばんたね病院教授
翻訳　川島明次　聖路加国際病院 脳神経外科部長

世界をリードした
脳神経外科医

Juhaの素顔

Aivokirurgin
Muistelmat

監訳にあたって

Juha先生の脳神経外科医師としての、長年かかって多くの環境により培われた、気迫に満ちた、根性、魂、患者さまへの向き合い方など特に若手医師への強いメッセージなど、先生の表現を損なわず読者へお伝えできたのであれば、本望です。

藤田医科大学 ばんたね病院教授　加藤庸子

翻訳にあたって

世界最高峰の脳神経外科手術をするのは誰だろう。2012年春、あるヨーロッパの学会で知り合った何人かの脳神経外科医全員が、Juha Hernesniemi教授の名前を挙げました。

その年の夏、ヘルシンキ大学で直接その手術を目の当たりにして、驚きました。私は手術見学するとき、スケッチしながらポイントをノートに書いていました。ところが、手術が早過ぎて、目を離してスケッチしていると、違う場面に変わってしまうのです。手の動きはとてもゆっくりなのに。

手術時間が信じられないくらい短いことで有名なのですが、それは無駄を極限まで、本当に極限まで削っていった結果だったのです。

一方で、手術の要の部分のこだわりかたは、尋常でありませんでした。十分時間をかけ、どこまでも完璧さを求めます。

「余計なものは省き、必要なことだけをエレガントに行うのがベストだ」

究極のメリハリと言ってもいいかもしれません。

その後も、私は毎年Hernesniemi教授を訪ねました。ヘルシンキ大学には、世界中からとても多くの脳神経外科医が学びに来ていました。Hernesniemi教授はチームのメンバーやこれら若手脳神経外科医をとても大切にします。そして、皆は彼のことを親しみを込めてJuhaと呼んでいました。手術室では、スタッフが皆、淡々と自分の仕事を行い、その流れが途切れることがありません。すべてのやり方がシンプルで、まさに芸術の域でした。

数え切れない手術を見学し、一緒に手術を行い、多くのことを学びました。技術はもとより、魂のようなものです。患者を治すことに対する、揺るぎない信念、妥協を許さない姿勢、そして強い情熱。患者に、スタッフに、そして結果に対して、正直で、誠実に、正面から向き合う態度。謙虚さ。そして温かさ。

「A good surgeon is a good human being」

本書には、輝かしいキャリアを築いたJuhaの人生が紡がれていますが、成功よりむしろ、多くの失敗、そして苦悩について赤裸々に描かれています。あのJuhaでも、揺れ動く心持ちの中で、迷いながら、必死に戦っていたのです。

外科医だけでなく、すべての読者に対して、多くの共感と勇気を与えるものであると信じています。

聖路加国際病院　脳神経外科部長　川島明次

TRIBUTE TO A MENTOR
- Professor Emeritus Juha Hernesniemi (1947-2023)

Juha教授は、いつも静かに、控えめに群衆の中においでになり、我々を見守っていただきました。

多くを指導され若手を導いていただきました。

高い人間性、技量と、理論、実戦力で世界の脳血管障害をleadされました。

多大の恩恵を被りました。ありがとうございました。

藤田医科大学 ばんたね病院 脳神経外科教授　加藤庸子

Juha

永眠の一報を受け、本当に寂しい思いです。心よりお悔やみ申し上げます。

ヘルシンキのみならず世界各地であなたと過ごした時間は、とてもハードでしたが、とても充実しており幸せでした。あなたは私に、寸暇を惜しんで全力で魂を捧げました。手術手技だけでなく、人生についても教示されました。“Life is Life” “Enjoy your operation” “Minne Mennä：フィンランド語で、我々は何を目指しているのだろう／どこへ向かっているのだろう”などの心温まる、また、奥深い言葉は今でも脳裏に焼き付いており忘れられません。ご指導に深く感謝しております。

どうかあなたの魂が安らかに眠れますように祈っております。

2023年6月30日　悲報を受け

大分大学医学部附属病院脳神経外科
大分大学減災・復興デザイン教育研究センター 准教授　石井圭亮

Dear Juha

あなたに初めて会ったのは2012年夏でした。世界一の脳外科手術を学びにヘルシンキ大学を訪れた時です。それ以来10年間、毎年のようにヘルシンキや世界の国々であなたの手術を学び、一緒に手術をしてきました。あなたは手術に対してどこまでもストイックでした。私は多くのことを学びました。手術技術はもとより、脳神経外科医としての魂のようなものです。あなたは、激しく、優しく、そして温かかった。Juha、覚えていますか。あなたからもらったフィンランド伝統のナイフと、あなたにサインしてもらった手術キャップ。私の宝物です。5月にヘルシンキに会いに行きました。虫の知らせだったのかもしれません。あなたは多くの思い出に囲まれていました。

You are my hero. You are always in my heart.

どうぞ安らかにお眠りください。

聖路加国際病院 脳神経外科　川島明次

Dear Professor Juha Hernesniemi

2009年の秋に、留学に関して初めての英語のE-mailでJuhaとやりとりしたときの書き出しを今でも思い出します。留学中は同伴してくれた妻のことやヘルシンキでの生活のことを常に気にかけていただき、毎朝5時にJuhaから来るE-mailに対応していたことを懐かしく思います。留学後も何度か遊びに行き、まだ赤ちゃんだった娘を抱っこしたJuhaと一緒に撮った写真は今でも大事にしています。Juhaのもとで学んだLateral Supraorbital approachで手術することが多く、いつかJuhaの目の前で手術をしたい、自分なりの工夫を批評してもらいたいと思っていましたが、今はそれも叶わない夢となってしまいました。かなり多忙な人生だったと思いますが、安らかにおやすみください。

済生会滋賀県病院 脳神経外科　岡　英輝

We will not be able to hear his voice or see him. We will not be able to touch him. But he will be with us through his teachings and through the art of fine microneurosurgery that he taught the world. To honor his memory, we all should strive to be like him. We should dedicate our energies towards learning with humility. For me, I have lost a close and great friend.

~Atul

What a horrible great loss of one of leaders in teachings and neurosurgery at highest performance level. We all pray for late professor Hernesniemi.
May God bless his sole.

~Mohamed El-Fiki

This news found me unprepared and caused great sadness. I would like to express my sincere and deepest condolences to Prof. Hernesniemi's family and all colleagues neurosurgeons. Rest in peace Prof. Hernesniemi. Your legacy will keep your soul with us.

~Lukas Rasulic

May Prof. Juha rest in peace.

~Eka

Prof Hernesniemi has contributed so much to the neurosurgical community. His passing has left a gap which will need time to replace a man with so much wisdom and experiences. May he rest in peace. Thank you.

~Jafri Malin Abdullah

May he rest in peace! He was a wonderful person and an outstanding neurosurgeon!
He was a popularizer of neurosurgery for the young. He broadcast his experience to all neurosurgeons of the world! He was truly a man of the world!
His contribution to world neurosurgery is invaluable!

~Andrey Dubovoy

I am astonished by the sad news! What a heartbreaking loss! May his family be peaceful. We continue his favorite Neurosurgery forever.

~Zhihua Chen

Extremely saddened to hear the untimely demise of Prof. Juha. A hero may be born among hundred, a wise man among a thousand, but an accomplished one like Prof. Juha may not be found even among thousands. Rest in peace Prof.

~Suresh Nair

This is sad. we have lost a great great guy, friend, teacher, colleague.

~Vladimír

What a great loss , what a very sad and shocking news. Juha for me a great friend and of course an outstanding neurosurgeon and scholar. His contribution to neurosurgery, neuroscience and vascular neurosurgery is great. He is world class teacher. He is so humble, kind, loves all people. Condolences to his friends, family, trainees and patients, he will be always remembered as one of the greatest neurosurgeons of our time. I will remember him as a good friend and I will miss very much our sincere and friendly chat when we meet, Rest in Peace my dear friend!

~Ahmed Ammar

I am really astonished to get the sad news. Juha is a really good friend of Chinese neurosurgeons. We learned from his superb surgery and philosophy. I still remembered the days stayed with him in Finland ten years ago, also the days he stayed with us in Hua Shan Hospital, Shanghai, China. Eight cases a day. I translated his book in Chinese, so many neurosurgeons from China benefit from it. Fast, and clean, will be what we go after. We will miss him forever.

~Ying Mao

It was a profound shock and sorrow that I learned Professor Emeritus Juha Hernesniemi passed away. He will be greatly missed by all who knew him. May he rest in peace.

~Jizong Zhao

This is an extremely sad news. My thoughts go to his family. The neurosurgical community lost a giant.

~Alberto Feletti

Juha Hernesniemi's impact on the medical world and the lives he touched will never be forgotten. His profound contributions will continue to shape the future of neurosurgery and serve as a testament to the power of human compassion and determination. May his soul rest in eternal peace."Life is short, but the influence of a great person lasts forever."

~Virendra Deo Sinha

Deeply shocked at the sad demise of world renowned neurosurgeon Prof. Juha Hernesniemi, an outstanding teacher, a distinguished mentor, a great philosopher and a lion hearted human being, above all a well wisher of Bangladeshi neurosurgeons. His death is an irreparable loss for the world neurosurgical fraternity. I am expressing sincere condolences on behalf of Bangladeshi neurosurgeons and conveying sympathy to all family members, friends and near and dear ones. Praying for his eternal peace.

~Kanak Kanti Barua

It is with deep sadness that we mourn the passing of a great and amazing neurosurgeon Professor Juha- an amazing teacher and colleague who reached out to everyone and shared his immense knowledge. A true gentleman who genuinely supported WINS…it was an honor to have met him during all our webinars together.

~Lynne Lourdes

I feel very sorry about Prof Hernesniemi. He was a great neurosurgeon, and give the world a lot.

~Cleopatra Charalampak

It is indeed a very sad day for all of us. We have lost a legend, a true genius. No words can do justice to his contribution to our field. We are deeply mourned at his demise but take solace in his everlasting memories through his works. May his soul rest in peace.

~Harshal Agrawal

May he rest in peace.

~Kosaku Amano

Praying for his eternal repose! May he rest in peace!

~Gap Lagaspi

Juha was close to us and we stayed together with our families in Nepal for an year before he moved to China. we are all very sad. But as Fitri says, legends never die. See you on the other side, some day my dear friend.

~Iype

May Emeritus Professor Juha's soul rest in peace.

~Chee Pin Chee

It is very sad news I am badly surprised with! I met Juha many times, but we spent some time in Nepal together with Iype Cherian in 2017. Juha turned 70 then and he was full of life! Legends never die indeed!

~Nikolay Peev

目次

※このたびの翻訳出版に際し、原稿を抜粋して刊行しております。未収録の原稿はこちらでご覧いただけます。
http://www.gendaishorin.co.jp/news/n5851.html

序文

ヤッコ・リンネ

本書は、ユハ・ヘルネスニエミ教授が、フィンランド中北部の農村で生まれ育ってから、多くの挫折と偶然を経て、今日世界で最も著名な脳神経外科医となり、フィンランドで最も著名で高く評価される医師の1人となるまでを描いた物語だ。

彼が、数々の権威ある表彰を受けているのは言うまでもない。しかし、この本にはそれ以上のことが書かれている。

本書は、ユハ・ヘルネスニエミが目標に到達するために必要とした粘り強さ、決意、意欲、献身、努力、仕事、犠牲についての物語になっている。

その分野で世界一になるために必要なこと。ときには大きな代償を払わなければならないこともある。ユハ・ヘルネスニエミにとってその代償が高過ぎたのかどうかは、読者が判断することであろう。

脳神経外科医は、誰もがベストを尽くす努力をしなければならない。たとえば世界的に著名なピアニストにとって、音を間違えることは協奏曲の一瞬に過ぎない。しかし脳神経外科医が仕事でミスをすれば、取り返しのつかないことになる。そのプレッシャーたるや、大変なものである。

また、ユハ・ヘルネスニエミが、世界中から訪れる非常に多くの脳神経外科医への教育に大きな影響を与えたことについても、本書は紹介している。

「私は多くのことを教えたが、それよりも私は教えることを通して私自身や、脳神経外科とこの世界について、より多くのことを学んだ」

ユハ・ヘルネスニエミはそう語るが、世界中から集まった脳神経外科医を前に、彼が術式を披露したヘルシンキ・ライブ手術コースのおかげで、ヘルシンキは瞬く間に脳神経外科のメッカとなったのである。

まったく異なる文化、まったく異なる手術室環境のもとで患者を治療することを学ぶのは、魅力的に見える。しかし、その難しさとプレッシャーは想像を絶するものになる。

本書は、フィンランドの脳神経外科が、小規模な病院から患者の治療に大きな影響を与える全国規模の学術的にトップクラスの医療・技術的専門分野へと発展した経緯を、読者に包括的に理解していただける内容にもなっている。そして、最終的に1人の脳神経外科医のパフォーマンスが、いかに治療成績に決定的な重要性を持つかについて気づかせてくれる。

実際、ユハ・ヘルネスニエミは、単に手術用顕微鏡を使うだけでなく、無駄を極限まで省いた低侵襲脳神経外科手術という意味でのマイクロニューロサージェリーという概念の開発に重要な役割を果たしたのである。

フィンランドの病院は、以前と比べ、大きく変化した。現在の姿は、1970年代から1980年代にかけてのフィンランドに存在した脳神経外科医の階級社会（ピラミッド型の階級組織構造）、病院長の行動、若い医師の人材育成アプローチとはまったく異なっている。

豊富な症例を通して、成功と失敗、喜びと悲しみ、不安など、患者さんやその家族と分かち合ってきた経験をありのままに、そして誠実に綴ったのが本書なのだ。

「治療がうまくいかなかったり、亡くなったりした患者に、私たち脳神経外科医が学んだことを生かして、もう一度治療することができたなら」

これは、脳神経外科医なら誰もが認める心情であろう。脳神経外科医に求められる最も重要な能力の1つであるプレッシャーに耐えることができるかどうか。特に学際的な手術チーム内のシームレスな協力と仲間としての連帯感、そして脳神経外科の手術室という非常に激しい職場環境について本書は書かれている。それらを同時に達成することはとても困難なことだ。

1980年代初頭、チューリッヒにて若い脳神経外科医たちが高名なヤサーギル教授の手術を1日かけて見学した後、パブ「ヴァイザー・ウィンド」に集まった脳神経外科医たちの1人がこう叫んだ。「いつか、もっとうまくやってみせるんだ!」と。

その若い外科医たちの中に、ユハ・ヘルネスニエミもいた。そんな彼がやがてヤサーギル教授のさらに上をいくような手術を成し遂げる日が来ることが本書では綴られている。

これからの世代は、もっと頑張らなければならない。ツバメは毎年春になると戻ってくるが、同じツバメはいないのだから。

フィンランド、トゥルク

脳神経外科学教授　ヤッコ・リンネ

人生は短く、芸術は長く
チャンスははかない、経験は裏切られる、
判断は難しい。

ヒポクラテス

人は誰でも、自分の職業に対する責務として、
自分がやったことで、他の人の役に立つかも
しれないことを記録しておくことです。

フランシス・ベーコン

プロローグ　2020年　中国

2020年1月、中国では亥年から子年に変わった。

当時の私は、ここ河南省で医療に携わっていた。私が担当する新患のほとんどは重病人かお金に余裕のない人で、たいていはその両方だった。今から3400年前の古代エジプトで活躍した医師シヌへのように、私は「貧しい人々のための医師」となったのである。

私が勤務しているこの病院は、中国の中心部・河南省の鄭州にある河南省人民病院で、世界で2番目に大きな病院だ。7000のベッドを持ち、あふれるほど多くの患者がいた。私の知るところでは、これより大きいのは鄭州大学第一附属病院だけだ。

私がここで勤務を開始したのが1年半前のこと。3階にある手術室はそのときできたばかりである。

手術室に入ると、患者に麻酔をかける。67歳の男性は、非常に困難な治療を要するくも膜下出血に苦しんでいた。前交通動脈の動脈瘤が突然破裂したのだ。当初、患者は意識を失い、数日経った現在は意識こそあるものの、錯乱状態にあった。

この手術には大きなリスクが伴う。しかし私は手術をすることを約束した。断ることはできなかった。

11年来の私の助手兼弟子で、ベネズエラ出身の腕のいいヒューゴ・アンドラデ・バラザルテが、額から頭蓋骨を開いていく。赤く腫れ上がった前頭葉が、破れた硬膜を突き破っている。頭蓋内圧は高いようだった。

今は亡きカナダの恩師、C・G・ドレイクの言葉が脳裏をよぎる。

「赤く、怒り、膨れ上がった脳」

私はゴシゴシと手を洗う。そして鏡に映る自分を見た。サージカルマスクは、手術用顕微鏡のレンズが曇らないように、鼻にしっかりとテープで固定されていた。手術帽子をかぶり、真剣な眼差しになる。不安。恐怖。緊張。鏡には映らないものの、心の中では3つの感情が渦巻いていた。そしていつもと同じように黙って集中する。

動脈瘤が早期に破裂すれば、高齢の患者は手術後に死亡する可能性がある。

手術用顕微鏡には滅菌された手術用ドレープがすでにかけられていた。重い顕微鏡を、患者の左側、手術台の頭部のあたりへ移動させる。顕微鏡を覗き込むと、少し気持ちが落ち着いてくる。いつものことだ。顕微鏡のマウスピースを噛み締め、脳の表面に光を当て、焦点を合わせ、拡大する。私は黙って自分に言い聞かせる。

「お前は経験豊富だ、お前は経験豊富だ、お前ならできる」と。

私はこれまで1万6500件以上の手術を行ってきたことを思い出す。今回の手術は、また新たな、唯一無二の挑戦になるだろう。人間の命は。患者さんの命は。そして私の人生の意味は、患者さんの命を救うことなのである。

金属製の吸引管とバイポーラ鉗子（出血している血管を焼いて止める道具）を使い、腫れた前頭葉の下を慎重に剥離する。吸引器で脳を包んでいる血液をゆっくりと取り除くと、作業するべき空間が見えてきた。私は顕微鏡を使って小さな隙間の奥深くまで作業することに慣れていた。右前大脳動脈を見つけ、少し露出をさせてから、金色の一時遮断クリップを使って、約3分間、動脈を一時遮断した。そして複雑に曲がりくねって今にも裂けてしまいそうな動脈瘤を露出させた。2回目のトライで動脈瘤のクリッピング（脳動脈瘤の根本をクリップで挟み込み、瘤が破裂しないようにすること）に成功した。ICG蛍光脳血管撮影（インドシアニンという蛍光色素を静脈内に投与することで、顕微鏡下に脳血管の血行動態を確認するもの）の結果、血液はきれいに動脈から静脈まで流れていることがわかった。私は安心し、ほっと一息ついて、顕微鏡の前から離れた。

普段はあまりやらないのだが、そのとき私は勝ち誇ったように拳を突き上げ、マスクを下げた。そして画像を同室の中国人脳神経外科医たちに見せながら手術の目的を英語で説明する。はたして私の説明を理解したのだろうか、彼らは中国語で興奮して大声で議論していた。

その間にも助手のヒューゴは切開した部分を1枚1枚閉じていく。頭蓋骨を閉じるのは、開くときよりも時間がかかる。硬膜を縫合する。そして、いつものように骨弁を小さなプレートとネジで固定し、筋肉と皮膚を3層に縫い合わせる。手術は、最初に皮膚を切開してから最後の縫合まで、およそ2時間かかる。

その後、30床ある脳外科ＩＣＵへ患者を移動させる。数時間後、患者は目を覚ました。彼は、おしゃべりをしたり、手足を動かしたりして、元気そうにしていた。ＩＣＵの外には、患者の家族が待っていた。外気にさらされて年老いた顔、服装、謙虚な振る舞いから、彼らが地方出身者だったことがわかる。

私は彼らに「手術は成功しましたよ」と伝えると、家族は大喜びで、手のひらを合わせてお辞儀をしてくれた。

術後のＣＴ検査は、まったく問題なし。ＩＣＵには専用のＣＴ装置があり、撮影のために長い距離を移動する必要がないように配慮されている。翌日、患者は入院用ベッドに移された。

嬉しい気持ちもあり、まだ興奮が冷めやらない。気分が落ち着くまで30分ほどかかる。私は72歳であり、多くの国では脳神経外科医としては定年の年齢である。しかし、私はまだ腕のある外科医であり、今回もさまざまな危険を避けることができた。

翌日、私は別の手術をすることになった。今回の患者は45歳の男性で、頭蓋底に近接する手術が難しい右内頚動脈の未破裂動脈瘤であった。

しかし手術は極めて順調で、予定通りに進んだ。私は頭蓋底の骨の一部をドリルで削り取り、動脈瘤の全体を見ることに成功した。その後、脳動脈瘤の頸部をクリップした。手術が終わり、6階の事務所で満足していると、しばらくしてWeChatのメッセージが届いた。私の満足感は完全に打ち消される。

患者はなかなか意識が戻らず、左半身が麻痺していた。すぐに画像検査をすると、右内頸動脈が閉塞していることがわかった。続けてカテーテルを使った脳血管撮影検査を行った。私が手術した右脳の動脈は完全に閉塞していたのだ。一時的に閉塞が解除することができるものの、また閉塞してしまう。

実は、WeChatのメッセージを受け取ったときからずっと沈痛な思いがあった。そして画像がそれを裏付けていた。

まるで濡れた路面を高速で走行したときに起こるハイドロプレーニング現象のようでもあり、凍結した道路で滑るような感覚だ。状況はコントロールできなかった。

いったい何がいけなかったのか。脳動脈瘤の頸部に挟んだクリップの位置は間違いないはずだった。

原因は出血を防ぐために内頸動脈周辺に注射した組織接着剤だろうか。1980年代から何千人もの患者に使っているが、今まで何の問題も起こったことはなかった。もしかすると、接着剤が、枝分かれした小さな血管から、動脈に入り込んだのかもしれない。この疑惑は誰にも打ち明けることができず、私の頭の中でグルグル回っていた。

皮肉なことに今日は、病院の訪問者を記念して、レストランディナーが午後6時から予定されていた。これが最後の仕事だ。

お偉いさんは、私の嫌いな実用的ではない言葉を口にした。私はそこに座り、物思いにふけっていた。晩餐は2時間で終わるはずなのに、延々と続くかのように感じられた。

疲れ果てて家路についた。もしかしたら、このまま眠りに落ち、何もかも忘れてしまえるかもしれない。でも、無理だった。

脳神経外科医は巨大な墓地を背負っているとよく言われる。今日もまた1つ墓が増えそうだった。

私は、合併症を持つ患者を中国西安にある共同墓地、兵馬俑《へいばよう》にたとえることがある。整然と隊列を組んで並ぶ人形はほぼ等身大。表情、髪形、衣服がすべて別々。彼らは私の前に立ち、無言で、指をさす。「私を覚えていますか?」と。

覚えている。あまりにもよく覚えている。

誰も覚えられていないとき、その人は死んでいるのだ。

翌朝、私は患者さんの家族とお話する準備をした。10人ほどの家族がICUに到着していた。私は、患者さんの死期が迫っていることを伝えた。若い女性たちは激昂し、私に鋭い質問を浴びせる。

「なぜ手術をしたのですか? なぜこんなことになったのか」

私は動揺することなく、冷静に答えようとした。私は、彼女たちの悲しみを受け止めたかったのだ。彼女たちにとっては特殊な出来事だが、プロの私にとっては珍しくない日常の一部に過ぎない。それでもいつまでも慣れることのない出来事だった。

翌日の午後4時から、致命傷となった合併症を検証するための会議が開かれた。中国の習慣で、皆、少し遅れてくるのだが、中でも院長が一番遅い。地位の高い人ほど遅く来るし、そうしなければならないことになっているのだ。

院長の李天暁教授を筆頭に、さまざまな専門家が集まっていた。1時間以上中国語で会話して、家族にどう説明したらいいか、話し合っていた。私は何もしなかった。自分の疑念を打ち明けることもしなかったのだ。私は、手術によってプラークの破片が剥がれ、血液凝固異常により血栓症になったのではないかと述べた。しかし組織接着剤への疑惑が頭をよぎった。もちろん推測だ。

李教授は会議の結論を、亡くなった患者の家族、若い女性、男性に提示した。この合併症が起きたことにより、私たちのユニットだけでなく、すべてのユニットの運用が1年間見直されることになった。行政は、物事の仕組みを理解していなくても、こじれた場合にはしっかりと介入してくるのだ。

その日の夜も、センターで夕食を伴うプログラムが予定されていた。当然、参加しようという気にはなれなかった。喪に服し、苦しんでいた。この苦しみは、次の手術が成功するまで、過ぎ去ることはないだろう。これは、決して慣れるものではない。

ヒューゴと私は、この稀な合併症について論文を書いた。中国では検死が行われないため、術後の検査と死に至った病気の進行具合から結論を出すことになる。合併症を分析すれば、自分や他の医師が同じ過ちを繰り返さないようになることは明白だが、中国では合併症の報告をほとんど医学雑誌に発表しない。医学雑誌に発表すれば、自分自身の罪悪感も少しは軽減されるのだが。

河南省人民病院で、私の名前を冠したユニットの教授兼病院長として働き始めて2年になる。およそ74年の人生の中で、最後の職場だ。3年の任期で、すでに数年先まで延長が計画されている。

これまで経験したことのないほど厳密な3回の健康診断を受け、私が健康であることがわかった。仕事量は、ヘルシンキやクオピオで昼も夜も週末も仕事をこなしていた頃の4分の1程度だから余裕がある。

自分のやっていることが好きであれば、いくらでもできる。能力の一部は授かりものだが、それ以上に努力(ハードワーク)によって身につくところが大きい。そうすると、重いものがやがて軽く感じられるときがくる。本当にそうなのか?

この物語を読んでほしい。

※左記の未収録原稿はWEBサイトでご覧いただけます（13ページ参照）

1章　幼年期と青年期

「中央オストロボスニア州の最初の足跡」「カウスティネン、アイトゥ」「ルオベシ時代」「医療とのファーストコンタクト」「ドイツで語学留学」「スイスへの道」

2章　スイス留学

「新しい世界」「臨床前基礎科目」

3章　1969年2月　期末試験

※左記の未収録原稿はWEBサイトでご覧いただけます（13ページ参照）

「初めての臨床研修」「脳研究所」

研修生期間「くそったれ、小僧！」

1970年の夏、学期とそれに続くインターンシップが始まる前の休暇の2ヵ月間、私はいわゆる研修生としてフィンランドのタンペレで過ごした。消化器外科の担当医はドクトル・ユゼラだった。レーニンコは、このユニットの穏やかで経験豊かな研修医であった。最初の頃、私は「坊や」と呼ばれており、過酷な研修の日々を過ごした。

モーニングコーヒーを飲んでいるとき、外科医たちが「ストリップ」に向かうと言い、私も一緒に行くようにと言われた。ストリップって何だろうと思ったが、どういう意味なのか、そのときは黙って聞かなかった。私は、帽子もマスクもつけずに遅れて手術室に入ったのだ。すると、四方八方から大きな声が聞こえてきた。

「くそったれ、小僧、帽子とマスクを着けろ！」

恥ずかしくて涙が出そうになりながら、手術室を出た。涙をこらえつつ、看護師さんに帽子とマスクの着方を教わった。それからまた手術室に戻ると、今度は大きな声は聞こえなかった。遠くから「ストリップ」を観察すると、それは静脈瘤の手術だとわかった。

ユゼラは、潰瘍のある患者に対して、19世紀のドイツの有名な外科医にちなんで名付けられたビロート手術IとIIを主に行っていた。私は、その手伝いをするのがだんだん上手になってきた。

ルオベシに住む男性が、頭痛と片側の上下肢の脱力を訴えて病院に来院した。血管造影検査の結果この症状は、大きめのゆっくりと進行する硬膜下血腫が原因であることがわかった。そこで、頭蓋骨を切り開く開頭術という大手術が行われた。ペッシは外科医としてこのような手術の経験があったので参加したが、ユゼラが執刀し、見事に成功させた。そして脳を触らないようにとペッシに注意した。

「触るな、触るな、くそったれ！」

患者は順調に回復し、帰宅した。これが、私が初めて見た脳神経外科手術だった。

インターンシップ

1971年の留学には、8ヵ月間のインターンシップが含まれており、私はフィンランドの病院で研修を受けることが許された。セイナヨキにある小さな中央病院は予備の医師が足りず、私とティニはそこへ向かった。チューリッヒですでに研究を終えていたラウリ・サーリネンと、ヌルモに住んでいたティニの叔父や従兄弟のおかげでもあった。

2月の寒い朝、私たちは古い地方病院に到着した。私たちのアパートは別棟にあった。私たちのボルボは、最初凍結で完全に動かなくなっていた。その後、どれくらいのスピードが出るかテストをしたところ、ヴァーサに向かう雪の積もった高速道路で時速200キロを出しそうになった。当時はシートベルトもない時代だったから、まったく正気の沙汰とは思えない。私は、ドイツの高速道路でスピードを出す習慣が身についてしまっていたのである。

セイナヨキでの最初の4ヵ月は内科で過ごした。内科長はオウルで働いていたライモ・イリ・ウオティラという若手の医師で、彼は我々に彼のことを形式ばった呼び方をするように要求した。私は彼から多くを学んだ。問題のある症例については、オウルの循環器専門医タクネンを呼んで対処した。看護師長はアイノというベテランで、長い回診の間、私の指示が適切でないと唇をかんだりしていたが、しばらくして私はアイノが納得できるような指示ができるようになった。ライモ・イリ・ウオティラは後にセイナヨキ市長となり、引退後はカウプンキネウヴォスという名誉称号を与えられた。

私は、ほぼ1日おきに当直をしていた。激しい頭痛を訴えて来院した中年男性に腰椎穿刺（脳脊髄液を採取するために、背側から腰椎の間に針を挿入する手技）を行ったとき、針から滴り落ちる鮮やかな赤い液体に驚いた。くも膜下出血であった。その当時の私は、脳動脈の画像診断はしておらず、他に治療できそうな病院を紹介するという方法があることすら知らなかった。私にできたのは、心臓発作の患者に言うように「3週間は横になっているように」と言うことだけだった。

セイナヨキの病院からピトゥカニエミの精神科病院へ移ることにした。夏休みの間だけピトゥカニエミに行き、そこで私は大きな急性期病棟と慢性期病棟の1つを担当することになった。

そこでは、ソーセージを焼いたり、ドッジボールをしたり、ダーツをしたりと、病棟の人たちと一緒に遠足に行くこともよくあった。私は皆に参加するように促した。しかし患者の中には、定型抗精神病薬のラルガクチルを大量に飲まされ、口をパクパクさせながら無言でじっと見ている人や、薬の副作用で足踏みをしていた人も多くいた。そこでは医療そのものをあまり見なかったが、私は真剣に仕事に取り組んだ。

私の病棟で2ヵ月間に3人の患者が自殺したことが私たちの心に重くのしかかっていた。いまだに忘れることはできない。その中の1人、レインは当時まだ30歳にもなっていなかった。彼はときどき、ビールを飲みにピスパラン・プルッテリに出かけていた。私はそれが彼にとって危険なことではなく、特に違和感のない普通の行動だと受け止めていた。しかし、彼はそこへ行ってはいけなかったのである。

レインはある日、首吊り死体で発見された。それまでの私たちは、看護師たちとレインのお出かけについて笑い合っていた。

スイスの医学者であり精神科医のオイゲン・ブロイラーのように私も精神科医になることを夢見ていたことがあるが、ピトゥカニエミ精神科病院のあまりの厳しさに、その計画は断念した。

この夏休み期間の後、わずかな荷物をまとめてセイナヨキに戻り、ウラ・カスキが率いる小児科病棟で2ヵ月間の研修を受けた。私は、回復期にある年長の子供たちと仲良くなった。本当に小さな未熟児は、保育器での治療、臍帯カテーテル、そして頭皮の小さな血管からの点滴が必要で、カテーテルの挿管には根気と正確さを必要とした。

また、体重が1キログラムにも満たない小さな未熟児の命を救うために、看護師が一晩中人工呼吸をすることもあった。気管の直径はジュース箱のストローくらいしかなく、気管挿管は繊細で難しい作業だった。当時は、小さな未熟児は、長い時間の看病にもかかわらず、亡くなってしまうことが多かった。そのような子供たちの死は、小児科にとって大きな悲しい出来事の1つであった。

もうすぐ小学生になる少女が乳頭浮腫（眼底検査でわかる、視神経の出口の部分が腫れた状態）を疑われ受診した。これは脳腫瘍が原因で起こることが多いと言われていた。私はヘルシンキの脳神経外科に電話して相談するように指示された。

この患者は、治療の必要がない視神経乳頭ドルーゼンである（乳頭浮腫ではなく脳腫瘍の疑いがない）ことがわかったのだ。1ヵ月間、恐怖の日々を送っていた両親にとって、この報告は、もちろん大きく安心させる内容だった。このときのこの電話が、脳神経外科、そして名医と言われるグンナル・アフ・ビョルケステン教授との最初の接触となった。

ウラ・カスキは、小児科部長に就任したばかりのエネルギッシュで先見の明のある人物で、小児科病棟をほとんど何もないところから、円滑に機能させるまで作り上げた。その小児科病棟は、殺風景な地域病院の下層階にこぢんまりと入居していた。スタッフは皆、驚くほど仕事に熱心だった。私の学生時代の仲間で、後に小児科医になったパーヴォ・コルペラもそこで働いていた。

医師たちの共同オフィスには大きな窓があったが、臨床報告書が2列に積み上げられていたせいで、外の光は遮られていた。法律で義務づけられているはずの臨床報告のサマリーなどを完成させる時間や興味は、誰も持っていなかったのだ。

私は、部長から許可を得て、そして正式に依頼を受け、勤務時間後に時間外手当をもらって、積み上げられた臨床報告書の口述筆記をした。数ヵ月後にはLP盤のような大きなディスクに口述し終わり、窓を解放することができた。

フリータイム

フィンランドでの8ヵ月間のインターン生活を終

え、チューリッヒに戻り、慣れ親しんだ自分たちの場所に戻ってくることができた。いつものように、私たちは古い学生食堂の「メンサ」に集まった。いつものコーナーテーブルで、それぞれが持ち寄った情報を交換し、食事をし、他のフィンランド人とたまって話していたりしていた。

春学期、学校が休みになるのはペンテコステ（聖霊降臨祭）かイースターの1週間くらいしかなかった。そんなときはラ・スペツィアという海岸沿いの小さな街で、おいしい食事とイタリアのスパークリングワイン、スプマンテを楽しんだ。

ラ・スペツィアには、ビーチ近くに100メートル近い急斜面がある。私は体操が得意だったが、崖っぷちで逆立ちができるほど上手ではなかった。でも、なぜかそのときはどうしても逆立ちしたい衝動に襲われて、やってしまった。何十年も経った今でも、一瞬バランスを崩しただけで死んでしまうようなことを、恐れもせずにやっていたのだと思うとぞっとする。

イタリア人の映画館でイタリアン・ウエスタンを見るのは最高だった。クリント・イーストウッドは当然のことながら、観客をスクリーンの中に飛び込ませて、弾丸を集めさせたように観客を熱中させた。近くのイタリア人労働者のための食堂では、ウサギを食べたが、とてもおいしかった。

茶色の革のロングコートが流行り、私も買おうかと思ったが、科学者はある種のイメージを保たなければならない。脳の研究は、自分の人生に制限をかけるのである。

自分のフィールドを見つける

病気を治療することはとても魅力的で、毎日が新鮮だった。内気な性格も和らぎ、スタッフとも楽しく仕事ができるようになった。基礎研究者になる夢は捨て、コンラッド・アッカートにもカール・フェニンガーにもなろうとはもう思わなくなった。患者を診る医者になろうと思ったのだ。しかもパルメンのような市中医ではなく、専門医である。

脳に関する知識を生かしたいと思い、もっと勉強しようと思ってチューリッヒに戻った。

世界的に有名なクラヤンビュール教授とヤサーギル教授の話を聞いて、私は脳神経外科に進むという考えを強固にした。クラヤンビュールは講義が上手で、講義の中で前頭葉の精神領域に腫瘍があり、一部は躁状態、一部は状況が理解できない患者を提示していた。

カリスマ的な心臓外科医だったセニングの講義はキャリアを積む上でよいお手本になった。カロリンスカ病院からチューリッヒに移ったセニングは、最初のペースメーカーを開発し、弁膜症手術で有名になった。その後、ヨーロッパ初の心臓移植を行ったのである。

米国に留学していたヤサーギルは、帰国後、脳神経外科手術を顕微鏡下で行うマイクロサージェリーへと完全に転換させた。1967年には、世界で初めて脳動脈のバイパス手術を行っている。彼のもとには世界中から学生が集まるようになり、私たち学生も興味深く彼の言動を追っていた。

私は脳研究所に戻り、研究を完成させた。クララ・サンドリから電子顕微鏡を学ぼうとしたが、うまくいかなかった。アッカート教授は、優秀な人材を選ぶのがうまい人だったが、私はこの仕事には精度が足りなかったのである。サンドリの表情は険しいものだった。

「Herr Hermesniemi wird nicht lernen」（ヘルネスニエミ氏はこれを学ぼうとはしていないようだ）

サンドリはもともと実験技師だったが、研究者へと成長し、後に名誉博士号を授与された。

私は再びフルタイムで学ぶ学生になった。脳研究所の仕事は孤独な苦役のようだった。病院には、面白い患者がたくさんいて、仕事場にも仲間がいた。

私は自分の選択肢を考えた。病院での実習をきっかけに、臨床業務をやりたいと思うようになった。基礎研究は大変な仕事だと思い、自分には向かないという結論に達したのだ。私はそれに見合うだけの知性がない、と。そして、クラヤンビュールやヤサーギルは、私を脳神経外科へと導いてくれたロールモデルになった。

私は自分の強みを分析した。医学に強く、勉強熱心で、昔の成績はトップクラス。健康的なスポーツマン。短所は激しい人見知り、タバコを吸う、ビールを飲む。手術の経験はほとんどなかったが、手術に対する畏敬の念は大きい。私は成功すると思っていた。この不屈の精神がどこから来たものか判断することはできなかったが、建設現場や工場、留学先で鍛えられてきたのだろうと思った。

脳神経外科はすぐにでも専門医になれるが、心臓外科は一般外科を経てからでないと専門医になれない。

私はフィンランドで仕事をしなくてはいけなかったので、推薦状が必要だった。アッカート教授のところへ行き、フィンランドでの仕事を推薦してくれるようお願いした。アッカート教授には、床屋に行って、長い髪を切り、服装を変えるなら書いてもいいと強気な態度で言われた。そこでモカシンの靴、スーツ、ネクタイを身につけ、短髪にした。それが功を奏し、私は推薦状をもらうことができた。

ヘルシンキ大学脳神経外科のビョルケステン教授は病気療養中だったが、その代役のライティネン博士が私の手紙にすぐに返事をくれた。夏のバックアップ医として迎えてくれ、猫の精神外科の博士課程に招待してくれたのである。フィンランドへの帰国は、学生ローンの返済のためでもあった。フィンランドで医師として働かなければ、ローンを一括返済しなければならない。

そしてヘルシンキでは、チューリッヒのような世界レベルのトレーニングは受けることができない。それを十分承知していた上での判断だった。

フィンランドの医療関係者は、他国の医療教育を見下し、フィンランドのレベルの高さを自慢していたが、私は実情を知っていた。スイスの医療教育は、きれいで、優れていて、最高だった。

※左記の未収録原稿はＷＥＢサイトでご覧いただけます（13ページ参照）
「保健所」「エマオでの講習」

最終試験

チューリッヒに戻ると、また講義は始まり、ものすごい猛勉強の時期がスタートした。といっても、講義を受けることは苦にならず、むしろ楽しかった。もうノートは取らず、教科書を頼りに理解しようとした。皮膚科はブルクハルト、内科はジーゲンターラーなど、ほぼすべての専門分野で教授独自の教科書が使われていた。私の場合、勉強は、気が散らないようにものすごく集中して準備し、試験が終わったらまた休むという繰り返しだった。

最終試験の勉強は、ほぼ丸1年かかった。私は、非常に綿密に計画された学習プログラムを厳格に遵守したのだ。1日18時間勉強して、6時間しか寝ない。濃いコーヒーとタバコで目を覚まし、健康的な1日をスタートさせる。お腹が空いたら、ラードと卵を炒めて、アロマとパプリカをふりかける。ブエルリ小麦のロールパンを食べれば、何時間でも満腹になった。1年間、最終試験の勉強をしながら、パンを食べ、コーヒーを飲み、休憩時間にはキャメルやマルボロレッドなど1日2～3箱、タバコを吸った。自分へのご褒美にタバコを吸う。その間、酒はまったく飲まず、ビールさえ1本も飲まなかった。

最終試験の科目は、社会医学と予防医学を除いて、すべて分厚い教科書で徹底的に勉強した。

やがて試験が始まり、一つひとつ順調にこなしていった。私は、病理学が5点であった以外は、全科目で最高得点の6点を取った。

結局、２００人近い学生の中で、私は2番目の成績だった。スイスのおとなしい女の子1人だけが、全科目で6点を取ったのである。

最終試験の後、私はバーンホフシュトラッセのメーヴェンピックに食事に行った。私は、痩せて、幸せで、疲れていた。シュタンゲン・ビールを1本飲んだが、1年間禁酒していたので、すぐに酔っぱらってしまい、まっすぐ歩けなくなった。

私は、コンラッド・アッカート教授の素晴らしいチームの一員として、基礎医学のより広い世界に触れることができた。しかしＭＩＴの研究者になるわけでもなく、アメリカで著名な地位に就くわけでもなく、私が志願したのは、チューリッヒに留学していたちょうどその時期に、クラヤンビュール教授やヤサーギル教授がマイクロサージェリーで革命を起こしていた神経学、脳神経外科であった。

チューリッヒで最終試験を受ける頃。1973年

講義や臨床実習では、質問にうまく答えられると、脳神経外科手術の見学が許される。学生時代、私は一度も許されなかった。ところが、試験の後、私はヤサーギル教授にチューリッヒの専門課程に受け入れてくれるよう頼み、彼はその秋から始められると約束してくれた。しかしよくよく考えてみると、私は考えを改めざるを得なかった。彼のもとで働くことは、私のような性格の人間には難し過ぎる。実際、多くが辞めたらしいという話を聞いた。ペッカ・ニーベルグとアンデルス・ダールは私の同期生で、彼らはヤサーギル教授のもとで2、3年働いた。しかし、ヤサーギル教授のやり方に耐え切れなかった。結局、ペッカはチューリッヒで尊敬される耳鼻科医になり、

アンデルスはスウェーデンのニナシャムンで開業医になった。

試験の興奮が次第に覚めてくると、まるで銀行にお金を預けているように、10時間以上眠り続ける日々が続いた。体も心も休まり、痛みもなく、気持ちよく、前向きになれた。疲れると問題が大きくなり、不安や恐怖も大きくなるものだが、眠ると力が湧いてくるのだ。5月の試験終了後、同期のパーティーがあったが、私はすでに脳神経外科のバックアップとしてヘルシンキに向かっていたので、参加しなかった。脳神経外科は、自分の活躍する舞台になるものと思っていた。

4章 フィンランドでのキャリア初期

ヘルシンキ

最終試験の後、私は直接ヘルシンキに向かった。ウルヘイルカトゥにある、小さなベッドルームが1つだけのアパートに住むことにした。これは、倹約家で協力的な両親が、私と弟が勉強するために購入したものである。そのとき、弟はそこには住んでいなかった。

ヘルシンキには知り合いがいなかったので、週末になると1人で街を歩き、知り合いに出会えないかと思ったものだ。

1973年6月からヘルシンキ大学トーロ病院で仕事を開始した。ヘルシンキ大学中央病院には複数の病院が属しており、脳神経外科はヘルシンキ大学トーロ病院にあった。病院から同じくチューリッヒに留学していたシモ・ヴァルトネンを紹介された。彼は脳神経外科の専門医を取得する最後の段階で、他の専門医が休暇をとっているため、すでに脳神経外科医として働き始めていた。シモ・ヴァルトネンは、この病棟で働いている先輩たちのことを教えてくれた。

脳神経外科部長のグンナル・アフ・ビョルケステンは、病気療養中で退職を控えていた。後任の有力候補は、ヘンリー・トロップ、ラウリ・ライティネン、スティグ・ニーストレム、オリ・ハイスカネンの4医師だった。病院で働く脳神経外科医のうち、医学博士のセッポ・パカリネンだけが、グンナル・アフ・ビョルケステンの後を継ごうとしなかった。セッポ・パカリネンは、准教授になるための資格を取得しておらず、その必要性も感じていなかったようである。頭部外傷の論文を書いたティモ・クルネと、博士課程を終えたシモ・ヴァルトネンは、専門医の資格を取るために、ヘンリー・トロップの指導を受けていた。

入院病棟の間にある、天窓から薄暗い光が差し込む医師たちの共同オフィスの机に私は案内された。私は、外科や神経学の本をすべてそこに運んだ。ハイスカネンがそれらの本を興味深そうに見ていた。他のレジデントには、耳鼻科医のペッカ・カルマや、オウル出身のピルッコ・マッタラ（後のヴィヒコ）がいた。整形外科医のレオ・ストリッドは、私の学歴を指して「先生」と呼び、神経科医のマッティ・ヨケライネンは、私の知識が豊富だと言ってくれて、慕ってくるようになった。

Bドクターの苦悩から解放され、褒められるたびに嬉しくなった。1960年代にフィンランドのタブロイド紙で、主にパーヴォ・ヴァァラ教授が、外国の医学教育は貧弱で、「Bドクター」を輩出していると大規模なスキャンダルキャンペーンを展開したことがある。「ドイツ人の指南役とか言っているが、実際には彼らは何も知らないから、そこに立っている

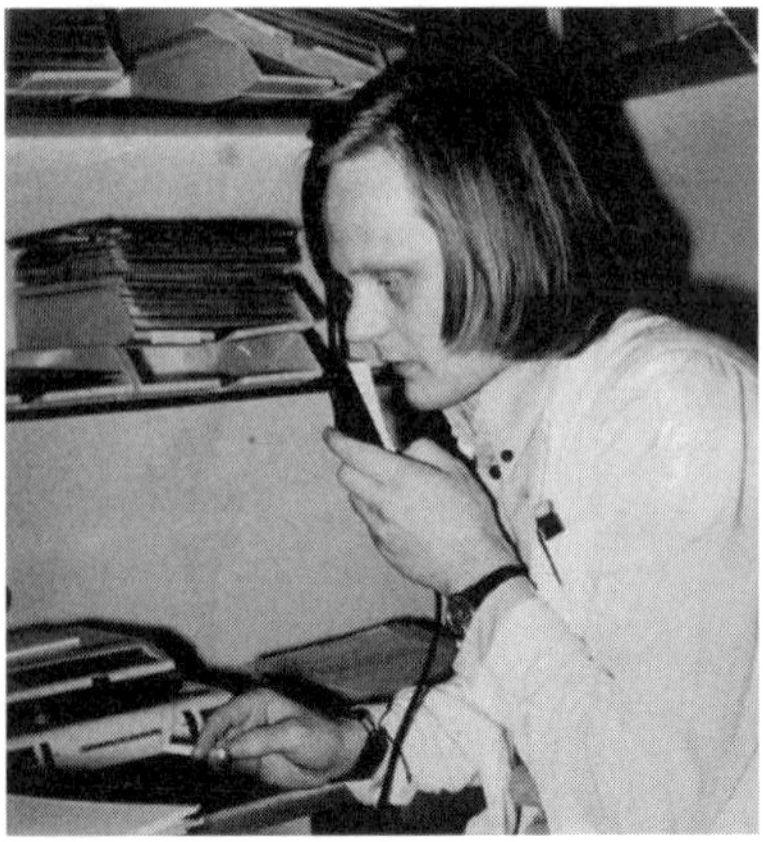

研修医時代。ヘルシンキ、1973年

だけの話だ」と痛烈に批判していた。フィンランドは、今も昔も、視野が狭い。ヴァラや他の人たちは、目隠しをして育ったようなもので、海外留学の利点がまったくわかっていないようだった。一流の大学で教育を受けると、ヨーロッパや世界で通用する医師としての資質が身につくのだ。私は医師になってから何年も、自分がスイスに留学していたことを口にするのを避けていた。しかし、時代が変わり、次第にチューリッヒに留学したことがこれからの脳神経外科医にとってメリットであることがわかってきた。

最初の数日間で、私は脳神経外科での将来について事実を聞かされた。

1 お金持ちになることは不可能である
2 フィンランドでは仕事が見つからない
3 有名になることはない

私にとって、これらは正直どうでもよかった。自分の仕事で多くの収入を得られるとは思っていなかったのだ。しかし、初めて手にしたわずかな給与明細の数字に、私はがっかりしたものだ。指に紙幣を挟んで長時間考えた。指の間で紙幣をなめらかに動かしてみたが、お金が増えることはなかった。次の給料日は、オンコール当番があるので給料が増える。それで学生ローンは返せると思っていた。留学していたのだから、世界のどこかで仕事が見つかるはずだと信じていたのだ。チューリッヒの先輩たちのように、将来、教授や外科部長になるつもりだったが、それはあえて誰にも言わなかった。

朝は、階下の狭い脳神経外科の施設で着替えることから始まった。ロッカーは木製で、自分の名前が書いてある。白衣を着て2階の放射線室に上がり、朝の回診の前に画像を見る。2階建てで、手前の列に脳神経外科医の部屋があり、真ん中に部長、さらに後列に若手の医師がいるという厳しい秩序があった。画像はX線、血管造影、核医学検査だった。神経放射線科医のヴィルヨ・ハロネン、ピーター・シュッグ、アンティ・セルボが、画像を小さなポインターで指し示しながら説明するのだ。

「静脈が少し動いているね」

若い医師たちは、自分たちの知識を披露しようと躍起になっていた。画像の解釈は難しいものだった。

ヴィルヨ・ハロネンはユーモアのある部長なので、冗談もよく言った。ある皮肉な発言は大爆笑を誘ったものである。「脳卒中でもなく、言語障害でもないなら、ヘスペリア（精神科）病院に転院して、さらに治療を続けることになります」というのは、名言であった。セッションが終わると、ヴィルヨ・ハロネンは落ち着いてパイプに火をつけ、それをふかしながら、脳神経外科医たちが部屋を出て行くのを満足げに見ていた。

画像を見た後、1960年代にフィンランドで初めて設置された質素な重症患者観察室、後のICUを回診する。このICUという名称に変わったのは、その後病院が改築され、ベッド数が6床から8床に増え、看護師たちが小さなワークステーションを持つようになったときだ。

ICUという名称は、「フィンランド語でTVO(teho ja valvontaosasto)」、つまり「集中・観察ユニット」という意味で、私が考えたのだ。

新人である私は、ベテランの看護師を恐れていた。ベテランの看護師たちは、私の経歴を詮索してから、仕事を教えてくれた。あるベテラン看護師は口が達者で、患者を邪険に扱い、患者の痛む箇所を強く刺激し、傷口を乱暴にアルコール消毒した。「こうやるんだよ。これがあなたのやり方よ」と、その看護師に言われたことをそのまま採用してしまう医師もいた。

壁には、脳保護薬としてその頃使われていた仙台カクテルのレシピが飾られていた。扇風機やメチルアルコールなどが、脳の損傷が激しい場合には体温を下げるために使用された。意識不明になってから3日経った場合には、気管切開が行われる。耳鼻科医のカルマが、気管切開の方法を教えてくれた。私は最初から、とても上手にそして早くできた。

レジデントになった最初の夏から、手術の助手として少しでも腕を上げるため、私は一心不乱に取り組んでいた。そんなあるとき、手術中に中大脳動脈にある動脈瘤が破裂したことがあった。瞬く間に血が激しく噴き出し、空中に飛び散った。切開した部分が血であふれ返り、床にこぼれ落ちた。当時使っていたガラス製の吸引器を2本使って、血を吸引した。試行錯誤の結果、なんとか動脈瘤の頸部をクリッピングすることができた。吸引された血液は5リットル以上。手術室は怒号とパニックに包まれた。腰から下は血だらけで、また洗浄のために使った生理食塩水で、体はびしょびしょに濡れてしまった。

このスリリングな出来事に、私はなぜか興奮していた。私は両親に電話をかけ、この信じられないような手術のことを話した。私は自分の専門分野を見つけたのだ、と。結局、その患者は意識が戻らないままＩＣＵで亡くなってしまったのだが、私が怯むことはなかった。それ以来、手術の助手をするときは、動脈瘤が破裂することを密かに願うようになっていた。手術室の中では何かが起こるかもしれない、と。実際、手術を10回するうち1回くらいは動脈瘤が破裂していたように思う。しかし、経験を積んで助手ではなく自分自身で手術をするようになると、そんなことは考えなくなった。責任感をもって手術をする気持ちになり、脳神経外科医として成長をしていったように感じた。

父は手が震えるからという理由で、医学部には行かなかった。結局、父は寄宿学校と高校の教師を経て、校長になった。慎重で神経質な性格で、物事を最後までやり遂げようとし、自分自身と恐怖心を無理にでもコントロールしようとする人であった。

私が脳神経外科医になることに決めたとき、実は父は私がその仕事には向いていないと考えていたそうだ。しかし、その気持ちは何年もの長い間、自分1人の胸に秘め続けていたとのことだった。幸い、父が何も言わなくてよかった。そのおかげで、つらいときもあれば失敗もあったが、私は自分を信じることができたのだから。

1973年　リールとの出会い

1973年の夏、ヘルシンキ大学トーロ病院関係者が集まって、トキオというレストランでパーティーをした。そのとき、重い病気を患っていた脳神経外科部長のグンナル・アフ・ビョルケステンも立ち寄ってくれた。パーティーの後、ICUの看護師だったカイジャ、リールとラウリ・ライティネン、私の4人は、ヘルシンキ大学トーロ病院の旧館地下にあるライティネンのオフィス「クラウストラム」に向かった。私たちは、そこで少し過ごしてから帰路についた。

秋が終わる頃には、リールと恋に落ちていた。以前付き合っていたティニとは、もう会っていなかった。あるとき、リールからアイススケートに誘われたのだが、私はスケート靴を持っていなかった。そこで私のほうから「うちに食べに来ませんか？」と食事に誘った。お皿とワイングラスとビールグラスを買ってきて、フィレステーキを焼き、赤ワインと一緒に食べた。リールはインピリンナでドミトリーの部屋に住んでいたため、いつも私の家で会っていた。彼女の家には一度だけしか訪れたことはない。私は、世界一の美女――彼女のことをそう呼んでいた――と付き合うようになったのである。私はスリムになって、髪も長かったのだが、目の下にはまだ黒いクマがあった。

私たちの関係は、いつも順風満帆というわけではなかった。2人ともオストロボスニア人（率直に物事を言い合う特徴がある）なので度々喧嘩をした。喧嘩をするとリールは自分のアパートへ戻ってしまう。そして長い電話の後にやっと帰ってきてくれるのだった。

グンナル・アフ・ビョルケステンが病院に別れの手紙を出したのは1973年のクリスマスで、翌年の年明けに亡くなった。葬儀に行ったが、参列者はかなり少なかったように思った。後列の私の近くに、ビョルケステンの元患者と思われる完全な顔面神経麻痺の年配の女性が座っていた。マイクロサージェリーが出現する以前は、聴神経腫瘍の手術で顔面神経を温存できないことが多かったのだ。

私は、メッチェリニンカトゥへ引っ越した。

リールと一緒にペンキを塗り、アパートの内装をした。赤と青のカラフルな壁で、いい感じに仕上がった。

脳神経外科を専門にするのは、とても過酷なことだった。人生のすべてを費やし、全力を尽くさなければならない。そんな私を癒してくれたのが、リールだった。脳神経外科に7年勤務していた彼女は、他の医師がどんな苦労をしていたか教えてくれた。

ソ連に行ったとき、ロシア製のスカーフをリールに買ってきた。それを巻いたリールは、とても喜んでくれてそして美しかった。私たちは、一緒にコンサートに行ったりした。

付き合って数年後、リールは妊娠した。しかし、タイミングがよくなかった。私は、まだ1年間の公務が残っていたので、一緒にいることがなかなか難しかったからだ。リールは、コッコラの実家に帰って、そこで暮らした。

リールの両親エイノとシルヴィは私たちを温かく迎えてくれた。

1976年の終わり頃になると、多くの重要な出来事が起こった。1976年の夏、タンペレの病院の神経科で働くために引っ越したり、セッポ・パカリネンとともに初めて動脈瘤の手術を行ったりした。そして、娘も無事に生まれた。

動脈瘤の手術のアシスタントを何度も経験した後、私は初めて動脈瘤の手術をすることになった。もちろんセッポ・パカリネンが隣で助けてくれた。この手術は最も難易度が高いと言われており、本や論文、解剖学、そして最近ではビデオを観て入念に準備する必要があった。手術中に動脈瘤が破裂した場合、手術チーム全体が迅速かつ論理的に行動しなければならない。

9月末の凍えるような日、私は列車でコッコラへと戻った。私たちの元気な赤ちゃんが生まれたのだ。リールの両親と私はその子に会いに行った。リールと赤ちゃんは、その年の秋の終わりにヘルシンキの私のアパートに引っ越すことにした。

私たちはこの女の子を、私の祖母アイダからとってアイダ・ビリト・ヨハンナと名付けた。私たちには、ラップランド人としての証が必要だった。そこでリールと私は、正式な手続きをするために役所に出向いたのである。

1973年～1976年　レジデント時代

専門医は同じポジションを長く勤めることが多いのだが、レジデントは頻繁に勤務する病棟が変わる。最初はユニット6、男性側の担当だった。対してユニット7は女性側だった。後に私の師匠となり、支えとなってくれたセッポ・パカリネンは、男性側のほうが好きだった。パカリネンが頻繁に言うことには、女性は過度にくどくどして、不満についてはっきり言わない、とのことだった。彼は、質問に対してシンプルな答えを求め、拡大解釈した回答は切り捨てていた。パカリネンは、とてもいい人で、多くの点で協力的で、常識的で、地に足のついた人であった。彼は、自分の地位や経験を強調することなく、ただよいアドバイスをしてくれた。パカリネンは私にこう言った。

「自分のスタイルを崩すな」

私はその通りにするように努めた。私とパカリネンは、職場以外でも親しくなった。彼は私より15歳も年上だったので、私は彼のことを、「オールド・フォギー」と呼んだりしていた。彼が自分の習慣や考え方、発言、パイプを吸うことにまで、とことんこだわっていたからだ。彼によると会話するときも60センチかそれ以上離れるのがいいそうだ。私が手術のアシスタントをしていたとき、彼はこう言った。

「ユハ、お前の体温を感じるぞ」

それは、私が近過ぎるということだった。

少し経験を積んだ後、私はICUに配属された。私の仕事は、手術の翌朝、世界的に有名なスウェーデン人のヘルベルト・オリベクロナが定めた方法で、頭部の包帯を交換することだった。ヘルシンキ大学トーロ病院では、アールノ・スネルマンも、その後任のグンナル・アフ・ビョルケステンも、オリベクロナのもとで修行を積んでおり、彼のやり方を厳格に守っていた。

術後発熱した患者には、髄膜炎の有無を確認するために腰椎穿刺が行われた。髄膜炎がある場合、採取した脳脊髄液中の白血球数が上昇する。結果として、髄膜炎の有無が判明するのだ。私は、自らの技術を磨くため、自宅で背骨の解剖学的構造を勉強し、横向きに寝ている患者への棘突起《きょくとつき》の間にうまく針を刺す方法を考えたりすることもあった。逆境が私の技術を磨き、一発で的中させることもしばしばだった。速やかに手技を終えることができるので、私からすれば局所麻酔を使う必要もなかった。

レジデントの仕事の1つに、「アナムネ」つまり新患を問診して病歴を作成することがあった。私はこれに多くの時間を費やした。病気やその経過について、家族の背景も含めて患者に尋ね、頭からつま先まで診察し、詳細な神経学的状態を作成する。

ときには、指摘されると悔しくなるようなミスもあった。それは、私の自尊心を傷つけ、性格的に受け入れにくいことだったが、おかげで人格は成長したように感じている。パカリネンはいつも私にこう言っていた。「ユハ、これは人格を形成するためにやっているんだ」と。

毎週恒例の部長の回診で、私たちは担当している患者の経過を説明することになっていた。看護師長を含め、全員が参加しなければならない。私は不安や恐怖を感じたものだ。部長は患者のファイルのメモをチェックし、論理的でなかったり、情報が抜けていたりすると、叱責するのだ。そんなこともあって、前日の夜、タイプライターでファイルを更新することもよくあった。

オンコール当番シフト

当直では、同時にさまざまな問題が発生することがある。最初はパニックになったが、1つのことに集中していくと、すべてがスムーズに進み出すことに気づいた。最初はノートにやるべきことを書き込んでいた。やがて、そんなことは必要ないと気づき、今ではカレンダーさえも使っていない。重要なことは覚えなくてはならないが、不必要なことは忘れても構わない。緊急のことは、すぐに優先順位をつけて、1つずつ片付けていく。他のことは後回しにしても、それで忘れることはまずなくなる。当直室でベッドに入る前に、できることはすべてやっておくのがベストだ。そうすれば横になってすぐに起こされるようなことはないだろう。

ICUか救急治療室から電話がかかってきたら、すぐに行かなければならない。病棟からの電話の場合は少し時間を置いても大丈夫だ。ただし、くも膜下出血の患者が入院中に再出血を起こした場合は別である。その場合、たいていは気管内挿管（気道が閉塞し、呼吸がうまくできないときに、気管内にチューブを挿入する処置。くも膜下出血では昏睡状態になり気道が閉塞してしまうことが少なくない）と腰椎穿刺を行うため、すぐに患者のもとに駆けつけなければならない。

病院で働き始めの頃、あちこちで目にするSAHという略称を不思議に思っていた。今まで聞いたことがなかったので、単語の意味を文脈から推し量っていて気がついた。人に尋ねないでよかった。もしそうしていたら「私は知識が足りない」と低く評価されていただろう。私はドイツ語で、SAB、subarachnoidale Blutung（くも膜下出血）という言葉は知っていた。しかし、英語での略語subarachnoid hemorrhage（SAH）を知らなかったのだ。脳動脈瘤が破裂すると、脳を囲む脳脊髄液で満たされている空間に血液が充満するのだ。当時、診断には腰椎穿刺が必要だった。くも膜下出血では脳脊髄液が血液で赤くなる。

当時は、動脈瘤が発見されるのは、ほとんどがくも膜下出血を伴う破裂時だった。典型的な症状は、突然の耐えがたい頭痛と一時的あるいは永続的な意識消失であった。このような患者の約半数は、出血のために即座に死亡する。フィンランド南部のある患者は、波止場に座って佇んでいたところ、突然ひどい頭痛に襲われ、数回うめき声を上げた後、その場で死んでしまったそうだ。出血して手術に至る患者は3分の1程度だったが、その後、急性期手術（出血後、早期に手術する方法）が導入され、さらに体調の悪い患者や高齢者が治療を受けるようになると、助かる患者の数は増加した。

私が専門医だった頃は、60歳以下で意識のある健康な患者しか手術をしていなかった。手術をするには、状態がよくなるまで待っていたが、その間に出血を繰り返すことがあった。その場合、そこから回復する人は稀であった。また、ベッド数が少ないこともあり、「out of sight, out of mind（目にしないものは、忘れ去られる）の法則のもと、手術もせず、状態の悪いまま地元の病院へ帰される人も多かったのである。脳神経外科のリソースが不足していたという議論も当時はあった。

当直が始まった当初は、眠りが浅かったり、まったく眠れなかったりした。これから何が起こるのだろう、何かミスをしてしまっただろうかと心配になっていた。私は電話が鳴ることを恐れていたのだ。私はベッドに座って、自信のなさそうな声で「脳神経外科で当直をしているレジデント、ヘルネスニエミです」と言う。自宅のオンコール当番脳神経外科医に電話することもよくあった。電話をかけてきた患者や家族が私の答えに満足せず、電話交換機がつながれば、自宅オンコールの脳神経外科医に直接電話をかけることもあった。

オリ・ハイスカネンは、電話で冷静に淡々と話を聞いて、簡潔に指示を出す。当時は今とは法律が違っていて、脳神経外科医と相談してレジデントが脳死を宣告し、治療を終了させることができたのだ。私は家族に患者の状態が絶望的であることを告げたりしていた。

ハイスカネンの言葉は、医師として素晴らしかった。彼は、口数が少なく、穏やかな男だった。冷静沈着で有名な将軍、カレの息子である彼は、よい上司であり、よい師匠であった。

セッポ・パカリネンはいつも、状況を非常に詳細に報告することを要求し、明確な質問をするものの、病状の説明などはあまりしてくれなかった。情報が洪水のようにパカリネンに押し寄せると、「もう一度最初から、ゆっくり説明してくれ」と言うのが常だった。

スティグ・ニーストレムは、電話に出るときはいつも不機嫌であった。私がまるで全世界の邪魔ものであるかのようだった。そして、彼の思考はぶっ飛んでいて、私はまったく理解できなかった。

ラウリ・ライティネンはまず来ることはなく、私が何を言っても「そうですか」と言っていた。とてもそのような状況ではなくても、事態を制御しているような印象を与えていた。

若いシモ・ヴァルトネンやクーネは、相談すればすぐに来てくれた。この頃になると、ヘンリー・トロップが脳神経外科医としてオンコール当番をすることはほとんどなかった。当時は、外科部長はオンコール当番を受けないという習慣があったのだが、グンナル・アフ・ビョルケステンには緊急時のために自宅への直通電話があった。

私は次第に物事を冷静に受け止めるようになってきた。仕事がなければ、ヘルシンキ大学トーロ病院の図書館から借りたクッシングの髄膜腫の本や、脳神経外科の本を読んでいた。忙しいときは、この過酷な当直室ですぐに寝ていた。病院の当直室にいるときは、家にいるときほどはよく眠れなかった。

やがて初めて脳神経外科手術をする機会を得た。慢性的に徐々に進行する硬膜下血腫の治療をすることを待ち焦がれていた私は、ついに脳神経外科手術に術者として臨むことができたのだ。治療は1つ、または2つの穴を開け、血腫を排出させ、灌流させるというものだった。これは初歩的な手術なのでレジデントが行い、専門医が行うことはまずなかった。

1973年　初めての脳神経外科手術

タンペレの若いレジデントの私は、ユゼラとペッシが頭蓋骨を切り開く開頭手術を行うのを見た。彼らは慢性硬膜下血腫を除去し、私の故郷出身の患者は無事に回復した。

ヘルシンキ大学トーロ病院の脳神経外科では、開頭手術よりも低侵襲な、頭蓋骨に穴を開けるだけの局所麻酔でできる簡便な手術、つまり頭蓋穿頭術で成功していた。問題はその診断が難しいことであった。頭を軽く打った後、忘れた頃に症状が出る。患者はたいてい高齢者だった。ほとんどが診断されないままだったのである。

治療はそれほど難しくはないが、早く治療しなければ命に関わる問題になることがわかっていた。

1970年代初頭では、血管造影検査（脳血管の画像診断）が最も確実な診断法だったが、高齢の患者にとってはリスクが少なくなかった。コンピュータ断層撮影（CT）が導入されると、この血腫の診断数は10倍に増えた。それまでは見過ごされていたものが多数あったことがわかったのである。

レジデントになって最初の夏の終わり、かなりの大きさの血腫を持った患者を受け持ったことがある。それは50歳くらいの片手が不自由な男性であったが、血腫の自覚症状はほとんどなかったようだった（彼は子供の頃、皆で火薬を使って遊んでいるうちに、片方の手を失っていた)。

彼は私にとって初めて脳神経外科の手術をする患者だった。外でタバコを吸っていた患者をロビーに呼び、局所麻酔で行われる手術の説明をした。その際、できるだけ説得力のある、経験豊かな印象を与えるように努めた。患者は少し怪訝そうな顔をしていたが、幸いにも私の過去の手術経験については尋ねなかった。おかげで、今回が実は初めての手術であることを告白しなくてもよかったのだ。

翌日の手術リストには、頭蓋骨穿頭術と開頭術である血腫除去の両方が記されており、執刀医として私のイニシャルのＪＨが記載されていた。若い医者や他のレジデントも、この手術をやりたがっていたことだろう。幸いなことに、この患者は私が担当することになった。手術のやり方は、すべて本で勉強した。私はパカリネンと今回の手術について詳しく話し合っていたが、手術中は患者の意識があったため(全身麻酔ではなく局所麻酔のため、眠っていない)、指示をもらうことはできなかった。手術に対する情熱が緊張へと変わっていった。

患者の頭は完全に剃られていたので、消毒して手術用ドレープをかけた。局所麻酔の後、スムーズに10センチ弱の間隔で2ヵ所に小さく切開した。私は両方にレトラクター(開創器)を設置し、専用のドリルで2つの穴を開けた。このとき、患者は口を開けたままにしておくと、不快な音を軽減できる。ドリルが硬膜(頭蓋骨と脳の間にある、脳を保護する硬い膜)を貫通する可能性があるため、慎重に行った。

骨からの出血は専用のワックス(骨ろう)で止める。手前の穴から、硬膜を十字に開いた。硬膜の下には厚みのある血腫の被膜があった。それをメスで刺すと、黒い血が湧き出た(手術記録を見返してみると「コーヒーグランドカラー」と、いつもの表現で書かれていた)。私は硬膜を頭蓋骨の内面まで焼灼した。そのとき、患者は少し痛がってあえいだ。さらにもう一方の穴の硬膜も同じように焼灼した。しっかりと洗浄した後、内側の被膜に小さな穴を開け、そこに小さな金属を各穴に挿入した。こうすることで、頭蓋骨のレントゲン写真を撮って、頭蓋骨の内面から金属までの距離を測れば、血腫の除去具合や新しい血腫が再発したかどうかを確認することができる。

慎重に止血し、生理食塩水で洗浄した後、私は切開部を絹糸で二層に縫合した。残った血液の排液のためのドレーンを空洞に残す人もいれば、残さない人もいた。私はパカリネンの指示に従い、今回はドレーンを残さないようにした。後にヘルシンキ大学トーロ病院で行われた無作為化試験によると、ドレーンを使用することに何の利点もなかったそうである。

現在では、高品質のコンピュータ解析により、手術結果のモニタリングが簡単かつ繰り返し行えるようになった。新たな血腫が発生した場合はもちろんのこと、頭蓋骨の中に入り込んでしまった空気もチェックできる（空気は、温まるにつれて膨張するため、術後の病状悪化につながる可能性があるのだ）。

私が最初に手術を手がけた患者は、切開した部分がきれいに治り、1週間以内に退院していった。いつものように私は抜糸をし、黒い縫合糸を1枚ずつ金属の皿に落としていった。

ICUのスタッフは、私の初めての脳神経外科手術が成功したのでケーキを注文してくれた。それはそのICUの伝統であった。病室の隅に小さな部屋があり、そこで私は看護師たちと一緒にクラウドベリーのクリームケーキを食べた。出身地、私の研究について、家庭生活、将来の計画など、次々と投げかけられる質問に、私は遠慮して動揺してしまい、すべてに答えることができなかった。ケーキは、私がすぐ逃げられないようにするための罠だったようだ。

緊急治療患者

非対称な瞳孔の拡張は、頭蓋内の出血の明らかな兆候だ。出血によって圧迫された脳が第三脳神経を圧迫し、その圧力で瞳孔が拡張するのである。このような場合、瞳孔が開いている側から、速やかに血管造影をしなくてはならない。撮影中に脳を圧迫していた出血が見つかれば、手術室に入って出血を取り除くことになる。すでに両方の瞳孔が開いている場合は状態がさらに悪いため、緊急で血管造影と治療を行う必要があった。血管造影で脳循環がまだ著しく低下しておらず、かつ患者が若ければ、やはり手術をすることになる。しかし手術をしないことを責められることはまずなく、むしろその逆であった。当時は60歳以下でないと脳神経外科手術ができなかったのである。

ある夜、60歳になったばかりの女性が誕生日パーティーで頭を打ってしまい、私が手術をした。翌朝、レントゲン回診で部長から厳しい叱責を受けた。「こういう患者は手術してはいけない」と。この患者は順調に回復し、1週間後にはまっすぐ家に帰り、その後何年も生きている。当時から高齢でもこのように手術が有効な患者がいることを私は知っていた。詳細は、後に私の論文で取り上げた高齢者の頭部外傷シリーズの中に含まれている。

ヘルシンキ大学トーロ病院の救急室には、常に2人の医師が待機していた。1人は、歩くことができる軽傷の患者を治療する「トーサイド(つま先側)」での待機、もう1人はいわゆる「ストレッチャー室」で待機していた。私が初めて「トーサイド」で仕事をしたときは、後に臓器移植の教授となるクリステル・ヘッカーステット氏が待機していた。当時、全身に複数の外傷を負った患者は「ショックルーム」に送られ、経験豊富なオンコール当番医師が治療を担当した。

手術の経験を積むために、私は休みの日にも緊急手術を見学に来ていた。病院の同僚からは少し奇異に思われたようだが、ときには手術に参加させてもらうこともあった。最初はシモ・ヴァルトネンの側頭葉損傷による血腫除去、次は側頭葉の悪性腫瘍の摘出手術を見学させてもらった。シモ・ヴァルトネンは正直でいい外科医だった。脳を無造作に扱っているようで、最初は恐ろしかったが、彼からは多くを学んだ。

救急外来で待機していたときは、頭を打った患者を診ることがほとんどだった。

当時は、レントゲンで見える頭蓋骨の骨折くらいでは、特に深刻とは思われていなかった。頭蓋底骨折によるパンダの目のようなあざや耳鼻からの出血は、より重傷であることを示しており、入院させて経過を見ることになったのである。

硬膜動脈を横切る側頭骨の骨折は、硬膜外血腫になる可能性がある。外科部長の候補者の1人だったクルト・ウェストがやっていたように、患者はすぐに手術しないといけなかったかもしれない。出血が見られない場合は、頭蓋骨の左右に4つずつ、合計8つの試験穿頭を行っていた。

あるとき、意識のない深酒をした患者の頭の左右に多数の試験穿頭を行ったが、血腫は見つからなかったことがあった。患者は、酩酊状態から回復するのに時間がかかっただけだったのである。患者は禿げ上がった頭に無数の穴が開いたまま帰された。私自身はこのような経験はないのだが、あるとき、血管造影の解釈を誤って、不必要な開頭手術を行ったことがあった。最近のマスコミはこのような事件を批判的に書くだろうし、物知り顔のギャラリーたちも楽しそうに大騒ぎするはずだ。

私は当初、急患の場合は必ずオンコール当番で待機していた脳神経外科医に連絡していた。すると、その医師が現れ、画像診断を行い、必要であれば手術をしてくれた。

数ヵ月すると、私は自分で血管造影を行うようになり、最初は苦労したが、だんだん上手に画像診断や手術をできるようになっていった。針を首の血管に刺した後、確認のため注射器に血液を吸引する必要があるのだが、初めての血管造影のとき、私はうっかりこの操作を行わず、さらに確認のための首の画像も撮らずに一連の画像を撮ってしまったのだ。翌朝、ドイツ出身の放射線科医シュークが、何も写っていない頭の画像の束を振りかざして怒鳴った。造影剤が脳の血管に入っていなかったのである。私はもう少しで泣きそうになるところだった。

私はめげることなく、画像診断の練習をし、やがてかなり習熟することができた。小さな子供の血管造影をしたこともあるが、その静脈がジュースのストローよりも細いことに気づき、外科部長に褒められた。この頃、血管造影は3枚のフィルムを撮影する方法を手作業で行っていた。3枚のフィルムを置き、造影剤を注入したら1つずつ素早く抜き取る。こうすることで、脳循環の異なるタイミングの3枚の画像を得ることができたのだ。

フィンランドの他の地域で、神経放射線学を専門とする人たちも、1年間の放射線治療の研修に来ていた。クオピオのマッティ・コルホネンが、一連の血管造影を撮るときに大きな声で叫んだのを覚えている。

「今だ!」

その声は今でも耳に残っているし、彼の姿が目に浮かぶ。マッティ・コルホネンは、いつも緑色の布の手術帽をかぶっていた。コンピュータ断層撮影によって、首への直接穿刺による血管造影は1979年に終わりを告げたが、ちょうどそのときに私は専門医の資格を取得した。レジデント時代の1973年から1979年にかけて、私はオンコール当番で待機中に200件以上の血管造影を行ったが、そのほとんどが首への直接穿刺だった。

ポジション

1974年、私はレジデントとして2年目に入った。私は、正規のポジションを得るのに苦労していた。私はバックアップのポジションを与えられていたのだが、彼らはバックアップに正規のポジションを開こうとしなかったのだ。ヘンリー・トロップは、私がしつこくポジションを求めるので苛立ちを募らせていた。

私は、ラウリ・ライティネンの子飼いの1人と見られていたようで、トロップのお気に入りではなかったようだった。ライティネンが脳神経外科部長代理になったとき、私は彼に悩みを打ち明けた。すると、レジデントの募集が開始され、唯一の応募者であった私は3年契約で採用されたのである。私は一生分の仕事をした気になって、ＩＣＵの仲間にケーキを買って帰った。

スティグ・ニーストレム

休暇の後、私は背が高く、痩せていて、かなり年老いた専門医のスティグ・ニーストレムのもとで働いていた。上司は数ヵ月ごとに変わった。ニーストレムは非常に矛盾した特異な人物であり、彼の一連の考えを理解するのはなかなか難しく、波長を合わせることが、私はできなかった。

病棟では、彼はアルコール注射をするために頭蓋骨を持ち込んだ。その頭蓋骨を手術用のガイドとして使うのだ。それを白衣の中に隠して歩くのだから、他の脳神経外科医には笑われる。

彼の脳は、キャリア後半に開花した芸術家のようなものであり、迅速に単純な判断を下す人たちとはまったく違う道を歩んでいた。戦争末期、ニーストレムは機関銃使いとして、迅速な判断と冷静さを要求される仕事をしていた。しかし、彼がためらいがちに手術を始めると、デリケートな部分の出血を止めるための焼灼の量が増え、ニーストレムは動揺し大きな声で怒鳴った。当初、ビョルケステンは、ほとんど彼に手術をさせなかったようだ。特に悪性の脳腫瘍、膠芽腫《こうがしゅ》などは手術をさせなかった。徐々に手術ができる人もいれば、そうではない人もいた。彼は独立後、オウル大学病院の創設者、初代教授、院長として、重要なライフワークを行うことになる。

1974年　ピク・ラシラ

ピク・ラシラは、慢性的な中耳炎になっているとのことで来院した。耳は何年も前から不調で、あるときは乾いたり大量の膿を分泌したりを繰り返していた。セイナヨキで手術をすることになり、手術当日になったにもかかわらず、患者は一向に現れない。患者は、激しい頭痛と右手足の不自由さから中央病院に搬送されていたのだ。

アイソトープ分析を行った結果、左の側頭葉に大きな集積が認められた。

数週間後、患者のピク・ラシラは脳膿瘍が疑われ、私たちのヘルシンキ大学トーロ病院にやってきた。おしゃべりな40歳弱の土木作業員で、右手足が少し動かしにくいことを除いては、明らかな神経症状はなかった。翌日、血管造影が行われた。一連の画像から、側頭葉に血管のない領域があり、大きさは5～6センチ、正中線（体を左右に分ける中央線）がわずかに右にずれていることがわかった。診断は確定し、治療法として、ドリルで穴を開け、膿瘍を穿刺して膿を排出することにした。

スティグ・ニーストレムは、私が手術するにはよい症例だと言った。

彼は小声に近い声で、私にこう言ったのだ。

「こめかみに5センチほどの切開を加えるんだ」

しばらくして、心配そうにこう続けた。

「5・5センチだ」

絶食していたピク・ラシラは、感染症用の小さな手術室に運ばれた。彼は病室で剃毛された。私は患者の頭を右にねじった。患者は手術台にひもで縛り付けて、肩の下に枕が置いてある状態だった。私はニーストレムの指示に従い、慎重にサイズを測り、頭を消毒した後、5・5センチの縦切開の印をつけ、慎重に局所麻酔薬を打った。ピク・ラシラはあえぎながら「ちくしょうー」と叫んだ。手術部位には手術用ドレープがかけられ、私は手を洗い、ガウンと手袋を装着した。

私は針で頭皮を刺して麻酔薬の効果を確かめたが、患者は何も感じないようで麻酔が効いていることがわかった。印をつけた線に沿って側頭筋まで皮膚を切開し、開創器で広げた。さらに切開した部分の筋肉を繊維に沿って切り、開創器を深く挿入し、創部を広げた。締め付けると出血はほとんど防げた。側頭骨にハンドドリルで穴を開けた。硬膜が露出したので、その穴を焼灼し、ニーストレムの正確な指示に従って、慎重に抵抗を感じるまでクッシング針を膿瘍に向かって深く挿入した。すると突然、針から黄色い膿が噴き出した。それを注射器で吸引し、グラム染色と培養のために膿のサンプルをいくつかの試験管に沈殿させた。膿が出なくなったら、注射針で生理食塩水とペニシリンと血管造影剤を注入した。造影剤は膿瘍の壁に沈着するため、頭蓋骨の画像から膿瘍の大きさをモニターすることができるのだ。私は創部にガーゼを当て、筋肉、筋肉膜、頭皮を細い絹糸で何重にも丁寧に縫合してふさいだ。ピク・ラシラは手術の拘束から解放され、手術台から小さな病室へと移された。

翌日に確認した画像では、血管造影剤が膿瘍の壁に広がり、4~5センチの腫瘍になっていた。ニーストレムの指導のもとでもう一度穿刺することにした。局所麻酔をした穿刺部からは再び膿が出たが、1回目よりは少なかった。画像上で膿瘍は小さくなっていないことが明らかだったため、話し合った末、今度は開頭して膿瘍を摘出することにした。

開頭手術は、経験豊富なシモ・ヴァルトネンが行い、私はその助手をした。患者は全身麻酔をかけられ、私たちは、大きな切開を行った。さらに数ヵ所の穴を開け、その間の骨をジーグリ社のワイヤーソーで切断した。穿刺した場所の側頭葉に入り、吸引とヘラを用いて、比較的硬く、でこぼこした灰褐色の膿瘍の被膜の周囲を脳から慎重に剥離し、広い鉗子で慎重に持ち上げて取り出した。摘出腔からの出血はなかった。私は切開した部分を絹糸で1枚1枚縫合した。1週間後、ピク・ラシラはセイナヨキに送り返され、2種類の抗生物質を数週間服用するようにとの指示とともに、さらに治療が続けられた。

数日後、セイナヨキから電話がかかってきた。ピク・ラシラが意識を失ったというのだ。血管造影の結果、広い範囲に血管がなく、中大脳動脈がずれており、正中線もずれていた。この所見は術後血腫を示唆していた。セイナヨキで再度開頭手術を行い、大きな血腫を除去した後、出血していた大きな動脈を結紮したと報告された。セイナヨキの外科医は大胆かつ迅速な対応で患者の命を救ったのだ。

右半身に軽い麻痺が残ったが、ピク・ラシラは見事に回復した。言語障害はなかった。おそらくその逆で、側頭葉の損傷は奔放な行動を引き起こすことがある。おしゃべりな彼は少し変わったのか、オストロボスの方言をよく使うようになった。彼は私に電話をかけてきて、いつも同じ挨拶をしてくるようになった。「Pikku Lassila here, dammit（ピク・ラシラだ、ちくしょう）」と。

※左記の未収録原稿はWEBサイトでご覧いただけます（13ページ参照）
「患者のお見舞い」「地獄の猫」

1974年〜1976年　定位脳手術

私はレジデントとして他の業務と並行して、ラウリ・V・ライティネンのアシスタントを務めていた。ヘルシンキ大学トーロ病院に来たときから、私はライティネンに魅了されていた。彼は世界的に有名で、海外にも講演に出かけ、インドのマドラスでは客員教授を務めていた。1960年代半ばから定位脳手術（脳の深部の特定のターゲットに電極などをミリ単位で正確に挿入する手術）を始め、多くのパーキンソン病患者を手術した。患者は片側の手足の震えがなくなると自立心が再び出てきたそうだ。ライティネンは、伝説の整形外科部長カッレ・カッリオにこの手術を見せると、手術を見ながらこう言われたそうだ。

「これぞ、手術のあるべき姿だ」

レボドパという薬で、パーキンソン病の手術の回数は激減した。ノーベル賞学者のビルタネンにもよく効いたと言われている。

現在では、少数のパーキンソン病患者に加えて、原因不明の本態性振戦の患者や、半身不随、振戦などの複雑かつ重症で治療が困難な運動障害の患者が定位手術を受けるために来院するようになった。視床や基底核を正確に焼灼することで症状は軽減され、手術台上ですぐに効果が確認できた。一般に手術は局所麻酔で行われた。手足の機能や震えを観察することができたからである。

私は、ライティネンの助手を数年間、非常勤として務めていた。しかし、誰が脳神経外科部長になるかでライティネンとトロップが激しく争っている間に、手術の回数はどんどん減っていき、やがて紆余曲折の末にヘンリー・トロップに決まりかけたときには、ゼロになっていた。その後、1977年に次期部長問題が決着した。1978年、トロップが教授に就任したのだ。その前に、半年間だけ脳神経外科部長代理をしていたオリ・ハイスカネンが、「定位手術だけを専門にしたいのか」と聞いてきた。私は否定した。十分と思われるほどアシスタントを務めた後、やがて自分で手術をするようになったのだ。

震えのある患者を手術したときに最悪の合併症が起きた。電極針はすでに脳のターゲットの部位に刺さっており、コントロール画像を撮影していた。床は濡れていて滑りやすく、私はつまずいてしまった。転んだ拍子にフレームを本能的に掴んでしまい、それが頭からずれて、脳内の電極が曲がり、脳の一部が裂けてしまったのだ。コントロール画像には、その恐ろしいほどのずれが写っていた。今回は電極の先端から焼灼することはせず、恐る恐る電極を外した。しかし、その後、患者は震えもなくなり元気になり、満足して帰宅された。

この事件以来、私は手術前のルーティンとして、頭を固定し、消毒、切開する部分をマーキング、この後、床を手で拭いて乾かすということをヘルシンキ大学トーロ病院を定年するまで続けた。これは安全と確実性をもたらしたと思う。

トロップは、部長として、ライティネンが開催に関わったオウルでのスカンジナビア学会に参加することを禁じた。私は、すでにこの学会に自分の外傷の研究を応募しようと、準備していたのだが、これがトロップの猛烈な敵意を呼び起こし、私は耐えるしかなかった。結局、私はオウルには行かなかった。この世の終わりという表現が、私の気持ちを表す適切な言葉かもしれない。ヘルシンキ大学トーロ病院からの参加者は1人もいなかったのである。脳神経外科の世界的権威である日本人である鈴木二郎はそこに参加したが、彼は脳の悪性腫瘍、膠芽腫で間もなく亡くなってしまった。彼の著書『1000の脳動脈瘤』は、ヘルシンキをはじめ、世界の至るところで広まっている。私はその本を手に取り、「これには誰もかなわないだろう」と思った。しかし、その後、私を含め、多くの人がその実績を超すことになった。私はこれまで6500以上の動脈瘤を手術してきたが、これからも増え続ける予定だ。

1973年〜1979年　研修時代

専門医になるためのレジデントの期間に、521件の手術を行ったが、最初は軽い手術で、徐々に難しいものへと変化していった。

オリ・ハイスカネンは、1960年代後半にアメリカで、有名な小児脳神経外科医マトソンに師事していたことがある。マトソンはヘルシンキまで来て、脳の正中付近に発生する稀で治療が難しい頭蓋咽頭腫の子供の手術をして、新聞に写真入りで報道されたこともある。

私はハイスカネンの助手を務めることが多かったのだが、こんなことがあった。何度か手術をした後、彼が言った。

「切開した部分の片方から頭皮を閉じてくれ、もう片方から始めるから」

彼の仕事は早く、私はまだ2、3針しか縫っていないのに、彼はもう私のところまで縫い終わっていた。私は自宅の椅子の背もたれで、片手、両手、それぞれを交互に使い、さらに目をつぶって何度も結び方を練習したものである。その甲斐あってすぐに上達し、均等に早く縫えるようになったので、看護師からもよく縫うように頼まれた。急ごうとするのはよくないことだともわかった。結局、急ぐあまりにミスをして、それを修正する時間が増えるだけ。冷静に、無駄な動きをせず、集中することが大切なのだ。

2年目の夏、私は当時の習慣で週末はずっとオンコール当番で病院に待機していた。ライティネンは脳神経外科の専門医として自宅でオンコール当番で待機していた。彼はあまり出勤を好まないので、私はだいたい好きなように行動できた。彼に電話をすると、ライティネンは、「そうですか。あなたに手術をやってもらいたい」と言ってくれた。

あるとき、外傷の患者が4人やってきた。私は4件の血管造影を行ったが、全員血腫があり、ある患者は側頭葉に、それ以外の患者は硬膜下にあった。ライティネンは私に手術を行うように勧めてくれた。私は興奮のあまり、2日2晩、一睡もせずに手術をした。看護師たちは辛抱強く止血の手伝いをしてくれた。手術は5〜6時間、ときには私の技術不足でそれ以上かかってしまうこともあったが、そんな私を慰めてくれたのは、技師のリトヴァ・トゥオッコだった。

「心配するな、ユハ。お前はいつか脳神経外科医になるんだ」と慰めてくれた。日曜日は、疲れ切ったのか午後にベッドに入ると翌朝まで寝ていた。

朝の放射線回診で4人全員の手術前の画像を確認した。その後血管撮影をした結果、4人中3人が再度手術を受けることになった。血腫が残っていたり、再形成されていたりすると再手術しなければならない。ライティネンがどんな人かは、誰もが知っていて、特に私を責める人はいなかった。ライティネンは、自分の分野では腕が立つが、オンコール当番で待機していたときはほとんど来ない。

「アンギオ検査は午前中にやろう、血腫が大きくなってからのほうが見やすいから」と言うのだ。アンギオ検査（血管撮影）とは、動脈から細い管（カテーテル）を挿入し、造影剤で血管を撮影する検査のことである。

落ち込む私に、臨床工学士の慰めの言葉が、身近な人にはわからない私の深い絶望を和らげてくれた。いろいろな面で私を支えてくれたセッポ・パカリネンは、パイプを噛みながら、こう言って私を励ましてくれた。

「君がやっていることは、人格形成だ」

失意から立ち直れないようでは、脳神経外科医にはなれないというわけである。

一度手術のやり方を覚えると、開頭手術で血腫を除去するのが早くなった。最初に自分でやったのは、プナブオリ・シヴというビル管理人で、錯乱した状態で、突然大きな硬膜下血腫を作ったのだ。おそらく酒を飲んで転倒し、頭を打ったのであろう。トロップはオンコール当番で待機中だったため、私は夜、彼に電話した。眠そうな声でマンカから電話がかかってきた。

「ユハ、きっと大丈夫だよ」

夜中にベッドを出て、病院へ行き、手術をして、また家に帰るというのは、もちろん楽しいことではない。私は無言でお礼を言い、なんとかなると信じた。私は電話口で言った。「必ずできます」と。私はその患者の手術をし、やがて患者は順調に回復し、後日、ご自宅に招待してくれた。

さまざまな苦労のもと経験を重ねた私は、今では何の苦労もなく頭部外傷の手術ができるようになった。看護師たちは、私が手術することを望んでいたほどだ。私が迅速かつ無難にこなすからである。無駄な動きや不要な段階を省く。これが私のトレードマークになった。シンプルに、クリーンに、素早く、あるべき正常な構造を残すように仕事をする（Work simply, cleanly, quickly, leave the normal structures in place.）。そして、チーム全員のことを考えれば、協力し合うことができるのである。

私がその日最初に行った手術は、大きな巨大頸動脈瘤に対するクラッチフィールドクランプを使った頸動脈の閉鎖術だった。U字型の金属板を動脈の周囲に設置するのだが、これには2枚の円盤が連結している。U字型の金属板に取り付けられた柄を皮膚からトンネル状に通し、この先についているスクリューを締めることで2枚の円盤が締まり、頸動脈を閉鎖させるのである。閉鎖は瞬時に行うことも、徐々に行うこともでき、担当する専門医によって異なる。どちらが患者にとっていいのかは、何度も議論された。セッポ・パカリネンは即座に閉塞する側で、パイプを口にくわえて、自分の考えを詳細に主張していた。

そんな私の患者の中に、巨大な脳動脈瘤が破裂した若い客室乗務員がいた。ＩＣＵで、指示に従ってクランプをしっかりと締め付けた。彼女は、急に反対側に麻痺が出たので、ネジを完全に緩めた。すると彼女は一瞬にして意識を失い、すぐに息を引き取った。解剖の結果、ネジを緩めたとき、動脈クランプ部分にできていた大きな血栓が動き出し、同じ側の脳動脈に入り込んで閉塞させていたことが判明した。

私はこの手術を長い間悲しみ、罪悪感を抱いてきた。なぜなら、今なら開頭手術で脳動脈瘤を治療することができ、彼女ももっと長く生きられていたはずだからである。当時、私は必要な技術を持っていなかった。もちろん、当時は誰も持っていなかったのであるが。私はただ、言われた通りに手術したのだ。

私の初期の手術のいくつかは、水頭症（脳に脳脊髄液が過剰に溜まってしまう病気）に対するシャント手術であった。当時は、拡大した脳室（脳脊髄液が貯留している部位）から脳脊髄液を細いカテーテルを通して心臓に排出するものだった。この手術は、１９５０年代に世界のどこかで導入されていたもので、技術者と脳神経外科医が共同で開発した画期的な治療法だった。グンナル・アフ・ビョルケステンはシャント手術を自分では行わず、若い医師たちに任せた。フィンランドでは、腹腔内に通じるシャントが大人にも使われるようになったのは、その後のことである。その当時の小さな子供への治療としては、それが一番いい方法だったのだ。

通常は右耳の後ろに穴を開け、そこから脳室内にカテーテルを穿刺する。そして、カテーテルのもう一端を首の右側で頚静脈に流入する顔面静脈から挿入した。心電図をコントロールしながら、あるいは時間をかけてレントゲン撮影をしながら、頚静脈から心臓の右心房にカテーテルを挿入していくと、心電図のP波が著しく上昇していく。カテーテルの間には一方向の弁がつき、圧を調節するためのバルブをつないだ。そして、小さな切開部を縫合した。切開から最後の縫合まで、一番早いときで22分で全部できたので、楽しい手術だった。

カテーテルの位置が正確でないことがあり、画像で確認すると脳室カテーテルの先端が脳組織の中に入っていることがあった。これは、朝の放射線回診で外科医が大恥をかくことになった。穿刺を何度も行うと、片麻痺を起こすこともあった。

失敗を減らすために、シャント手術をする人たち全員に、患者の耳の後ろ、頭蓋骨に穴を開ける場所に印をつけるように、部長から指示があった。さらに、シャント手術はすべて耳の後ろでなく前頭部から入れるようにと指示された。カテーテルの誘導に失敗が少ないからだ。しかし、耳の後ろから入れたほうが傷も少なく早くてエレガントなのだ。失敗する原因は、必ずしも狙いが悪かったとは限らないのに。バルブの調整がうまくいっておらず、水頭症が改善していないことも少なくなかった。CTつまりコンピュータ断層撮影では、常に脳室の大きさがわかるので、この問題は完全に解決された。しかし、前頭部に穿刺することが恒例になった。

次に取り組んだのは、脳腫瘍の手術だった。最初の仕事は、前頭葉や側頭葉の脳組織にできた腫瘍の神経膠腫を取り除くことだった。この腫瘍のうち最も悪性なのが膠芽腫《こうがしゅ》だった。これは、「グリオブラストーマ」と呼ばれ、脳の中に発生する悪性の脳腫瘍だ。この場合、余命は1年未満であり、経験がないレジデントが手術するには最適の患者になった。合併症があったとしても、すでに予後が悪い患者にはあまり影響がないからだ。

前頭葉腫瘍の場合、大きな開頭手術が行われた。『ケンペ』（有名な脳神経外科手術書）の図解に従って吸引と焼灼を行い、ハサミと血管クリップを使って、右半球の場合は前頭葉をほとんどすべて取り除く。それに対して左半球は摘出量を控える。ほとんどの人にとって優位な半球であり、言語中枢があるからである。側頭葉に腫瘍がある場合は、右側の場合、先端から6センチ、左の場合、4センチまで摘出していた。かなり大雑把だが、悪性グリオーマの場合、高画質の血管造影で非典型的な血管構造がはっきりわかる。しかし、悪性度が低くゆっくり進行するグリオーマは、なかなかわからなかった。

やがて髄膜などの良性腫瘍の手術をするときがきた。私は脳の表面にできる円蓋部髄膜腫（手術がうまくいけば完治できる代表的な良性腫瘍）を手術することを待ち望んでいたのだが、このとき、ようやく実現した。この頃、動脈瘤の手術には顕微鏡が使われ始めていたが、腫瘍にはまだ使われていなかった。

中年の男性の患者は、左前頭葉と側頭葉の境目に直径6〜7センチほどの腫瘍があり、私の頭の中ではとてもスムーズに摘出したと感じた。そのとき、手術は順調に進んだが、患者には明らかな言語障害が残ってしまった。それから40年以上顕微鏡で手術をしてきた私には、あのとき何が起こったのかがよくわかる。それは、肉眼では見えないが、とても小さな血管を切り取ってしまったということだ。この患者はその後、言語障害を回復されたが、長い時間がかかった。

従来、脳神経外科手術の前には患者の頭を丸坊主にするのが普通だった。手術の前日の午後か夕方に、年配の不機嫌な女性が病棟のある部屋にやってきて、手術の患者が連れてこられるのだ。理容師は世間話をするのが得意だが、この女性は完全に無言で仕事をしていた。

頭皮をバリカンで刈って、カミソリとシェービングクリームで剃り、メチルアルコールで頭皮を刺激して、洗浄する。私は、その光景を見ながら、患者を哀れんでいた。当時は、脳神経外科手術を受ける患者の多くが手術中に死んでしまうか、半身不随になっていた。経験を重ねるうちに、どんな患者に合併症が出るかがわかるようになっていった。

慎重に患者を選んだにもかかわらず、マイクロサージェリーが登場する前の1970年代には、脳神経外科手術の死亡率は高かった。多くの人にとって、この頭髪剃毛は意識があるうちに受ける最後の作業となっていた。皆、理容師の仕事を尊敬していた。誰も彼女とはほとんど言葉を交わすことなく、看護師長から「ありがとう」と言われる。まるで、黒い死の天使のような存在だった。

手術台で患者が死亡

私たちの病院では、脳腫瘍の手術をまだ顕微鏡で行っていなかった。チューリッヒでは脳神経外科の手術は、すべて顕微鏡手術でやっていたことを私は知っていた。ただ、若いレジデントだった私は、顕微鏡手術を導入するべきだと断言することができなかった。

セッポ・パカリネンと私は、ある青年の側頭葉にある巨大な血管性腫瘍の手術を担当した。私は手術を行い、パカリネンは助手をした。そのとき、何リットルもの大量の血が流れた。手術後、患者は意識を失っていたが、術後の血管造影では出血の形跡はなかった。意識が戻らないので、気管切開をしたところ、呼吸が止まり、心臓も止まってしまった。恐ろしくなった私は、隣の部屋に駆け込むと、パカリネンはパイプを吸っていた。

「今、患者が死にました」と私が叫ぶと、パカリネンはパイプをふかし続けながら言った。

「ユハ、どうしようもないんだ」

腫瘍は血管周皮腫で、血管が非常に多く、その当時の外科医の技術も十分ではなかった。この患者は、私のキャリアの中で、手術台で亡くなってしまった唯一の患者となった。

その後、私はクオピオでこれらの腫瘍のいくつかを手術することになったが、そのときからは常に顕微鏡下で行い、手術はどんどん成功するようになり、やがてヘルシンキ大学トーロ病院で部長として手術を続けることになる。そのとき、私が全員に厳しく指導したのは、「顕微鏡を使わずに手術する腫瘍は1つもない」ということだった。血管性腫瘍の場合は、腫瘍に栄養を与えている血管に直行し、そのすべてを焼灼して切断することがコツだ。その結果、出血を最小限に抑え、血液の供給を絶った後なら、安全に腫瘍を細かな切片ごとに切除することができるのである。

1976年　トナカイ飼い、元腕利き猟師

1976年の冬の早朝に行われた症例検討会で、腰椎に5〜6センチの巨大な腫瘍の症例が提示されていた。これは、脊柱管全体を造影剤が覆っており、腫瘍の場所をくっきり示していた。この画像はオウルで撮影されたもので、オウルにはまだ脳神経外科の病棟はなかった。この患者は、画像と紹介状とともに、治療のために私たちのところに送られてきたのだ。この57歳のトナカイ飼いは、ロバニエミのラップランド中央病院に転院して手術を待つことになった。しかし痛みがひどく、モルヒネ注射が必要な状態だった。ロバニエミからはるばる列車でやってきた彼は、ヘルシンキの鉄道駅からタクシーに乗った。

風貌もたくましい、黒髪のトナカイ飼いに会うと、堂々と自分の症状を訴えてきた。その痛みは恐ろしいもので、背中の圧迫感が両足に伝わり、一番細い足の指の感覚を失ってしまっていた。神経が麻痺し

て小便もまともにできない。

雪上車の振動に耐えられず、酒を飲んで痛みをこらえていた。その痛みは、年明けからずっと続き、どんどん激しくなっていった。戦争で肺を撃たれても生きてきた男が、痛みに耐えかねて、もう命を絶とうかという考えがよぎったほどである。

彼はトナカイ飼いになる前は、狩猟のプロだった。どんな困難にも慣れていて、雪の中に潜って眠ることもあったし、森や山で迷子になっても、家に帰れるくらいたくましい男であった。真のサバイバルをしてきたこの男に私は敬意を表していた。方向音痴の私は、田舎でも都会でも道がわからずに困っていた。彼は、映画の「デルス・ウザーラ」(日本が世界に誇る巨匠・黒澤明がソ連の映画界の全面協力のもと、シベリアの極寒の地で長期ロケを敢行して作り上げた映画)のようであった。今、彼はこの地獄のような苦しみを抱えて生き続けるのは無理だと感じていた。

トナカイ飼いの彼は、率直でオープンな人だった。良性の腫瘍、神経系の大きな腫瘍である神経腫を切除できるとパカリネンが言ったとき、私は驚いた。パカリネンは、「この手術が成功したら、君もトナカイの肉が食べられるよ」と言った。このトナカイ飼いの口からは、「もちろん喜んで手術を受けたい」という言葉が何度も出た。私も心から手術で治したいと思った。

セッポ・パカリネンは手術の方法を丁寧に説明してくれた。私は彼の指示を仰ぎながら、本で勉強し、自分にとって非常にチャレンジングな手術に備えた。それまで私は、オンコール当番のときに脊柱管の悪性腫瘍の手術をしたり、脊髄や神経根の減圧による頚椎や腰椎の椎弓切除術を行ってはいたが、この巨大腫瘍の手術はとても挑戦し甲斐のあるものだった。

手術当日、患者に麻酔をかけ、腹ばいにした。私は患者の濃い背中の毛を剃り落とし、消毒した後、正中線に長い切開の印をつけた。目印はこの切開した真ん中だった。病院には顕微鏡があったが、この手術では使わなかった。脳や脊柱管の腫瘍の手術では、一度も使ったことがなかったのだ。

筋膜まで長く切開すると、棘突起の染色の跡がはっきり見えるようになった。電気メスで４つの棘突起の両側から筋肉を切断し、開創器を挿入してから深く切り込み、幅が広いノミのような器具で筋肉を押しのけるようにした。そのノミで過酸化水素に浸した大きめの包帯を両脇に押し付け、筋肉を分け、止血をした。しばらくしてこの包帯を外し、大きくて深い開創器を数本挿入し創部を広げ、４つの棘突起を切断した。レクセル砕骨鉗子（骨を削り取るための道具）を使い、下の棘突起から始めて、４つ椎弓を完全に切断した。

その後、さらに横方向に切開を広げていった。

切開した中央部に硬い腫瘍があるのを、指で確認した。硬膜を切り開くと、脊柱管全体を埋め尽くす巨大で青白い腫瘍が見えてきた。硬膜を固定し、腫瘍の内部をくり抜いて小さくしていった。腫瘍の上からは、腫瘍にせき止められていた大量の髄液が排出された。腫瘍が残り少なくなっていくと、左右に走る神経根が見えてきた。ゆっくり腫瘍をくり抜き続けると、腫瘍の上下に付着していた神経根がわかった。

パカリネンがやってきて、状況を見て、この根を切断するように促した。私はそれを実行し、硬膜の内側から腫瘍を飛び出させることに成功した。慎重に神経根を少し切除し、腫瘍全体を持ち上げてカップに入れることができた。出血はなかった。硬膜を絹糸で縫合し、さらに太い絹糸で筋肉を二重に、筋膜を、そして皮下脂肪組織を縫合した。皮膚は細い糸で縫合していった。

ポーランド人の麻酔科医マリア・ニーヴィアダムスカが患者を麻酔から覚ました。患者は後で、「見上げる女医の顔があまりに美しくて、天国にいるようだった」と言った。術後の痛みは、普通の薬で十分だった。術後、あの恐ろしい痛みは消失した。ただ両足の裏の外側に、脱力感ではなく、しびれが残った。一番困ったのは、排尿だ。小便をするためには、やはり四つん這いにならなければならない。患者はラップランド中央病院へ戻った。傷はきれいに治っていた。患者はおしゃべりで、ちょっとした不快感があるにもかかわらず、とても満足していたように見えた。

それから数ヵ月後、そのトナカイ飼いは経過観察のため、外来にやってきた。「小便が出るようになった」と、にこやかに話してくれた。彼はカバンの中に2キログラムのトナカイの燻製の塊を入れていた。私は喜んでそれを受け取った。

彼は、夏、つまり6月の子トナカイのマーキングの時期に、私を招待してくれると言ってくれた。私たちは快く受け、それは実現した。

休暇中、妻のリールと私はコッコラを経由してロバニエミの北方数百キロの地点まで車を走らせた。トナカイ飼いは自分の所有権を示す方法として、今年産まれたトナカイの耳に印を刻むのである。私たちは子トナカイの耳にマークが刻まれる作業を、白夜の夜に見学した。子トナカイは親トナカイの後をついていくので、どのトナカイの後をついていくかをトナカイ飼いたちは、鷹揚に見守り、子トナカイの耳に印を刻むのだ。トナカイは子トナカイのために絶えず鳴き続け、そのマーキングは夏の夜中ずっと続いた。そして、トナカイは放たれ、私たちは次の群れがトナカイ舎に入るのを待った。トナカイ飼いは私のために耳標を手に入れてくれていたので、彼とその息子の助けを借りて、1頭の子トナカイに耳標を刻んだ。

トナカイ飼いの大きな家は、ファールンレッドに塗られ（北欧の代表的なコテージの色）、川の曲り角に建っていた。メインルームは広く、かなりの大きさのオーブンがスペースの4分の1を占め、床にはラグが敷き詰められている。奥さんが、トナカイのソテー、魚の煮付け、新ジャガなど、おいしい料理を出してくれた。屋外で過ごした後、私たちはとても腹を空かせていた。

家を訪ねてきた客たちに「ｄｏｃ」と紹介された（doc=doctor、医者）。小さな村に住むすべての住民が私を見ているように見えた。この小さな村の住民は皆、好奇心旺盛で、私に会いたがっているようだった。

2週間の休暇はあっという間に過ぎた。魚釣りの旅行をした後、私たちはフィンランド南部に戻ってきた。

トナカイ飼いは生活に満足し、痛みもなく、小便も大便も問題なくでき、男性機能もパフォーマンスにも支障がないとのことだった。

トナカイ飼いの息子ペッカは、腰椎手術のためヘルシンキに長期滞在していたが、退院後のある週末に私たちと一緒に家に滞在することになった。彼は、ラップランド訛りで、トナカイ飼いの生活について話した。彼は、父親から大きなトナカイの群れを預かっていた。

それからずいぶん後に、トナカイ飼いは、進行性の前立腺癌で亡くなった。

私は息子と一緒に葬儀に参列し、スピーチをした。とても感傷に浸っていた。年老いた友人であり患者であった彼の死に対して、と同時に20代の頃の自分がいかに若くスリムだったかを思い返し、年月の流れを感じたからであろう。

初めての動脈瘤手術

トロップは、私が何かに成功するとは思っていなかったように思う。1974年の前半、ラウリ・ライティネンが脳神経外科部長代理を務めていたとき、彼はレジデントのポジションへの扉を開けてくれた。そのとき、幸いなことに、レジデントの応募者は私1人だった。当時の脳神経外科には死の部屋というイメージがあったが、その後、多くの人がこの分野に興味を持つようになった。私が脳神経外科医になったタイミングがよかったのだ。

私は長い間、脳の動脈瘤の手術をすることを切望していた。動脈瘤の手術は、バネ式のクリップを動脈瘤の根元に挿入し、これを閉塞させる複雑な手術だ。私は、数え切れないほど脳動脈瘤の手術を勉強し、助手としてサポートし、そして精神的にラウリ・

ライティネンを支えてきた。

1976年の夏、私は、動脈瘤の手術をさせてもらえるようパカリネンをしつこく説得していた。何度も食事やお酒の席に誘って、最終的にやっと約束してくれた。私が手術できることになったのは、内頚動脈と後交通動脈との分岐部にできた動脈瘤の患者だった。このような動脈瘤は、ときに困難な場合もあるが、最も簡単な部類に入ると考えられていた。私はパカリネンの補助のもと、この脳動脈瘤をうまくクリップした。

そのとき私はまったく新しい次元に到達していた。動脈瘤の手術は脳神経外科医の証とされていた。動脈瘤の手術ができる人は、尊敬を集めるグループに属していたのである。

今思えば、この手術は私にはあまりにも早過ぎたように思う。まだ自分の手術の実力が十分でなかったからだ。何年も手術をして、初めて十分な技術を身につけることができる。難易度の高い手術では、想定外の事態に対応する多くの準備が必要である。


一瞬のうちに、手術が予定していた作戦から外れて悪夢に変わることもあるし、そうなったときに本当にすぐに助けてくれる人は誰もいない。大出血が起きたときになって、外科医を変えるということは当然難しいし、ほぼできない。多くの経験を積むことが、手術を軌道に乗せる唯一の方法なのだ。しかし、ときには手術の経験値が足りず、患者の命に関わってしまうこともあった。

特に脳動脈瘤や脳動静脈奇形の手術は、血管の多い腫瘍の手術と同様、難しいものである。私はこれを「ホットサージェリー」と呼んでいるが、小さなミスが大惨事につながる可能性があるのだ。あっという間に大量の出血が起こり、その場合、患者は手術台で出血死してしまうかもしれない。私はそのようなことをしたことがない。

私の分類では、その逆が「コールドサージェリー」になる。これだと、手術台の上で患者の生命や自立を脅かす事態に遭遇することはほとんどない。

動脈瘤手術の失敗

その後、私は前大脳動脈の手術に失敗した。猛烈な勉強をしたにもかかわらず、解剖学的な構造を理解していなかったのだ。手術中に動脈瘤が破裂して猛烈な出血があり、クリップでようやく血流を止めることができたが、おそらく重要な血管も遮断してしまったのであろう。

私は悲しみに打ちひしがれ、意気消沈してしまった。しかし、経験を積むことができた。それから手術の技術についてもっと勉強した。当時は見るべきビデオがなかった。そのため、チューリッヒにまた戻って勉強しようという計画が、だんだん頭の中にできてきた。しかし、まだ時期が熟していなかったし、時間的な余裕もなかった。

私はヤサーギル教授が発表していた蝶形骨縁到達法（現在でも脳神経外科で最も汎用されている手術アプローチ）を導入するようにした。ある日、朝の手術の計画を考えているときに、頭蓋骨の蝶形骨切除用にドリルを使うことを思いついた。いつもは砕骨鉗子を使うのだが、周囲にからかわれながらもドリルを使うようにしたのだ。パカリネンには「派手な道具だ」「空想的な装備」と言われた。その後からは、病棟に1本しかないストライカー社製のドリルを、自ら手術のリストに加えた。そうすることで嫌味を言われずに済んだ。それから数年後、私が「時代遅れ」と呼んでいたセッポ・パカリネン（当時50歳）以外の全員がドリルに切り替えた。

「あなたはいつか教授になる」

20歳そこそこの若い女性の患者は、脳幹に手術不可能な大きな神経膠腫という悪性の脳腫瘍を患っていた。この腫瘍は徐々に四肢麻痺を引き起こす。やがて若い患者は車椅子に乗り、完全に誰かの介助がないと生活できなくなった。頭痛もあり、CTで診ると脳室が拡張して水頭症になっていたことも確認された。腫瘍が第3脳室と第4脳室の間の狭い管をふさいでいたのだ。私は、頭痛を和らげるためのシャント手術を施す傍ら、自分の運命を受け入れたこの生き生きとした患者と、話をした。彼女は、「自分の死後あなたは教授になるでしょう」と言ってくれた。当時、私はまだ若い脳神経外科医で、それは私にとっても心からの願いだった。もちろん、口には出してはいない。いずれにせよ、それを成し遂げるには多くの試練が私を待ち受け、私でさえ、必ずしも彼女の言葉が実現するとは思えなかった。

数年後、新聞でその若い患者の死亡通知を見た。死は遅かれ早かれ必ずやってくる。教授になることは、私の場合、特に不確実だった。他の分野で働いている友人たちは、私が死亡通知を読むことに驚いていた。しかし、私は若いときから、それも仕事のうちだと思っていたのである。

※左記の未収録原稿はWEBサイトでご覧いただけます（13ページ参照）
「専門試験」

1976年　アリ

アリは女子学生で、激しく踊っていたときに後頭部を硬い地面に打ち付けた。ヘルシンキ大学トーロ病院に運び込まれたとき、彼女は意識がなかった。頭蓋骨の画像には、後頭部の外傷部位に長い骨折線が写っていた。アリは気管内挿管をされ、脳血管撮影が行われたが脳を圧迫するような出血は診られなかった（CTが導入される前の時代です）。アリはICUの4番ベッドに移され、経過観察されることになった。私は今でも多くの患者のベッドの正確な位置を覚えている。

アリの状態は数日経ってもよくならず、逆にどんどん悪化した。ついには頭を大きく後ろに反らして硬直するようになった。私は、英文の脳外傷の本を読みあさった。硬膜外血腫（頭蓋骨と硬膜の間に溜まる出血）の項には、側頭部の領域に多く見られるが、いわゆる後頭蓋窩（頭蓋骨の後下方のスペースで、小脳と脳幹が入っている）にも稀に発生すると書かれていた。私はオンコール当番で待機中、何度もアリのもとを訪れ、彼女の病状の悪化に頭を悩ませた。最終的には骨折による後頭蓋窩硬膜外血腫を疑った。

初夏の夜も更けた頃、私はオンコール当番で待機していたパカリネンに電話をして、自分の考えを打ち明けた。いつものように、パカリネンから何度も質問を受け、アリの容態をできるだけ正確に、わかりやすく説明した。そして、3年間のレジデントとしての経験を生かし、手術をさせてもらえるように必死にお願いした。しばらくして、パイプをなめる音に混じって、「よし、やってみろ」という声が聞こえた。

私は後頭蓋窩開頭手術をしたことはなかったが、何度も手術の助手をしていたので、どうすればいいかはわかっていた。私は手術チームを呼び集めた。麻酔科医がやってきて、私の診断に懐疑的なことを言ってきたが、私は彼女を無視した。アリは死ぬ寸前の状態にあり、私は彼女を助けたかったのだ。

手術室に入ったのは夜だった。麻酔がかかり、アリはうつぶせになっていた。頭はＩＣＵで剃られていた。Ｕ字型のヘッドフレームに頭を固定し、後頭部の正中線上に長く切開した。切開部を2本の開創器で広げ、筋肉を切ると、あっという間に骨まで到達し、開創器で固定した。その後、切開部の縁と筋肉からの出血を焼灼止血した。後頭部には、正中線を横切る長い骨折線が現れ、黒い血が多く流れていた。「これで硬膜外血腫と診断して間違いない」と思った。当時は、後頭部の骨は開頭術の際に戻す必要がないと考えられていたため、骨鉗子で切除していた。私は2つの穴を開け、破骨鉗子でアリの手のひらほどの大きさの骨を少しずつ削っていった。

結果的には硬膜外血腫ではなかった。しかし、硬膜は青みを帯びていて、小さく裂けていた。硬膜の切開部を広げると、小脳の一部と黒い血液が噴き出てきた。硬膜の下の血腫と脳挫傷だったのだ。これをできるだけ丁寧に吸引し、焼灼とガーゼで大きな空洞の中の出血を止めることに成功した。小脳は、呼吸と心臓の動きに合わせて脈を打ち始めた。当時の習慣で、硬膜は開いたままにして、切開した筋肉と皮膚を一層ずつしっかりと丁寧に縫合した。

アリはICUのベッド4に戻され、人工呼吸器で目を覚ますことになった。私は、疲れ果てて、当直室で寝た。

翌朝、私はICUに向かった。アリは目を覚ましたようで、少なくとも手術前よりは意識がはっきりしていた。瞳孔は手術前と同じように正常だった。私は放射線の回診に行き、その後に部長とともにICUの回診をした。珍しく北の中央病院から外科部長が数人来ていた。

私は、4番のベッドに着いてからオンコール医として、経過を報告し、硬膜外血腫ではなく、小脳の挫滅とそれに伴う小脳の表面の血腫だったことを説明した。脳神経外科部長は私の仕事を褒めてくれたが、私は黙って聞いていた。もちろん嬉しかった。来院者に手術の経験はどのくらいかと聞かれ「わずか3年です」と答えた。特に私の診断には驚いていた。まだCTやMRIによる適切な画像診断が普及する前のことである。

それから数日、アリは徐々に意識を取り戻しつつあった。実際の治療では、映画のように目を開けた瞬間にすべてが回復するようなことはない。しかし、アリの状態は日に日によくなっていった。やがて意識が戻って人工呼吸器も外せるようになり、数日後、入院病棟に移された。後日、家に帰り、そこでリハビリを受けることができるようになるまで、そう時間はかからなかった。夏が終わる頃には、彼女は学校や友達のところに戻る準備をしていた。

アリは病院に経過観察のため通院に来たが、神経学的な欠落症状は見られず、小脳の損傷で起こるバランスの障害もなくなっていた。家族からプレゼントがあった。見たこともないような大きな額の紙幣が2枚入った封筒で、ありがたく脳神経外科学の教科書を買った。

アリは学校を卒業し、職業訓練を受け、やがて家庭を持ち、2人の子供に恵まれた。

公務員とその後

パカリネンと初めて動脈瘤の手術を行い、アリの小脳の血腫を除去した後、専門医の免許はまだないけれども脳神経外科医としてかなり立派になったような気がしていた。しかしまだ、やらなくてはならないことは残っていた。

私は、タンペレに行き、神経科に勤務することにした。

医学生時代、私は無一文かそれに近い状態が多く、お金の管理が下手だった。今はもっとお金がない。最初はオウルへ行こうとした。スティグ・ニーストレムも神経学の教授も「検討する」と言ってくれたのに、それっきりだった。しかし、タンペレはとても前向きで、私を受け入れてくれるというのだ。神経科の責任者だったヘイッキ・ハッカライネンは、気さくな上司で、臨床家としても優秀だったし、専門医のティモ・トゥオビネンもそうだった。

1976年9月初旬、中国の偉大な指導者、毛沢東が亡くなり、その月末に待望の娘のアイダが生まれた。

タンペレでの生活はあっという間で、何人かのよい友人ができた。看護師のペク・ラーセネンは、いつも牛乳を1カートン飲んで、ライ麦パンに青いソーセージを挟んで食べていた。ラミの愉快さは、耳鼻科になってからも続いていた。イトコネンとヤンッティはタンペレの夜、人生の夜の中に消えていった。看護師長のキッポラは、私がテレビに出た後、カードを送ってきた。30年ぶりだった。

週末は、ヘルシンキ大学トーロ病院の脳神経外科でオンコール当番をして、生活費を稼いでいた。ヘルシンキからタンペレまでは、電車で2時間くらいだった。お金はあまりなかったが、なんとか生きていた。妻のリールは機知に富み、私たち小さな家族はあまり浪費せず、アパートを守っていた。妻のリールは、娘のアイダの乳母車を押して、ヘルシンキ大学トーロ病院の中庭に昼食を持ってきてくれた。

アイダは、夜遅くまで元気に動き回る活発な少女に成長した。

あるとき、私たちがアパートのペンキを塗っていると、アイダは私たちが積み上げた椅子から転げ落ちた。私は彼女を救急治療室に連れて行き、小さな切り傷を縫った。額には小さなへこみが残った。どうやら、この経験豊富な脳神経外科レジデントが見落とした、ちょっとした骨折だったようだ。アイダには小さな三輪車を買ってあげた。彼女は、ソビエト文化センターの前の歩道で乗って遊んでいた。

妻のリールに家のことを任せ、私は論文の執筆に取りかかった。早く書き上げなければならなかったし、仕事もなかった。その頃、私は、スウェーデンのウプサラに魅力を感じていた。私は2ヵ月間、スウェーデンに滞在したことがあり、給料はフィンランドよりよかったので、移住を計画し始めたのである。でも、結局、いろいろと紆余曲折があって、クオピオに引っ越すことになった。

5章 スタッフ

外科手術の基礎訓練

レジデント時代、私の外科手術の基礎トレーニングを担当したのは、ほとんどが看護師たちだった。セッポ・パカリネンは、私がヘルシンキ大学トーロ病院の脳神経外科部長になったとき、まだヘルシンキ大学トーロ病院で働いていた。彼の穏やかな態度は、レジデント時代の私によい影響を与えてくれたと思っている。それは私が部長になってからも変わることはなかった。

看護スタッフは皆素晴らしい人たちだった。看護師、看護助手、器材係、診療アシスタントといったスタッフたちは、レジデント時代から今までの40年間、私を支えてくれた。フィンランドではもちろん、これまで私が手術してきた海外の数多くの医療センターでも助けてくれた。彼らと一緒に働き、成長し、新しい働き方の仕組みを考えていくのは、とても楽しいことだった。看護スタッフがいなければ、病院は機能しないのだ。

患者が病院に運ばれてから退院するまで、多くの熟練したプロフェッショナルが患者のケアに携わっている。これらのプロフェッショナルに共通していたのは、徹底したトレーニング、深い専門性、仕事に対するコミットメント、そして役職や職種に関係なく続く不規則な労働時間だった。

私はこれまで、最高の看護師、最高のスタッフとともに働くという大きな喜びを味わってきた。私にとっては、彼らはこれまでも、そしてこれからも世界一だろう。

1975年以降のマイクロサージェリー

私が医学部に通っていたチューリッヒ大学は、この頃、脳神経外科の世界的なメッカになっていた。世界中から才能ある若い脳神経外科医たちがそこで学び、研究したいと思っていた。1967年以来、ヤサーギル教授の手術法は世界中に広まっていた。しかし当初はどこも彼の方法を取り入れることに抵抗が強かったのだ。マハトマ・ガンジーの言葉として有名な格言にこんなものがある。

「まず、彼らはあなたを無視し、次にあなたを笑い、そしてあなたと戦う。そして勝つのだ」

マイクロサージェリーの普及は、まさにこの通りであった。

私はマイクロサージェリーという方法に対して抵抗感はなく、それどころか強く惹かれていた。なにしろ、私はチューリッヒ大学の出身で、学生時代からマイクロサージェリーを詳しく見てきたのだから。医学生のとき、脳研究所でＯＰＭＩ１という顕微鏡を使って実習し、脳神経外科の講義でも教わっていた。

マイクロサージェリーとは、手術用ルーペや手術用顕微鏡を用いて行う手術のことだ。脳や脊柱管の腫瘍、動静脈奇形を治療する際に、深くて狭い血管、手術する部位を拡大し、照明を工夫し、立体的、つまり三次元的に見えるようにするものである。顕微鏡を使うだけではマイクロサージェリーにはならない。マイクロサージェリーを実践するためには、解剖学に対する深い理解に基づく特殊な器具と手術のテクニックが必要だった。ヤサーギル教授はそのすべてを開発したのである。

マイクロサージェリーは素晴らしい技術であるものの、その導入は簡単にはいかなかった。トロップはチューリッヒに行き、ヤサーギル教授の手術を見学してきたが、なぜか彼は心を動かさなかったようだ。非常に頭のいい彼が、どうしてこの新しいアプローチに反応しなかったのか、理解しがたいことだった。もしかしたら、トロップが彼の妻の影響でイギリスの保守的な考え方を持っていたのかもしれないし、素っ気ない態度で有名なヤサーギル教授にあまりよく扱われなかったからかもしれない。

トゥルクの脳神経外科部長だったタピオ・トルマ

は、1972年にフィンランドで初めて脳神経手術に顕微鏡を使うようになった。

トーロ病院のために顕微鏡を注文していたが倹約家の財務管理者トイボ・リウッコが発注リストから外してしまい、調達が1年遅れてしまった。価格は約8万フィンランド・マルッカだった。当時、ヘルシンキ大学トーロ病院には、事務を管理する人が1人しかいなかった。その後、コンピュータの普及に伴い、事務方の人数は20倍以上に増えた。1975年、ヘルシンキ大学トーロ病院で動脈瘤の手術に顕微鏡が導入され始めた。しかし導入当初、多くの脳神経外科医は顕微鏡を使いこなすことができず、動脈瘤が破裂したときは逆に手術が難しくなるため、顕微鏡を蹴飛ばしてしまうことも多くあった。脳神経外科医たちは、顕微鏡を使った訓練をまったくしていなかったのだ。

ハイスカネンは、オフィスでは癇癪を起こしたり、大声で悪態をつき、画像を叩きつけたりしていた。手術室では止血がうまくいかないと、床を足で叩くのである。いつの間にか私はその習慣を取り入れるようになっていた。彼は黙って、あるいは小声で悪態をつくのが常であった。私はハイスカネンとは違い、大声で「ファック！　シット！　ちくしょう！(fuck shit damn it)」と悪態をついていた。私は悪態をつくことで自分をコントロールしようとしていたのだ。私が手術中に大変な状況に陥ったとき、それは周囲へのメッセージとなった。今は料理の話や雑談をやめるときだ、今が本番なのだ、と。

昔は、「外科医の体格が大きければ大きいほど、切開も大きくなる」と言われていた。脳神経外科のオンコール当番医からのよくある指示は、「切開部を広げろ、開口部を広げろ」だった。切開部を広げるというのは、単に視認性の問題、術野を見やすくするということだ。その後顕微鏡の導入により、視認性は飛躍的に向上した。私が野球のミットの形から名付けた「ピキペッコ開頭」という大きな開頭は、やがて姿を消した。後年、強い脳腫脹（脳が腫れ上がっている状態）に対して減圧目的に行う減圧大開頭（頭蓋骨を大きく外す手術。脳の腫れが治まった頃に、改めて頭蓋骨を戻す手術をする）として、この開頭は再び行われるようになった。

今や、時代は低侵襲手術（小開頭）が中心だ。多くのことが変化し、許容される行動の規範さえも変わっていった。私がヘルシンキ大学トーロ病院の脳神経外科部長だったとき、医者人生で初めて、誰かがこう言うのを聞いた。「私は悪態をつくことを許さない」。この世界はどうなってしまったのだろう、と思ったものである。こんちくしょう。

※左記の未収録原稿はWEBサイトでご覧いただけます（13ページ参照）

「昔話」

1978年　精神科病院勤務

私は脳神経外科専門医になるのに必要な神経科の必修科目を履修するため、6ヵ月間、神経科で勤務をしなくてはならなかった。タンペレにおいて1年間神経科で勤務したことがあったので、仕事は慣れ親しんだものであった。ヘルシンキ大学の向かいにあるヘスペリア病院で勤務をすることができた。勤務終了後には、患者のカルテをもとに論文にまとめることができた。パンチカードに情報を移し、今でも持っている。

患者の多くは、明らかに精神的な障害に苦しんでいた。しかし、脳内に手術が必要なものが発見されることは稀であった。慢性硬膜下血腫が発生しているかもしれない、と考えて慢性病棟の多くの患者たちに検査を行った。しかし、1つも見つからなかった。

※左記の未収録原稿はＷＥＢサイトでご覧いただけます（13ページ参照）
「その他のノンコアトレーニング」「ブカレストで奨学金」

1977年〜1979年
学位論文の仕上げ

その頃、私は意気消沈し、あらゆることに不安を感じてしまい、自分の将来について悩んでいた。私は、恩師のパカリネンから、「論文を完成させるべきだ、それ以外のものを発表しても意味がない」と言われた。私は、猫を用いた論文を書こうとしていたが、うまくいっていなかった。私はまだタンペレ中央病院での研修を終えておらず、妻のリールはコッコラにいて、アイダの出産間近であった。

数年にわたる次期脳神経外科部長の選挙戦の末に部長に就任したヘンリー・トロップに、私は彼自身の言葉を使った。

「この論文は、早く完成させなければなりません」

私たちは、この論文を重度の脳障害に関するいくつかの章に分けて書くということで合意した。

1つは、致命的な脳の腫れを伴う頭部外傷に対する、頭蓋骨の広い範囲を切除する減圧開頭術の有効性の有無について書く計画だった。私は、ヘンリー・トロップの意向で、無作為に割り振られた患者を手術するために、休日に出勤した。しかし、この計画は病棟の上級医たちの抵抗を受け、トロップの支持にもかかわらず、実現することができなかった。その20年後、世界中でこの手術が行われるようになり、さらに20年後の今、最初の無作為化試験が行われているのだから、残念なことである。私は、まさに初期のパイオニアであったろうと思う。また、そのときの大きな問題としてＣＴ（コンピュータ断層撮影）がまだないことが挙げられる。トロップが「遅い」と嘆いていた。病院の管理部門は、必ずしも技術の進歩を把握していたわけではなかったのである。

私はいつも通り、夢中で仕事をした。自宅のアパートにちょっと帰ったかと思うと、妻のリールに声をかけてからオフィスへ戻った。「論文を仕上げるために仕事に行く、私はいろいろ詰め込まないといけない」と彼女へ伝えた。私のオフィスは、整形外科の個室病棟の上にあった。夜遅くまでタイプライターを打っていると、ときどき看護師が様子を見にきてくれた。

私の英語力は不足していたが、トロップは妻のロッテがイギリス人なので、彼の家では英語を話していたようだ。私は、ひたすら原稿を書き、トロップの言う通りに修正した。やがて論文は出版できるようになった。最初の3本をまとめて「Acta Neurochirurgica」の編集長だったニューチルギカ・フリードリッヒ・ローに送ったところ、長い間待ったような気がしたが、やがて彼からは論文を受け入れたという親切な手紙が届いた。編集長のフリードリッヒ・ローは、もっと続けて書いて送ってくれ、と言ってくれた。そして、副腎皮質ホルモンの大量投与に関する4つ目の論文を書き上げたところ、フリードリッヒ・ローはそれも受け入れてくれたのだ。当時は、専門家にコメントをもらうために、論文を送るというような習慣はなかった。

学位を取るために、論文を書き終えたら、その要約を書かなければならない。この頃にはもう、書くことにも少しは慣れていた。そして、3回ほどマンカに住んでいるトロップの家に行ってチェックしてもらい、英文校正に回した。私は、提案された変更に抵抗し、愚かにも長い間、この言語学者であるかのようなトロップと論争を繰り広げたのだ。

査読者の審査の後、教授陣から無事に受理され、印刷の許可が下りた。私は学位論文の完成を急いでいて、プリントされるのを待っている時間はなかったので、論文はすべてタイプライターで書いていた。

私の学位審査の最終口頭試問は1979年11月に行われた。これはフィンランドの学位審査の厳しさを象徴するものである。冒頭のスピーチで、私は重度の脳障害でいわゆるPVS（持続的植物状態）になってしまった青年の症例を提示した。彼の子供たちは父親のいない状態で育ち、妻は法律的には結婚していたが、実質的には完全に孤独であった。この患者の高齢の母親だけが、定期的に世話に来ていたのである。グラスゴーの有名な頭部外傷研究者ブライアン・ジェネットは、このような損傷は死よりも悪いとする論文を発表していた。この研究のために、医師、看護師、病院のスタッフだけでなく、信徒や聖職者にも聞き取り調査が行われた。

私の論文の最も大きな欠点は、患者がCTの導入以前に治療を受けていたため、脳の損傷の質がそれほど明確でなかったことだ。CTは、脳の診断に大変革をもたらした。その開発者だったゴッドフリー・ハウンズフィールドとアラン・マクラウド・コーマックは、1979年に当然のごとくノーベル賞を受賞した。1979年以前は、脳の血管を撮影する血管造影が診断の手段だったが、1978年から1979年にかけてフィンランドでCTが徐々に導入されていった。

2つ目の欠点は、患者さんの病状の評価において、後に世界中に普及するグラスゴー・コーマ・スケールを使っていなかったことだ。私は、グラスゴー・コーマ・スケールによく似た伝統的な分類を用い、治療成績の評価には、グラスゴー・アウトカム・スケールによく似た独自の回復尺度を使用した。反対派のフィンランド・マルッカステは、論文の欠点についてコメントすることはなく、独自の見解を述べ、トロップの教え子の1人として、この論文を高く評価してくれた。

スティフ・カロンカという名目上は相手を称える最終口頭試問後のパーティーは、スウェーデン・クラブで行われた。ヘンリーの提案で、タキシードや燕尾服ではなく、ダークスーツを着てパーティーに臨んだ。多くの関係者から「いい論文だ」という感想をもらった。

私は、グラスゴーのブライアン・ジェネット教授に論文を送った。彼は、私が述べた問題点への批判と感謝を込めた親切な手紙を送ってくれた。シモ・

ヴァルトネンがグラスゴーから戻ると、ヘルシンキ大学トーロ病院にグラスゴー・コーマ・スケールが導入され、新しく始まった追跡調査とともに、病棟で日常的に使われるようになった。タンペレ、セイナヨキ、ヘスペリアの元上司にも、私の論文を送った。私の論文はすべて、最近でも長年にわたって引用されている。

私が熱心に論文を書いていたのは、脳神経外科スタッフの臨時のポジションが空くことになり、ライバルが2人いたためである。しかし、マティ・ヴァパラハティに「ユハをここでは受け入れることができないから、クオピオに移ったらどうか」と言われた。私は、早くから専門的な研究を始め、すでに論文も完成していたのに、これは不公平だと思った。私はライバルよりも早く専門医になり、論文を終えていたからだ。

専門医の証として、個人用の手術用ルーペが与えられるのだが、幸いにも私はもらわなかった。手に入れなかったことで、顕微鏡の使い方がどんどん上達していったのだが。ともかく、ヘルシンキ大学トーロ病院の脳神経外科スタッフになれなかった。

このことから、私は自分の進むべき道について結論を出した。

1979年7月、リンナンコスケンカトゥにある私たちのアパートに、何の変哲もない茶色の小さな封筒が届けられた。それは、国立衛生局からだった。私は、ついに脳神経外科専門医の資格を得たのである。これは、他のいかなることよりも、私が取り組んでいた論文よりも、はるかに大きな出来事だった。私は、31歳のときに、私のライフワークとなる資格を手に入れることができたのだ。

自分の居場所

6年前の予想に反して、私は自分の仕事を持つことができた。しかも、1つだけでなく、いくつもの中から選ぶことができるのだ。

論文が受理されるまでの間、私は1979年の秋に2ヵ月間、スウェーデンのウプサラ大学病院で仕事をした。そこでは、当時まだ珍しかった顕微鏡を使って、たくさんの手術をすることができた。非常に大きな髄膜腫の手術を成功させたとき、看護師たちは私を褒め、「なぜこのようなことができるのですか?」と質問してきた。「マイクロサージェリーのおかげです」と私は答えた。

ウプサラの脳神経外科部長代理のルーン・ヒューゴソンのスカウェン方言を理解するのには苦労した。本当に腕のいい脳神経外科医は、顕微鏡を使わなくても手術をすることができるのだ。それがこの病院のやり方だと彼は主張していた。あるときその病院のある脳神経外科専門医が、脳の深部にある血管芽腫という脳腫瘍の少女を手術した。このとき、直静脈洞(脳の深部にある、大量の静脈血が流れている部分)から何リットルもの血液が流れ出た。彼は完全に我を忘れて、私に助けを求めてきたのである。私は何が起こっているのかを理解し、すぐに直静脈洞を血管クランプで遮断して止血し、縫合糸で出血部を縫合した。麻酔科医が失われた血液を補充した後、私は機転を利かせて彼に手術を続けるよう促した。腫瘍も摘出するように言われたが、私はすでに患者の命を救ったのだからと思い、そっと手術室を後にした。看護師の間で私の評判は、かなり跳ね上がった。「Finsk jävel är så duktig(フィンランド人は本当にいい人だ)」

私はよく病院の地下にあるオンコール当番医用の窓のない部屋に泊まり、この華やかなウプサラの街を散歩するのが日課となった。近くのピザ屋によく足を運んだ。脳神経外科医たちの家にもよく招待された。ウプサラでは、専門医が不足していたので、私が滞在することを望んでいたのである。妻のリールとは、すでにこのウプサラに移住する計画を立てていた。給料もフィンランドよりよかったのだ。ウプサラは魅力的で、歴史ある伝統的な大学都市であった。私は地元の新聞を購読し、妻のリールと一緒に物件を探したりした。

しかし、私の心と希望はヘルシンキにあった。そのとき、ヘルシンキ大学で、たまたま空いたアシスタント・インストラクターのポジションを与えられることになった。しかしそこでは、特に手術などの仕事はほとんどなく、座っておしゃべりして時間を潰すだけだった。「何もせずに、これで給料をもらっているんだ」と思った。結局、ヘルシンキに来て数ヵ月後、そのポジションには予算がついていなかったことが判明した。給料ではなく、わずかな報酬をもらっただけだったのである。

1980年1月初め、私はクオピオで専門医として働き始めた。

私の最初の手術は頭頂部の悪性神経膠腫だった。私がすでに手術の大部分を終えた頃に、マティ・ヴァパラハティ医師が手伝いに来た。器械出し技師（手術道具などを渡す技師）のアイノ・ヴァーナネンは、私のあまりの速さに大笑いし、他の人にもそのことを話していた。この手術は簡単だったのだが、その後、より難しい手術を任されていくようになった。

私は、週末になると交代で救急外来を担当した。クオピオの手術室のロッカールームでは、脳神経外科医たちが輪になって座って雑談をするのだが、そこからいろいろな情報を知ることができた。どんな外科医にもさまざまな評判があり、支持者がいる。私たちは、仕事と結果によってのみ、その評判に影響を与えることができるのだ。もちろん、行動することや協調性は重要である。看護師から部長に至るまで（特に麻酔科部長とは）、チームのすべてのメンバーとうまくやっていけるかどうかが重要なのである。

どの手術室でも、スタッフは外科医全員の技量について正確な情報を持っている。誰が最高の外科医か知りたければ、彼らに聞けばいいのだ。

雪に閉ざされた街の中で、病棟についていた小さな部屋での生活は、決して快適とは言えなかった。やがてクオピオの雪が溶け始めた頃、私はヘルシンキ大学トーロ病院に戻ることになった。餞別に昔のクオピオの写真をもらった。私は結局クオピオに4ヵ月、ウプサラに2ヵ月弱滞在していたことになる。

1980年6月、妻のリールとアイダと私はクオピオのマティ・ヴァパラハティのところに滞在した。私は1ヵ月以上、彼の代役を務め、緊急で困難な手術を対応した。6月30日、私たちの次女であるヘタがクオピオで誕生した。

1980年の秋、私はヘルシンキ大学トーロ病院に帰ると臨時の管理職に任命された。念願のポジションを手に入れたのである。ある同僚が、「このポジションはどのような仕事があるのか」と聞いてきた。私は途方に暮れた。何と答えていいかわからなかった。肩書きは形式的なもので、実際にはその仕事は何の管理もすることがなかったからだ。

ヘルシンキ大学トーロ病院では私が一番若かったせいか、手術の数が少なく、私としては手術数が足りないと感じていた。2ヵ月で8例しか手術できなかったのである。もし、1年間、月に1回しか手術をしなかったら、私の目標である優秀な脳神経外科医、あるいは私の尊敬するヤサーギル教授のような手術のできる脳神経外科の教授になることはできないだろう。結局のところ、ヘルシンキ大学トーロ病院にいることはそれほどよいことではなかったのである。

もう一度、最初から道を歩むのは大変なことである。どこかよい脳神経外科医に早く成長できる場所に行かなければならなかったのだ。1年前、私は手術の多いクオピオへの転勤に強く反対していたが、今は180度違う道を歩まなくてはいけないと感じた。それは、家族を連れてクオピオに戻るという道を選ぶということである。それが唯一のチャンスだと思った。

そして1980年末にヘルシンキ大学トーロ病院からクオピオに移った。そのとき、上司のトロップが「またヘルシンキ大学トーロ病院に戻ってくるのか」と聞いてきた。私はとっさに、17年後に戻ると答えた。彼が退職する時期をすぐに計算したからである。

6章 クオピオ大学病院

1981年〜1997年 クオピオのために

1981年、私たちは家族でクオピオに移り住んだ。クオピオは、フィンランドの北サヴォ県に位置する小さい都市で、厳しい冬と美しい夏がある。

私たちの家は、プイジョの丘のすぐ近くにある、自然豊かなエリアだった。冬は雪が降り積もるため、低い住宅の棟が雪で埋もれてしまっていた。リールは小さな住まいを気にせず、私は手術を必要とする患者の集客に専念していた。

私がクオピオで夏のバックアップをしていたとき、娘のヘタが生まれた。妻のリールは病院で出産したが、そのときの助産師は、数年後に息子のユシが生まれたときも手伝ってくれた。

1976年、1980年、1982年当時は、子供の出産に立ち会うことも、育児休暇を取ることも思いつきもしなかった。

クオピオでは、1966年に大学が開校し、1970年代から中央病院での医学教育が始まった。これはクオピオ大学付属中央病院と名付けられたが、当初は不必要に大仰な名前であった。

病院の2階に、改装されたカーペット敷きの入院患者のエリアがあった。約30床のベッドは、脳神経外科と神経内科に分けられていた。脳神経外科部長のマティ・ヴァパラハティは、この病棟の責任者だと自認していたが、神経内科の名教授だったパーヴォ・リッキネンも同様だった。

我々の脳神経外科病棟は東部フィンランドを担っていたが、中部フィンランド中央病院も患者をクオピオ中央病院に紹介してくるようになった。中部フィンランド中央病院の院長レイナー・フォゲルホルムは、効率的な診療体制を確立しており、患者を早く治療することを望んでいた。マティ・ヴァパラハティ部長は、紹介状があればすぐに返事を返し、電話でも患者を受け入れていた。

当時、クオピオの人口は約80万人だった。クオピオ大学の脳神経外科は、1976年秋にマティ・ヴァパラハティが主導してスタートした。彼はヘルシンキのアフ・ビョルケステンの病院で研修を受け、ヘンリー・トロップを指導医として頭部外傷における頭蓋内圧の上昇について論文を書いた。

それから、ヨーロッパ最古の医学部と言われるフランスのモンペリエ大学医学部を卒業したアンティ・タパニナホが、マティ・ヴァパラハティのもとに来た。

私が正式にチームに加わったことで、私たち脳神経外科チームは3人になった。タパニナホが脳神経外科を専門としていたこともあり、少し余裕があったようであった。オンコール当番は、私とマティ・ヴァパラハティ医師が交互に担当することになった。私たちは、このクオピオ地域の病院を回り、脳卒中や脳出血の治療についてプレゼンテーションを行った。雪の中、当時の旧北カレリア中央病院は、私たちの病院よりずっと小さく見えた。東の果て、ソビエト連邦の中にいるような感覚であった。しかし、そこでも医師たちは素晴らしい仕事をしていた。

1980年のCTの登場は、私たちの仕事に革命をもたらした。フィンランド東部の神経病棟や精神科病院には、未診断の患者が大勢いた。マティ・ヴァパラハティ部長の時代より前は、ヘルシンキ大学トーロ病院に搬送される脳神経外科の患者は年間50人程度と少なかったのだが、CTができてから、患者の数が急増していた。脳挫傷やくも膜下出血、脳内血腫など、治療が必要な患者もいた。ゆっくり進行する脳腫瘍もたくさん見つかった。私たちは、この現象に興奮を抑え切れなかった。その当時は、CT撮影には時間がかかり、1日に10人ほどしか撮影できなかった。私たちは、放射線室でじっと画像を待ち、手術が必要な患者を見つけていた。

この装置1つで患者数が膨大に増えるため、撮影が厳しく制限された。さまざまな権力闘争の後、ＣＴ撮影をするためには、脳神経外科医の許可が必要になった。一方で、脳神経外科医は時間帯に関係なく画像を見に来なければならなくなった。そのため、オンコール当番で待機していた医師が何度も足を運ぶことになる。冬の夜、暗闇の中に入って画像を見て、帰宅するのは容易なことではなかったが、私たち医師は文句を言わなかった。他院からの画像転送が遅々として進まず、診察に支障をきたすこともあり、その分、私たちの仕事も増えた。画像転送の端末は放射線室にあり、夕方には画像を見に行くことになる。緊急の治療がしやすくなるような画像転送システムは、まだ遠い未来の話であった。当時、緊急の連絡はポケットベルと固定電話だった。ポケットベルが鳴れば、近くの固定電話から病院に電話しなければならない。オンコール当番で待機していた医師を探すのは、交換手の仕事だった。病院に簡単につながる電話番号がある。３９２３。忘れることができない番号だ。よくかけてくるのは、地域の神経内科医だった。患者はその日の夕方、夜や翌日に転院しなくてはならない急患がほとんどであった。

当時、ヘルシンキ大学トーロ病院（ＨＹＫＳ）では、リソースがないことを理由に患者依頼を断ることが多かったのだ。我々のクオピオ大学中央病院（ＫＹＫＳ）では、逆に多くの患者を受け入れ、これがリソースの確保につながったのである。クオピオでの年間手術件数は増え続けていた。手術する患者の症例はすべて、最初は青いノートに記録されていた。その後、ヘルシンキ大学トーロ病院で使われているような大きな黒い手術記録が使われることになり、自分の患者だけでなく、他の人が執刀した患者も簡単に見つけることができるようになった。やがてパソコンで管理するようになった後も、このノートの手術記録はずっと保管されている。手術記録には、さまざまな筆跡、血や汗、もしかしたら涙まで記されているかもしれない。その後しばらくしてクオピオ中央病院にマッティ・ヴァーナネンとマッティ・ルッコネンが、専門医として加わった。

ヴァパラハティ部長は、社会的、管理的な事柄に長けていた。彼は、常に脳神経外科のリソースを増やすという明確な目標を持っていた。これを実現する最も簡単な方法は、手術件数を増やし、ニーズの高まりを数字で示していくことであった。そのため私たちは、夕方や夜間も含めて、いつでも手術ができるように体制を整えていた。

※左記の未収録原稿はWEBサイトでご覧いただけます（13ページ参照）
「1982年　腰椎椎間板ヘルニア」「「手術室への入室待ち」

早期動脈瘤手術の導入

1980年のクオピオ中央病院では、くも膜下出血（多くが動脈瘤が破裂して発症する。いったんは自然に止血されることが多いが、動脈瘤の治療をしないと、再出血によって病状が悪化するリスクが高い。当時は動脈瘤手術が技術的に難しかったため、脳の状態が落ち着くまで待ってから手術が行われる〈晩期手術〉ことが一般的だった。しかし、その間に再出血し、亡くなる患者も多かった）の早期手術、つまり動脈瘤が破裂してから数日のうちにすぐに手術をすることの検討を始めた。ヴァパラハティ部長と私は、クオピオ中央病院の主要な方針について完全に一致していたように思う。破裂後すぐに行う早期動脈瘤手術は、以前にも1960年代に試みられたことがある。その当時の結果は決してよいものではなかった。しかし、今ではマイクロサージェリーの進歩やCTの出現により、早期の手術が可能になるのではないかと考えられるようになってきた。

クオピオ中央病院で、私たちが始めた動脈瘤破裂に対する早期治療とは、相当な労力を要するものだった。私たちは、破裂後にできるだけ早く、患者を手術室に搬送し治療を行った。神経放射線科医は、CTスキャンで示された破裂をさらに詳細に確認するため、血管造影を行ってくれた。大きな脳内血腫が確認できた場合は、その日の夕方から夜にかけてすぐに手術を行った。翌日には手術室が予約で埋まってしまっているため、翌日に持ち越せないことも多かったのである。そのため、徐々にオンコール当番医が、入院当日に手術できるような体制へと変わっていった。そしてあらゆる脳動脈瘤破裂の手術を対応するようになった。最初は、状態が悪化していく患者を手術していた。もちろん破裂の度合いによって、失敗してしまうこともあったが、私たちは治療の限界に挑戦し、その結果、過去の治療では間違いなく死んでいたであろうと思われる患者たちを、治療して回復させることができることも多くなった。これは私たち医師の努力ということもあるが、ＩＣＵの質の高い設備と、献身的なスタッフが大きな助けとなっていたのは言うまでもない。

私たちは、できる限り、多くの手術を行うように心掛けた。以前は手術する年齢の制限があったが、その年齢の上限をどんどん上げていき、やがて高齢の患者もすべて治療することになっていった。このクオピオという決して広くはないエリアで治療される動脈瘤の数は、次第に年間１００件を超えるようになっていった。ヘルシンキ大学トーロ病院が早期手術に踏み切るのは数年後のことである。「クオピオで手術してくれ。我々は早期動脈瘤手術はやっていない」というのがオリ・ハイスカネン部長のメッセージだった。パカリネンも苦笑していた。１９８０年代半ば、私たちはスウェーデンのルンド大学のグループと共同で、早期動脈瘤手術について論文を書いたが、パカリネンやヘルシンキ大学トーロ病院の他の人たちはそれを信用しなかった。

当時のクオピオ中央病院では、手術が休みなくひっきりなしに行われていたように思う。私は、オンコール当番の連続と多くの手術のため、あまり眠れず、常に疲れているような状態であった。私が手術を行っていたとき、動脈瘤にクリップを挿入した直後に、急に吐き気がして、お腹が痛くなったことがあった。私は、なんとか切開部を閉じて帰宅し、痛み止めを飲んだ。私は虫垂炎になっており、マティ・パッコネンに手術をしてもらった。私には休養が必要だったのである。

私は、ハンガリーに行き、療養することにした。幸いにも、みるみる回復していった。ハンガリーでは、脳神経外科手術も学ぶことができた。

1989年
スカンジナビア脳神経外科会議

患者の治療をめぐって、医師たちの間でさまざまな意見の相違が生まれることがある。小さな病院ではそれが大きな負担になることがあり、私とヴァパラハティ部長の2人についても同様のことが言えた。1989年の夏、ヴァパラハティ部長が主催したスカンジナビア学会を私がサポートしたことで、私たちのこのギクシャクしていた関係は改善されたように感じた。

私は、ヴァパラハティ部長が提案したテーマで2回ほど講演を行った。ヴァパラハティ部長の自宅には、重要人物が招待されており、日本から来た脳神経外科の教授の佐野公俊は、オスロのノーレン教授と並んで、最も著名なゲストであったかもしれない。私は、彼らの奥さんたちのために、湖のクルーズや病院のデイケアの訪問なども準備した。

私たちはなんとかこの学会を乗り切ることができた。この学会はこぢんまりとしており、それはヴァパラハティ部長の希望通りであった。我が家でも海外からの訪問者を受け入れ、子供や犬も出席してくれた。そこで私の次女のヘタは、日本からきた女性の脳神経外科医、加藤庸子と仲良くなった。そのときから約20年後、日本で行われた脳神経外科の学会で彼女と再会することになる。

ヴァパラハティ部長からは、どんなときでもあきらめない、質の高い患者の治療について多くを学んだ。しかし、明確な役割分担のない手術室では、どうしても競争が発生してしまうことがある。私は、誰にも負けない手術のスピードと仕事への情熱で、私の患者を救うだけではなく、病棟全体として多くの手術を行うことに貢献できたと思っている。ヴァパラハティ部長は難しい手術でも必ずと言っていいほど「やる価値がある」と言っており、私は彼に賛同していた。

当時の私には、もっとやりたいことがあった。しかし、自分の考えをヴァパラハティ部長に受け入れてもらうことができない場合があり、私はそうした状況を打開するのが苦手であった。私もヴァパラハティ部長もお互いしんどかっただろうと思う。ヴァパラハティ部長がレジデントレベルの些細なことに口出ししてくるのも、すべては部長の責任になるからということは理解できた。しかし、自分の考えが受け入れられず腹が立ってしまうこともあった。上司が部下に過干渉してしまうマネジメント、つまり今でいうマイクロマネジメントの問題ということである。ヴァパラハティ部長が中心となって毎週行っていたカンファレンスでは、患者の些細な悩みを何度も確認し合っていたが、私にとっては取るに足らない質問のように感じ、次第に苦痛を感じるようになっていった。

ヘルシンキ大学トーロ病院で脳神経外科の教授になるという夢は、まるで叶いそうもないと、そのとき感じた。私はクオピオでは国際的な活動はしていなかった。とはいえ、ヘルシンキ大学トーロ病院で教授になる目標は、15年以上前からの夢だったから、このままあきらめるわけにはいかなかったのである。

1982年　チューリッヒに戻る

クオピオ中央病院で働き出して間もない頃は、新しい手術のために解剖学や手術手技を勉強し、エネルギーのすべてを注ぎ込んでいた。疲れ切ってしまい、家に帰ると1〜2時間は寝ているような状態だった。しかし何年も働くうち、スタミナがついてきたのか、日に何件も手術ができるようになってきた。母国フィンランドで専門性を高めていきたいと思い、以前スイスのヤサーギル教授から提案されていたスタッフのポストを辞退したことがあった。その当時、自分ではかなりの手術の経験を積んでいると思っていたのだ。ただ、動脈瘤の手術はすでに100例以上経験していたが、もっとトレーニングを受ける必要があると感じるようになってきたのだ。そこでヤサーギル教授のもとで学ばせていただきたいという旨の手紙を出すと、1ヵ月もしないうちにヤサーギル教授から、喜んで迎え入れてくれるという手紙が届いた。私は、1982年2月にチューリッヒに学びに行くという返事を出した。

私が脳神経外科医になることを決めたとき、ヤサーギル教授やクライエンビュール教授は私のロールモデルであった。だからヤサーギル教授の論文は読み続けていた。彼の素晴らしい技術は知っていたが、それを実際に直接見たことはなかった。私は準備をし、ヤサーギル教授に会うために、チューリッヒに向かった。9年ぶりのチューリッヒは、懐かしく感じた。

すべてが9年前とほとんど同じように見えた。懐かしい古い学生食堂のメンサもまだそこにあった。

月曜日の朝早く起きて、ヤサーギル教授のオフィスに向かった。ヤサーギル教授はコーデュロイにドレスシャツ、ノーネクタイのカジュアルな格好だった。私は深々とお辞儀をして挨拶をした。二言三言、言葉を交わしてから、手術室に案内された。私はドイツ語が堪能なので、コミュニケーションに困ることはなかった。手術室を案内してくれたフィンランド人技師に、以前チューリッヒに留学していたことを話してくれた。やがて手術室の前室に人が集まり始めた。ヤサーギル教授の仕事を見学するために、世界中から10人ほどが集まってきていたようだ。

まだまだ新人の私には、覚えることがたくさんあった。手術室内は静かだった。ヤサーギル教授が手術室のドアから招き入れてくれた。私たちは手術室の横にある小さな椅子に座った。

ヤサーギル教授は最初の手術の準備をしていた。手術をする女性の患者は、前交通動脈瘤であるらしいことが、ひそひそ声で聞こえてきた。右のこめかみあたりの髪が控えめに剃られていた。髪の生え際に沿って、皮膚切開のための印がメスの先でつけられ、手術用ドレープがかけられていた。麻酔科医は、血圧、脈拍、心電図など、モニターに表示される数値を注意深く観察していた。ヤサーギル教授が手洗いから戻り、ガウンと手袋が渡された。器械出し看護師（手術道具などを渡す看護師）は、教授の妻のディアンヌ・ヤサーギルだった。手術は、7年前から専門医として働いていた体の細いスイス人医師が手伝っていた。頭皮の切開中に、かなりの出血があった。その出血の多さに、私はがっかりしてしまった。

側頭筋は大きく切開され、頭蓋骨にいくつかの穴が開けられた。骨片が取り外され、骨削除鉗子とドリルで頭蓋骨の一部が削り取られた。これが蝶形骨縁到達法だ。ヤサーギル教授が開発したトルコ鞍部（眉間の奥で頭蓋骨の中心近く）周辺への代表的な到達法で、現在では脳神経外科医が最も習熟しておくべき手術アプローチである。正直、私には少し大き過ぎる開頭に思えた。教授は助手に横に立つように言った。助手はそれから数時間、哀れにも滅菌手袋をした手を上げたままの格好でそこに立っているだけだった。それは開頭中に教授が発した鋭いドイツ語の叱責の罰であることは容易に理解できた。

やがて顕微鏡が運ばれてきた。私は、その小ささと、顕微鏡を動かすためのマウススイッチ（口で咥えることで顕微鏡を動かすことができるスイッチ）に注目した。顕微鏡は、患者の頭上で宙に浮いているように見える。

硬膜は大きく開かれており、前頭葉と側頭葉はモニターにはっきりと映っていた。ヤサーギル教授は前頭葉と側頭葉の間にあるくも膜（脳の表面にある薄い膜で、周囲の構造物を固定している。くも膜と脳の間を髄液が循環している）を切り開き、ゆっくりと次第に深く入っていった。そして、前頭葉と側頭葉の間、左右の前大脳動脈と前交通動脈を露出させることに成功した。動脈瘤はきれいに見えた。教授は、動脈瘤の周囲をマイクロハサミを使って実に巧みに露出させた。バイポーラ鉗子の先端で動脈瘤に触れる（電気凝固することで焼灼する）と、まるで魔法のように動脈瘤が徐々に小さくなっていった。そして根元にクリップを差し込んだ。

そして切開部を閉鎖する閉頭作業が始まった。それは6層で、私がいつもやっているやり方と同じだった。ヤサーギル教授は、カマキリのように動かずに立っていた助手の医師に、事細かにやり方を命じた。

この手術を見ている間、チューリッヒではなく、ヘルシンキ大学トーロ病院で脳神経外科専門医を取るために勉強したのは結果的に正しかったのだと確信した。このとき、私はすでにフィンランドで動脈瘤の手術を100例以上こなすことができていた。ヤサーギル教授の助手への扱いや手術への関与の少なさには疑問を持った。手術室から出た私たちは、手術について小さな声で感嘆の声を上げた。ヤサーギル教授がトルコの新聞を読んでいるので、話しかけないようにした。教授は些細なことで怒り出してしまうところがあるらしいと聞いていたからだ。

それからは、破裂動脈瘤の患者のみ、週に5日、日に1、2件の手術があった。手術は、患者の意識がある場合のみ行われた。このやり方は、ヘルシンキ大学トーロ病院で行われているやり方と同じであった。経過中の再発の可能性は聞くことができなかった。ある手術中に破裂した脳底動脈先端部動脈瘤（最も難易度が高い動脈瘤手術）を焼灼して縮小させ、クリップしたとき、ヤサーギル教授に対する尊敬の念はますます強まった。ヤサーギル教授の技量と神経が信じられないほどだった。その手術を受けた患者は快方に向かった。その頃フィンランドでは、脳神経外科医は動脈瘤に触れることは許されず、頸部にクリップを挿入するだけであった。我々は動脈瘤に触れることを恐れていたのだ。しかしヤサーギル教授は動脈瘤に何の脅威も感じていないかのようにこれを触っているように見えた。

私たち外国人は、ニーデンドルフの端にあるウェザーウインドというレストランで、食事をしたり、ビールだけを飲んだりして、その日の手術について活発に語り合うのが習慣になっていた。そのレストランではヤサーギル教授の顔色を伺う必要はなかったからだ。

2月中旬、後頭葉に大きな悪性膠芽腫を再発させた患者が来院した。私は、この手術から学ぶことは何もないだろうと思い込んでいた。しかし、そんなことはなかった。ヤサーギル教授は醜い腫瘍を鮮やかに切除し、解剖学的な見地からきちんと説明してくれた。フィンランドで学んでいた手術と比べると、まったく別世界の手術であった。デリケートな部位や脳の血管を大胆に扱うヤサーギル教授の姿は、信じられないものだった。

ある晩、メキシコ人の見学生が言った。

「いつか、私たちはもっとうまくやれる日が来るはずだ」

でも、私は信じられなかった。ヤサーギル教授の技術を超すことなど、まったく不可能だと思ったのだ。

30年後、1980年代のヤサーギル教授の手術ビデオを観る機会があった。映像の技術的なクオリティは当然向上しており、また手術の技術も、器具の一部も当時と比べ向上していた。私たちの技術や器具はこの先も向上していくだろう。開拓者は追い越されていくのが常である。しかし、ヤサーギル教授のビデオを観ると、その解剖学的な理解、並外れた手術の技術、そして手術への徹底した献身は、いまだに多くの人が達成できるものではないと感じた。

ヤサーギル教授は、ボクシングのモハメド・アリや陸上のウサイン・ボルトのように、その時代には絶対に敵わない存在だった。ヤサーギル教授が何かを学べば、世界中の脳神経外科医たちが後に続いた。後に世紀の最大の脳神経外科医と呼ばれるのもまったく不思議ではなかったのである。

ヤサーギル教授の教えを実践するために

チューリッヒでの1ヵ月はあっという間だった。私は、学んだことを活かそうとフィンランドに戻った。この間、妻のリールはクオピオのもっと広い住居に引っ越しをしていた。毎週、駅の電話交換機から3分ほどの短い電話をかけていたが、彼女はある事実を私に告げなかった。なんと私たちにとっては3番目の子供を身ごもっていたのである。そして私たちは、長い間新しいその家に一緒に住んでいたし、離婚した今でもリールは住んでいる。

私は、病院の勤務時間外の活動拠点だったレストラン「ピク・タリーナ」で、学んだことを仲間たちに詳しく説明した。1時間以上にわたって、この素晴らしい体験について、心からの言葉を発した。頭全体を剃る必要がないことや、頭蓋骨のフレームや、顕微鏡の素晴らしさを説明した。チューリッヒで手術がどのように行われていたかを説明した。若い男性医師の何人かはピアスをしていたことも説明した。私は、何か重大なことを目撃し、開眼したようであった。私はヤサーギル教授を追従し、彼の道を歩み続けようと思っていた。

私はヤサーギル教授のやっていたことを取り入れようとした。手術室では、古い顕微鏡台のネジを緩めて、自由に動かせるようにした。メイフィールドの頭部固定フレーム（頭部を手術台に確実に固定するための道具）はすぐに手に入った。これまでは、頭部をテープで台に固定していたのである。新しい顕微鏡も注文した。そして、私は、彼のように手術室には完全な沈黙を要求するようになった。しかし、手術室の雰囲気が緊張し過ぎてしまったので私はそれを取り入れることはあきらめた。軽快な音楽でリラックスしたほうが、私には合っていた。

チューリッヒからフィンランドへ帰ってきた後、しばらくして、ヤサーギル教授の教科書シリーズ『Microneurosurgery』（全6巻）が出版された。私は全巻購入して何度も読み返し、まるでヤサーギル教授から遠隔授業を受けていたような気分になった。後日、ヘルシンキで会ったときに1冊1冊にサインをしてもらった。

1982年にチューリッヒに1ヵ月間滞在したことは、私のキャリアにおいて重要な局面であり、手術技術の改善という点では、極めて重要なものであった。私が見習いたいと思っていた巨匠の腕前を目の当たりにすることができたのだから。その後も頻繁にチューリッヒを訪れ、手術を見学することにした。最後に見学したのは1992年にヤサーギル教授が退任する前だった。私がクオピオの脳神経外科部長代行を務めていたとき、クオピオの脳神経外科医を全員チューリッヒに派遣して、ヤサーギル教授の手術を見学させたこともあった。

1982年 ロマ族の患者

フィンランドには数千人の少数民族であるロマ族（「ジプシー」などと呼ばれてきた人たち）が住んでいる。ロマ族には病気になると、大勢で病院にお見舞いに来る習慣がある。病棟のスタッフたちはこれを嫌がった。大人数の見舞い客が来ると、しばしばトラブルが起こってしまうからだ。その後、イタリア、トルコ、インド、中南米、中国などで手術したときにわかったのだが、これは別に変わったことではなかった。これらの国では看護師の数が少ないため、患者の基本的なケアは家族が責任をもって行うのが一般的だったのである。

1982年の春、クオピオ中央病院に若いロマ族の女性が手術のため入院した。このロマ族がてんかん発作を起こしたというので、CT検査をしたところ、左の頭蓋骨の下に直径6〜7センチの非常に大きな髄膜腫、つまり良性の脳腫瘍があると診断された。表面なので手術はしやすかったが、このロマ人の女性は、大きな金のピアスを揺らしながら激しく頭を振って髪を剃るのを嫌がった。

彼女は、手術を受けずに帰りたいと強く主張してきた。私は彼女に手術を受けるように熱心にアドバイスをした。この腫瘍はほとんど危険を伴わずに完全に取り除くことができるもので、おそらくてんかんの薬もやめることができる。腫瘍自体は取り除きやすい位置にあるために、その後何か生活に支障をきたすような症状も出ないだろう。と、いうことを説明した。

家族の意見は、「髪の毛、特に女性の髪の毛は切ってはいけない」というものであった。女性らしさが失われ、ロマ族として大きな恥になってしまうということなのだ。交渉の結果、髪は腫瘍のある部分だけ剃ることになった。

「彼女の長く、太く、美しい髪は、手術後、この部分を簡単にカバーすることができると思います」と私は言った。私たちは握手を交わし、翌日に手術の日程を決めた。

手術当日、全身麻酔の後、ロマ族女性の頭髪を頭皮の一部から電気カミソリで手のひらくらいの分量だけ剃った。それから手術部位を丁寧に洗い、髪を梳かし、馬のひづめのような形の切開の印をつけた。

手洗いから戻ると、患部にはきちんと手術用ドレープがかけられ、頭皮はしっかりと固定されていた。私は、ガウンと手袋を装着した。頭皮を切開し、骨片を取り除いた。

私は指で硬膜を探った。脳組織よりも硬いので、硬膜の腫瘍を感じることができた。最大のリスクは回避できたのである。切開した場所はまさに適切であった。もし位置がずれていたら、髪があるため追加の切開は難しかっただろう。顕微鏡を使って、丁寧に腫瘍を取り除いた。頭蓋骨を向かい合わせに開けた小さな穴に太い縫合糸を通して固定した。頭皮を二重に縫合する際、数本の毛が縫合部分や結び目にまで入り込んできて邪魔だったが、なんとか縫い終えることができた。

ＩＣＵの外には、ロマ族の民族衣装を着た大勢の人々が待っていた。私は、彼らに手術は成功し、良性の腫瘍を完全に取り除くことができたと伝えた。ロマ族の人たちは、毛をどれくらい剃ったのか、細かく聞いてきた。私は、手のひらを見せて「これだけ」と答えた。家族は納得したようであった。

この手術以降、頭全体を剃ることはなくなった。クオピオでは、チューリッヒでヤサーギル教授から学んだこの習慣を全面的に採用した。私はヘルシンキ大学トーロ病院にも同じことをするよう働きかけていたが、かなり時間がかかった。なぜならば、ヘルシンキ大学トーロ病院のような大きな病院では感染症が増えることを最も恐れていたからである。ロマ族の人たちは私たちに教訓を与えてくれた。その後、私たちは、数え切れないほどの患者をよりよい手術によって病状を回復させることができている。頭皮を隠すカツラもスカーフも必要ない。手術後も、外見は以前と何も変わらないのだ。

あれから40年近く経った今の中国で、中国人の女性が脳の手術の前に、太くて美しい髪をすっかり剃り落とされてしまうのを、私は悲しい気持ちで見ている。

1982年　ロックギタリスト

17歳のギタリスト、サミはひときわ目立っていた。彼のバンドは、地元周辺でライブを行い、デモテープをレコード会社に送っていた。6月の暑いある日、地下の狭い部屋で音楽の練習をしていたとき、サミは突然激しい頭痛と吐き気に襲われ、視界がぼやけて見えるようになってきた。症状は次第に悪化し、サミは嘔吐するようにまでなった。サミの異変に気づいたバンド仲間は、ツアーで使っていた古いバンで彼を家まで送った。心配した母親がタクシーを呼んで、保健所に連れて行った。そこからクオピオ中央病院に紹介されてきたのである。

CTスキャンを行うと右側の側脳室三角部という脳の奥に、造影剤で強く造影される5センチほどもある大きな異常陰影と、脳室内に少量の血液が確認された。これは、脳動静脈奇形（脳の中にできた血管の奇形。動脈と静脈が直接つながっており、内部を血液が勢いよく流れている。血管の塊のようになっており、しばしば出血を起こす。摘出術で完治可能だが、最も難しい脳神経外科手術の1つ）の破裂を示唆するものであった。頭痛と軽い肩こりを除いては、他の所見はなかった。細身で長髪の青年であるサミは、ICUに入院することになった。

翌日、放射線科による血管造影検査を行った。右足の付け根を丁寧に剃り、髭面の医師が麻酔をかけ、大腿動脈に長いカテーテルを挿入した。一連の画像を撮影し確認したところ、脳のある場所に大きな脳動静脈奇形があることがわかった。脳動静脈奇形は主に2本の大きな動脈から血液供給されており、1本は脳の表面から、他の1本は脳の奥深くからだった。この所見は治療が困難であることを示していたが、サミは若く、体調もよかったので、脳動静脈奇形を完全に除去する手術に踏み切ることに決めた。手術のリスクや目的について、サミと母親と話し合い、手術日を2日後に決めた。

手術当日の朝、サミは手術室に移され、プラスチック製の針を静脈に刺し、麻酔をかけられた。手首の動脈にも針が刺され、常に血圧を監視できるようにもした。尿道カテーテルが挿入された。

体位は座位にした。ヤサーギル教授がこの姿勢で手術していたビデオを思い出したからである。頭部固定のためにメイフィールド社のフレームを3本のピンで頭にしっかり固定した。

切開する部位ができるだけよい角度になるように、頭の位置を何度か調整した。私は、サミの長い髪を右側の後頭部から剃った。私は患部を消毒し、頭皮にU字型の大きな皮膚切開の印をつけた。

深呼吸をして手術台を一周し、頭部が真っ直ぐに固定されていることを確認した。メイフィールド社のフレームを少し動かしてみたが、しっかり固定されているようだった。血圧は収縮期血圧が100で安定していた。

心臓がドキドキする。手術前はいつもながら緊張する。私は長い間手をごしごしと洗い、前日に目を閉じながら、そしてときには寝返りを打ちながら、手術の手順を何度も確認してきたことを、頭の中で確認する。

手洗いの後、緑色のガウンを着て、部屋のドアを足で蹴って中に入り、器械出し看護師に手袋をはめてもらった。後ろを振り向くと、ガウンが外回りの看護師によって後ろで結ばれていた。準備万端だった。周囲のスタッフとお互いの目を見つめ、そして手術を始めた。

メスを渡された私は、頭皮にU字型の切開を設け、皮弁を翻転して頭蓋骨を露出させた。骨片を切り出し、硬膜を切開し、顕微鏡を配置した。大脳半球の間から脳の奥に入り、脳室を切開して、手術できる空間を確保できるまでゆっくりと大量の脳脊髄液を吸引していった。

顕微鏡で脳の表面を注意深く観察し、定規で脳動静脈奇形の位置を測った。この後、吸引管（血液などを吸引するための金属製の器具。吸引力を微調整し、かつ周囲の組織を牽引しながら用いる。マイクロサージェリーでは、バイポーラ鉗子と並んで、最も多用される器具）とバイポーラ鉗子を使って脳組織の奥へと切り進んでいった。血管がびっしり張りめぐらされている脳動静脈奇形を発見することができたときは正直ほっとした。画像上はっきり見えていても、脳の中に埋まり込んでいる病変を見つけ出すことは簡単ではないのだ。脳動静脈奇形に大量の血液を流し込む多数の血管を探し出し、それらを焼灼してマイクロハサミで切断した。大きい血管はクリップを使って遮断した。正常な動脈は注意深く避けながら脳動静脈奇形の周囲を剥離していった。数時間後、脳動静脈奇形につながる2つの静脈だけが残された。ゆっくり、落ち着いて、慎重に作業を進めたので、心配していた出血はまったくなかった。最後に赤から青に変色した（正常の色調になった）2本の太い静脈を切断し、脳動静脈奇形全体を慎重に取り出した。摘出腔から出血していないか、慎重に確認した。脳動静脈奇形の摘出後は摘出腔からの出血もしやすいのである。

私は満足し、切開部の縫合を開始した。大きな脳動静脈奇形を非常に見事に切除した。

術後、サミは手足がまったく動かなくなっていた。四肢麻痺で、重度のプリアピズム、つまり性的興奮と無関係に勃起が持続するという持続勃起症になっていた。彼は苦しんでおり、恐ろしい状況だった。手術中、首を前に倒し過ぎたために血行が悪くなり、頚髄に損傷が生じていたのだ。

サミはＩＣＵに移された。私も一緒に行き、そこの医師に状況を報告し、どうするか相談した。自力での呼吸が十分ではなく、サミを人工呼吸器につけたままにしておいた。2〜3時間おきに様子を見に行ったが、症状は改善されていない。私は母親に長い時間をかけて困難な状況を説明した。

それからの日々は茫漠としていて、次の手術になかなか集中できないでいた。1日に何度もICUに通い、サミの様子を見た。プリアピズム自体は泌尿器科の処置で消えていたが、四肢麻痺に変化はない。そのため、気管切開を行った。

私は日を追うごとにやつれていった。数週間後、母親はファーマーズ・マーケットで買ったイチゴを持ってきて、息子は回復するから大丈夫と言って私を慰めてくれた。脳血管造影の結果、脳動静脈奇形は完全に消失しており、CTスキャンも問題はなくきれいで、手術部位に出血もないとのことだった。数週間後、サミの容態は安定し、入院病棟に移された。きれいに治った縫合部は、術後1週間も経たないうちに抜糸されていた。その後、彼は集中的なリハビリを行うために地元の病院へ転院した。

それから2ヵ月余り、サミは経過観察のためにこの病院を訪れた。彼はまだ車椅子に乗っていたが、手足が動くようになり、気管からチューブも外されていた。私は何をすればよかったのだろう。どうしたらサミを励ますことができるのか、わからなかった。このようなケースに当たったことがないので、冷静で自信に満ちた言葉を投げかけることはできずにいた。罪悪感に押し潰されそうだった。彼は自立した生活を送ることができないかもしれない。そんな思いが頭をよぎった。

私はサミにさらにリハビリに励むようにアドバイスした。彼は2、3ヵ月に一度、私のところに来て、経過観察することになった。手足の筋力は回復し、手術の翌年には問題なく歩けるようになった。ただ、指の動きが悪くなり、ギタリストとしては致命的な障害が残った。

彼が来るたびにじっくりと話をし、最終的には障害年金と再教育を勧める書類を私は書いた。彼は、IT分野のトレーニングができるほど、指の機能が回復していた。サミは、「もしもっと重かったら、歩けるようにはならなかったかもしれない」と言った。

このロッカーの細さと若さ、母親の支え、そして質の高いリハビリが、この大惨事から立ち直るきっかけとなったのだと思う。

私が深い悲しみと罪悪感から立ち直るには、この若い脳神経外科医を支えてくれた母親の存在が不可欠だった。当時はまだＭＲＩ（磁気共鳴画像：脳や脊髄では、ＣＴより解像度が高く鮮明な画像が撮れる）がなく、もしそのときに見ることができたら、頚髄の損傷だということがわかったに違いないだろう。

１９８３年　オウテイの大きな頭

オウテイは生後４ヵ月だった。妊娠・出産は順調であったが、産後の病棟のスタッフは、頭が著しく膨張していることに気づいた。中央の大病院の小児神経科が行ったＣＴスキャンでは、造影剤で強く造影されたピンポン玉くらいに拡張した血管が描出されており、脳室は大きく拡張していることがわかった。紹介状と画像は脳神経外科医に送られ、電話連絡により緊急入院が決定した。

オウテイの両親とも医者だった。オウテイが搬送されてきた。頭が大きい以外は、他には異常はないようだった。聴診器を頭に当てると、大きな音がした。前方頭蓋は硬く感じられた。ヤサーギル教授の論文で、同じような症例は読んだことがあったが、診断結果は明らかだった。小児に特徴的なユニークな動静脈奇形であるガレン大静脈瘤だった。胸部レントゲンでは、心臓が大きく見えたので、さらなる検査が予定されていた。麻酔をかけての血管造影は翌日の予定だった。

心配している両親に、じっくりと話をした。当時はインターネットもなく、希少疾患の情報を得るのも大変な時代であった。しかし、この時点で、オウテイの重症度は一目瞭然だった。

翌朝、オウテイは放射線検査に運ばれ、麻酔をかけられた。検査の結果、一連の画像には、後大脳動脈の多数の枝から供給される非常に大きな球状の血管奇形が映し出された。最深部の脳血管は、ＣＴで見えていたのと同様にピンポン玉のように膨張していた。このピンポン玉が中脳の第三脳室と第四脳室をつなぐ細い管を圧迫してふさぎ、脳脊髄液の循環を妨げて脳室を拡張させた結果、水頭症になっていたのだ。この水頭症が、頭の大きさの原因だった。日本からの知識だが、この段階で拡張した脳室（水頭症）に対してドレナージしてはいけないらしいのだ。というのも、ドレナージによって脳室で圧排されていた静脈瘤への圧が弱まり、静脈瘤から出血する可能性があるからだ。水頭症を治すには、大きく拡張した静脈瘤を治療しなければならなかった。

ヤサーギル教授の論文には、手術の詳細なことまで書かれており、その手術の難しさから「ゴルディアスの結び目」とも呼ばれていることを知った。

オウテイは小児ＩＣＵで麻酔から覚め、翌日の手術に備えているところであった。

手術日の朝、私は早起きしてモーニングコーヒーを飲み、新聞に目を通した。それから小児ＩＣＵに向かった。オウテイの両親と再会し、手術の計画を説明した。そしてオウテイの頭を撫でてから、手術室に入った。

右頸部の静脈にはカテーテルが挿入されていた。ところが、青い血ではなく、真っ赤な血が出てきた。原因は脳動静脈シャントで、静脈に動脈血が混ざっていたのである。一瞬、カテーテルが動脈に入ったのかと思ったが、そうではなかった。

オウテイは、クッションの中で座位の体勢にされた。クッションから空気が抜けて、オウテイはエッグカップの中にいるようになり、肩も頭も自由に見えるようになった。正面から茶色のテープでオウテイの頭を頭部固定フレームの枠に固定した。テープで固定した後、後頭部が大きく見えるようにテープを外した。細かい毛を剃り、メチルアルコールで丁寧に消毒した。馬蹄形の大きな切開をしようと思ったので、付け根を下にして印をつけた。開頭部位は、右側と左側の両方に及んでいた。手術用ドレープをかけ、顕微鏡を確認し、マスクをテープで止めて、手を洗った。不安はあったが、手術の流れは理論的にわかっていた。ここ数日、頭の中で何度も手術の流れを確認していたのだ。しかし、このような手術は本で読んだだけで、実際に行ったことはもちろん、見たこともなかった。

手術室に足を踏み入れ、ガウンを着て、手袋をはめた。準備が整ったことを確認し、柔らかい頭蓋骨をメスで強く押さないように注意しながら、頭皮を切開した。私は非常に慎重に、薄い骨に数個の穴を開け、その間を骨削除鉗子でつなげた。

まず右側から硬膜を開くと脳の表面には普通でない血管がたくさんあり、異常な印象を受けた。

徐々に左右の大脳半球の間を大脳鎌に沿って深く入っていく。右側の脳の奥のほうを見ると、大きくて不気味に脈拍している赤灰色の静脈瘤が現れ、その表面にはたくさんの血管が蠢いていた。私はそれを一つひとつバイポーラーセッシで焼灼し、マイクロハサミで切断していった。私は、10本以上の栄養血管を切り離し、この大脳半球の右側全体の切除を終えた。静脈瘤の圧は少し軟化したように感じられた。硬膜は右だけでなく左からも開く必要があった。左側も同じように10本以上の小血管を焼灼し、切断した。突然、静脈瘤がさらに柔らかくなり、縮小していった。今度はまた右側に戻り、静脈瘤を挟むように大きな動脈瘤クリップを数個挿入し、完全に平坦化した。硬膜を閉じて、骨片を固定し、頭皮を二重に縫合した。右頚部の静脈カテーテルから出た血液は青くなっていた。シャントは修復されていたのである。

手術は午後まで続いた。オウテイは放射線室に移され、放射線科医が左大腿動脈からのルートで撮影を行った。一連の画像は、手術が大成功だったことを示すもので、誰もが納得した。私はほっとすると同時に、誇りに思った。私と放射線医は一緒にじっくりと画像を見ていた。

私は、ゴルディアスの結び目を解くことができたのである。私の体と心は、幸せな疲労感で満たされていた。

オウテイは目覚めた。彼は、おそるおそる手足を左右対称に動かし、目も見えているようだった。手術中、私は両側の脳の視覚領域を圧排していたので、心配だったのだ。その後の経過は問題なく、オウテイは哺乳瓶を持って飲んだり、お腹が空くと泣いたり、食べたりと正常な状態に見えた。

オウテイは、1年に1回は経過観察のために来院していた。成長には問題がなかったのだが、歩行と特に発話に遅れがあることがわかった。数年後、この病気が胎児期と出生後の時期に、脳から血液を奪っていたことが判明した。その結果、大脳に深刻な障害が起こっていたのである。オウテイは特別支援学級に通うことになった。

私は、クオピオで、さらに2例のガレン大静脈瘤の手術を行った。1人は女子学生、もう1人は成人男性だった。私は、これらについて論文を書いた。ガレン大静脈瘤は、その後の血管内治療の大きな進歩によって、顕微鏡手術よりも効果的に非常に手術の難しいこのゴルディアスの結び目を解くことができるようになった。このような症例は、非常に稀である。キャリアの中で私が手術をしたのは、たった7例だけだ。

1983年　ジャッタ・ザ・サーバー

ジャッタは28歳の魅力的な女性で、レストランでウェイトレスとして生き生きと働いていた。彼女は、10代の頃からタバコを吸っていて、1日に1箱弱吸っていたそうだ。ある日、仕事中にひどい頭痛に襲われ、中央病院を受診した。診断の結果、くも膜下出血が疑われた。翌日、彼女は私たちのところに検査のため、運ばれてきた。血管造影の結果、中大脳動脈の左右に直径1センチ弱の動脈瘤が見つかった。CTスキャンで左に出血が多く、こちら側の動脈瘤は破裂していることがわかった。

そこで、私は動脈瘤破裂の緊急手術をその日の夜に行うことにした。

手術室で、私はヤサーギル教授の説明を思い出し、蝶形骨縁到達法を行った。頭皮と側頭筋を大きく切開し、骨片を外した後、硬膜を開いた。顕微鏡で見ると、血液の中に動脈瘤が見えた。クリップできれいに動脈瘤を潰すことができ、私は満足して切開部を閉じた。翌日、患者はICUに移された。彼女はとても元気になり、頭痛も治まったようだった。やがて彼女は退院した。私は彼女にもう1つ動脈瘤があることを告げ、2ヵ月後に手術することになった。

タバコはまだやめられていなかったようだが、それ以外は特に問題はないようだった。手術では、右の動脈瘤も、まったく同じように開頭して、動脈瘤をきれいに露出させ、問題なく潰すことができた。動脈瘤が破裂していなければ術後の回復もさらに早くなるだろう。この2回目の手術から2ヵ月後、ジャッタは外来に来た。彼女は満足していたようだった。ただ彼女は、両側のこめかみが少し痛い、口を大きく開けられないといった、側頭筋を切って縫合した後によくある症状を訴えていた。早く治して仕事に戻りたいとも言っていた。

5年後、ジャッタはタバコを吸いながら、自由気ままな生活を続けていた。ところが、5年前と同じように、仕事中に突然、激しい頭痛に襲われたのだ。中央病院でCTスキャンを撮ると、またくも膜下出血になっていた。今回の所見は、以前のときとは違っていた。血管造影の結果、脳梁の上にある前大脳動脈にまったく新しい動脈瘤があり、出血をしていることがわかったのだ。昔の画像には何も写っていなかったので、新しい動脈瘤ができたことになる。ジャッタは意識があったが、かなりやつれてしまっていた。頭痛よりもひどかったのは、こめかみがかなり凹んでいることだった。こめかみを髪で隠そうとしていたにもかかわらず、かなり見栄えが悪くなっていた。翌日、新たに動脈瘤の手術をすることになった。

私は彼女に麻酔をかけ、頭頂部の髪を少し剃り、曲線を描くように切開し、右前頭部から正中線まで開頭した。開頭の大きさは直径4センチ。左右の前頭葉の間を深く探ると、脳梁の近くで動脈瘤の先端が見えた。この場所では動脈瘤が簡単に破裂してしまうので、あらかじめクリップを準備しておいた。

そのとき突然、動脈瘤の先端から出血が噴き出した。私は血を吸引し、悪態をつきながら、動脈瘤にクリップを押し当てた。出血は止まったが、よくよく調べてみると、クリップは動脈瘤の一部しか閉じることができておらず、しかも右前大脳動脈をクリップで閉塞させていたのである。何度もクリップをかけ直し、最終的には少し湾曲したクリップをしっかりと頸部に入れることができ、右前大脳動脈の血流も開放された。動脈瘤の破裂をうまく処理できたことに満足しながら閉頭した。

ICUでは、ジャッタはすぐに意識を取り戻した。この新たな破裂の結果、彼女は2週間ほど入院せざるを得なかった。

やがてジャッタは回復し、2ヵ月後に外来を訪れたが、そのとき私は彼女の側頭筋が萎縮していることに気がついた。こめかみの両側とも本当にひどい状態になっていると思った。ジャッタはウェイターとして仕事を続けていた。

この開頭手術が彼女の外見に及ぼした悪影響について、私は考えずにはいられなかった。私は、側頭筋をあまりに広範囲に切開し過ぎたという結論に達した。その数年前から、私は意識して切開する範囲を狭め、側頭筋をあまり切らないようにしてきた。それはとある患者から咀嚼困難の訴えがあったからである。オペラ歌手を目指していたある若い教師は、側頭筋の瘢痕が引っ張られて歌えなくなり、夢をあきらめざるを得なかった。私は、大きく切開する必要がないことにも気づいていたので、数回の手術を経て、後に私の代名詞になったLSOアプローチ（外側眼窩上アプローチ）を導入していくことになる。このアプローチを発表したのは、何千件もの手術の後、2005年になってからである。少なくとも、私たちが急いで発表したとは誰も言えないだろう。

このLSOアプローチは驚くほど速く、10分以内に開頭し硬膜を開けることができる。この方法では、前額部の顔面神経麻痺や、ジャッタのときのように側頭筋が萎縮することはない。

1984年　木こり

1984年、フィンランド東部国境のある街に住む30歳の木こりが、突然頭の中で「ブーン」という音がして、雪の上に倒れた。近くにいた同僚がその様子を見て、急いで駆けつけてくれ一緒に帰宅し、車で保健所に運ばれた。そこでくも膜下出血の疑いがあると判断され、私たちのもとに搬送されてきた。

彼は意識はしっかりしており、首がこわばっていた。ときおり、視界が二重になることもあった。CTスキャンを撮ると、脳底動脈の先端近くで血液が最も厚くなっており、くも膜下出血だと判断された。

翌日撮影された血管造影では、2つの動脈瘤が発見された。1つは脳底動脈先端部で不規則な形をしており、こちらが破裂した可能性が高かった。もう1つは、すぐ近くで脳底動脈と左上小脳動脈の分岐部にあった。私はこのような脳底動脈瘤を数例しか手術したことがない。フィンランド全土でさえおそらく治療した例はあまりなかったように思う。

私は患者と一緒に状況を確認した。手術は決して簡単なものではないが、この動脈瘤は命に関わる可能性があるので、手術をする価値があると説明した。この領域の動脈瘤の手術法については、ほとんど論文はなかった。しかしヤサーギル教授や日本の有名な脳神経外科医の杉田の論文があったので、それらを読んだ。私はなかなか眠れずに、頭の中で手術の様子をイメージしていた。私の師であるヤサーギル教授の論文に従い、脳の右側から彼の開発した蝶形骨縁到達法を行うことにした。

私は頭皮と側頭筋を骨まで切開し、輪ゴムに取り付けたフックで引っ張り、頭蓋底までアプローチできるようにし、この方法で動脈瘤にたどり着こうとした。骨片を外した後、小型のドリルで蝶形骨翼を切除した。

麻酔とマンニトールのおかげで硬膜は柔らかく感

じられた。マンニトールは強制排尿を引き起こして脳のむくみを減らす作用がある。硬膜を切開したところ、脳のむくみは強くなかった。私は安堵のため息をついた。十分な手術する空間があったからだ。

顕微鏡を使いながら、髄液を排出させた後、右視神経と内頚動脈を露出させた。手術は、解剖学的に複雑なため、ゆっくり進まざるを得なかった。やがて動眼神経が見えてきた。この神経をたどれば脳底動脈の先端に到達する。

私はそれをたどって、慎重に剥離を進めていった。永遠に続くかのような非常に慎重な作業の後、やっと動脈瘤が見えてきた。

私は動脈瘤が破裂するのではないかと、とてつもなく恐れていた。これだけ深い場所では、出血すればコントロールできず、死亡するか重い障害が残る可能性があった。私はクリップを挿入する状況を考えた。先に脳底動脈先端の破裂動脈瘤をクリップすると、左の未破裂動脈瘤のクリップの際に、このクリップが邪魔になると思われた。そのため、先に未破裂脳動脈瘤をクリップして潰すことにした。この動脈瘤の頚部を慎重に露出させると、ここにクリップをうまく挿入することができた。

次に破裂して血にまみれた動脈瘤の頚部を注意深く露出させると、クリップがはめやすいように頚部が上向きになっていた。クリップは思い描いた位置にきちんと収まり、ゆっくりと締め付けた。動脈瘤から血がにじみ、潰れていった。私は安堵のため息をついた。

私は満足し、慎重に層ごとに縫合して切開部を閉じていった。技術的に言えば、手術はうまくいっていた。しかし、閉創後、手術用ドレープを外すと、両方の瞳孔が開いていることに気づいた。私の喜びはすぐに深い懸念へと変わった。脳幹につながる穿通枝という小さな動脈血管が損傷していたのだろうか？　もしそうなら、この患者には深刻な障害が残ることになる。

私は術後に頻繁にＩＣＵを訪れた。やがて患者は目を覚まし始め、最初は自発的に手足を動かしていたが、やがて指示を与えたところ、落ち着きがなくなり、暴れ回るようになった。翌日、患者はＣＴスキャンを受けたが、出血も梗塞もなく、問題は見られなかった。しかし、瞳孔は拡大したままだった。動眼神経の両側麻痺が原因だったのだ。動眼神経麻痺はまぶたを下垂（眼瞼下垂）させるために目を開けることができなかった。神経は損傷していないので、一時的なものだと思った。しかし、ＩＣＵの医師たちは、そんな私の言葉に納得してくれなかった。

その後、数日間、患者の状態は安定していた。ところが、入院病棟に移った後、患者はさらに混乱していった。目を開けることができないため、指でまぶたを持ち上げ、目は見えるがはっきりしない状態だった。両目は明らかに外側を向いており、瞳孔は拡大していた。

運動療法が開始されたが、眼瞼下垂のため当然ながら困難だった。彼は、少しずつだったがトイレも歩行器や誰かの助けを借りて行けるようになった。２週間後、彼はリハビリのために中央病院に戻された。

２ヵ月後に彼は、経過観察のために来院した。この木こりの患者は少しやつれていたが、動眼神経麻痺は順調に回復していた。とはいえまだ、体力のいる林業に復帰する気力がないのは当然だった。私は、年末までの長い期間、病気療養するように言った。その後、目の症状は回復したのだが、疲労感はずっと続いていたようだった。

数年後、「ヘルシンキン・サノマット」に大きな見出しが躍った。「スキーで70キロ滑って２匹のオオカミを殺した！」と、両手に大きなオオカミを誇らしげにぶら下げた男のハンサムな写真付きで掲載されていた。それは、私が手術して、障害者年金をもらっていたあの木こりだった。

新しい病院

大学病院の需要に応えるために、旧クオピオ病院の周囲に大きな建物が建てられた。私は、新棟の５

階に移って勤務を始めた。

ヴァパラハティは、粘り強く脳神経外科の拡大を主張していた。手術件数は毎年100人ほど増え、最終的には年間1000件を突破した。私がヘルシンキ大学トーロ病院に赴任する頃には、クオピオの年間手術件数はヘルシンキ大学トーロ病院と同じ年間1700件になっていた。この驚異的な成長ぶりは、関係者の多くの献身のもとに成り立っていた。

1990年にMRIが導入されると、手術件数は爆発的に増加した。私はクオピオで何百件もの頚椎の手術を行い、合計で1000件近くになった。

私は1984年に頚椎損傷の手術を始めた。私の手術が新しかったのは、前方からのアプローチによるキャスパープレートでの骨の固定であった。私の最初の手術は成功した。患者は、ある農家の人だった。その人が事故を起こし、トラクターを転倒させてしまい、頚椎を部分的に脱臼させてしまったのだ。完全に四肢麻痺というわけではなかった。私は彼を手術し、同時に脊髄を圧迫していた大きな椎間板ヘルニアを除去して、プレートとスクリューを挿入した。患者は麻痺からすぐに回復し、数ヵ月で仕事に復帰することができた。

キャスパーは数年後にタンペレを訪れて講義をした。私はすでにかなりの経験を積んでいたので、この脳神経外科のパイオニアに会うのは嬉しいことであった。

その後、私は多くの頚椎損傷を手術した。その多くは、夏の初めにダイビング事故を起こした若者たちだった。

クオピオ病院の新棟は、当時の私たちのニーズを満たすのに十分な大きさだった。2階の外科病棟の向かいには、大きな共有のICUがあった。ICUの責任者は、優秀で厳格な臨床医のアールノ・カリであった。その厳しさは、ユッカ・タカラがチームに加わってから、さらに際立ったものになった。彼は、効率的な研究を行い、数多くの論文を発表した。また、ユッカ・タカラは、論文を書いている人たちに夜中まで指導をしたほど、熱血な人だった。

1997年には、彼はベルン大学病院のICUの教授兼部長に任命された。

アールノ・カリの指導のもと、集中治療と麻酔科の品質基準が開発され、最終的にはフィンランドのすべてのICUで採用された。このICUはコンピュータ化が進んでおり、動脈瘤のデータベースを作成する際に指導や支援を受けた場所でもある。

クオピオでは、スタッフは活発で、設備や人材の面でも他より優れており、同じ建物内に他分野の専門医がいた。

血管内手術をする科も同じ建物内にあり、すぐに呼び出すことができた。気管切開による動静脈の損傷を修復して、患者さんを救えた例もある。

脳神経外科には2つの手術室があった。どちらの手術室も設備が整っており、何よりスタッフが充実していた。多くの熟練した看護師と一緒に仕事をすることができた。

私は、頭蓋骨と脊柱管の内側すべてを手術するように心掛けた。最初はあまり経験がなく、解剖学や手術のテクニックを勉強し続け、手術に備えなければいけなかった。常に向上心を持ち続けていたのだが、手術の量が多くて体力が消耗していった。応急処置、画像診断、患者の移動など、最初からすべてに携わらなければならなかった。手術は最初から最後まで自分で行い、患者がICUに移されるときにも立ち会った。疲れ果てて帰宅し、1、2時間寝て、また夕方から病院へ。仕事と並行して論文を書くことは不可能に思えたが、無理やりパソコンに向かえば、徐々に書けるようになっていった。しかし、家族とともに過ごす時間や自分の自由な時間など、多くの時間を犠牲にしなければならなかった。

私は、手術で多くの素晴らしい成果を手に入れた。クオピオに来たのは、そのためだったのである。あるときは、2センチほどもある脳底動脈瘤をクリップして治療した。患者は快方に向かった。私は、この手術はそれほど難しいことではない、と思った。ドレイクとピアレスの手術書を読んだことがあったが、これは1985年のことだったと思う。私は多くの脳動静脈奇形を手術した。片手が不自由な男性の右側頭葉にできた巨大な脳動静脈奇形の手術は、とても大胆な手術であり、その手術の後からは、私は何でもできるような気持ちになっていった。これらの手術は膨大な数ではなかったが、非常にチャレンジする価値のあるものであった。私も最終的には、教授になることを目指して論文を書いていた。

特に印象に残っているのは、頭頂部の脳動静脈奇形が出血し、脳内に大きな血腫を伴った50歳くらいの女性だった。オンコール当番の時間帯に、いつものように1人で手術した。大きな骨弁を作り、頭蓋骨を持ち上げると、指の太さほどの動脈から血が天井に向かって噴き出したのだ。血液を運ぶ太い動脈が、部分的に骨の中を走っていて、骨片を剥がすときに傷つけてしまったのである。そこで、私は助手を手術室に呼んだ。しかし、普段は私1人で手術をしていて切開部の縫合も1人で行っていたので、誰も来なかった。手術用綿片（止血や脳を保護するための小片）を破裂した動脈に押し当てて出血をコントロールし、それから動脈の穴にパッチを縫い付けた。出血は止まり、穴をふさがれた動脈は機能し、その後、脳動静脈奇形と血腫を除去することができた。その患者は回復し、数年後にヘルシンキ大学トーロ病院に訪れてくれた。

この患者の手術の後、私は改めて自分の人生の幸せな瞬間について考えてみた。脳神経外科では、幸せの瞬間はしばしば短く、合併症によって突然、あっという間に潰されてしまうことがある。

1985年　市議会議員

大きな農場を持つある女性は、現役の政治家であり、市議会議員だった。次の選挙に出れば、議長になれるかもしれない、と家族は彼女の政治活動を応援していた

この市議会議員の女性は料理も上手で、毎日娘たちに台所でレシピを教えていた

しかし、徐々にこの女性に異変が起きていた。娘

たちはときどき、母の味覚がおかしいと感じることがあった。淹れたてのコーヒーの香りが家中に漂っていても、この女性にはそれがわからなくなっていたのだ。昼寝もするようになった。しかし、教会や市議会には、自分で運転して行っていた。

翌年の冬になると、彼女はさらに悪化していった。彼女は、市議会に出席する気力もなくなり、まるで政治に興味がなくなったかのようになったのである。彼女の支援者や党員たちは心配した。議会では、以前より静かになり、発言する回数も減った。また、車で帰宅する際、浅い溝にはまってしまい、通りかかったトラクターに助けられたこともあったそうだ。やがて議会を欠席することがどんどん増えていった。彼女は、ときどき頭痛を感じていたが、寝れば治った。

それから1年が経ち、病状はますます悪化した。動物の世話もしなくなり、料理も娘たちに任せきりで、娘たちは母が料理をしなくなったと心配していた。昼寝は何時間も続くようになり、疲労感を常に感じるようになり、頭痛も頻繁に起こるようになった。彼女は家の奥にある自分の寝室に引きこもりがちになった。そして次第に家から出なくなった。この女性は、以前は活動的だったにもかかわらず、どんどん症状は悪化していったのである。しかしあまりにゆっくりだったので、誰もが彼女の回復を待っていた。ご主人は「最近はそういう感じなんだよ」と近所の人に言っていた。彼女は週に一度のサウナには入っていたが、毎日の身だしなみもままならなくなり、ついに1日中ベッドで過ごすようになった。ベッドでトイレを済ませてしまうこともあり、娘たちも夫も参っていた。

彼女は保健所を受診した。ＣＴの画像は高画質ではっきりとわかった。前頭葉の底部に患者の拳より大きな腫瘍があり、造影剤ではっきりと造影されていた。まるで大きなカブが頭蓋骨の中に入ってしまったかのような状態であった。いわゆる嗅覚路の髄膜腫と思われるものが発見された。この腫瘍は非常にゆっくり成長するため、精神状態が悪化し、嗅覚の低下や乳頭浮腫（頭蓋内圧亢進を示唆させる眼底検査の所見）で診断されることが多かった。

私たちはすぐに患者を脳神経外科に移してもらうことにし、準備を開始した。大きな腫瘍の周囲の腫れを抑えるためにコルチコイドの投与を始め、血液検査や肺のX線検査などに取りかかった。私は救急外来で家族と話し、状況を説明し、手術の必要性を訴えた。手術は2日後の午前中に予定した。私は「手術は私が行います」と力強く言い、同じような患者を何人も診てきたことを付け加えた。家族が患者の手術への付き添いに来ることなどについて話し合った後、家族は帰宅した。神経放射線科医のマッティ・プラネンと私は、もう一度画像を見てみた。彼は、CTスキャンに関する論文を書いていて、このテーマについてよく知っていた。腫瘍に栄養を供給していた動脈は、明らかに頭蓋底の嗅覚路の領域から来ていた。マッティ・プラネンも私の考えに同意した。

2日後、手術の朝が来た。夏の日差しの中、通い慣れた道を自転車で走った。新棟の5階にある脳神経外科へ行くエレベーターに乗り、その奥にある私のオフィスへ向かう。着替えを済ませ、他の医師たちと言葉を交わし、「これから手術です。長丁場になります」と言った。ロッカールームで着替え、緑色の手術用スクラブを着て、手術室に入った。

患者は麻酔され、マンニトール（脳圧降下剤）の点滴は尿道カテーテルが挿入されるまで待たなければならなかった。経験豊富なスタッフがテキパキと仕事をこなしていく。やがて私は、患者の頭部を頭部固定フレームに固定した。右のこめかみを剃り、石鹸で髪を洗い、患者の頭をしっかり固定した。手術部位を消毒し、髪の生え際に切開の印をつけ、局所麻酔を注射し、手術用ドレープをかけた。そして使い慣れたシンクで手をゴシゴシと洗った。私は迷信深くて、いつも同じシンクで洗いたいのだ。すでに誰かがそこにいれば、私は待つことにしていた。

私は手で患者の頭に触れ、力強く揺らした。私は、頭部がしっかりと固定していることを確認した。印をつけた線に沿って長く頭皮を切開し、フックで頭皮が引き下げられ、眼窩の前部が見えてきた。

　骨片を取り出し、小さなドリルで頭蓋骨の底部が平らになるまで骨を削り、硬膜を開いた。大きな腫瘍によって頭蓋内圧が上昇していたため、右前頭葉は少し張り出してきていた。顕微鏡を使い、前頭葉の底面を探るとすぐに赤茶色の腫瘍を見つけることができた。腫瘍の側面に穴を開け、吸引や焼灼しながら、前頭葉の底部まで一気に進んでいった。柔らかい腫瘍を吸引し、腫瘍に栄養を与えている無数の小さな動脈を焼灼した。序盤にこのようにすることによって腫瘍からの出血をコントロールしやすくなるのだ。

　頭蓋底からの動脈を完全に処理すると、腫瘍からの出血が止まり、腫瘍を楽にくり抜くことができるようになった。前頭葉と腫瘍の間に生理食塩水を注入して腫瘍を分離し、さらに摘出しやすくした。数時間後、最後の大きな腫瘍片を取り出した。頭蓋骨の中は、ネズミが巣を作れるくらいの空間が広がっていて、私は嬉しくなった。空洞の中は生理食塩水で満たしたが、出血はなく透明だった。

　患者はICUですぐに意識を取り戻し、翌日にはCTスキャンを撮り、病棟に移された。腫瘍は完全に消失していた。

　手術前後のCT画像を見せると、素人目にもわかりやすいのだ。

　1週間ほどで、切開した部分はきれいに治り、抜糸をした。家族と一緒に帰れるときが来たのである。

　2ヵ月後の外来では、患者は問題なく回復しており、きちんとした身なりで家事について話してくれた。

　そして、多くのことが放置されてしまっていたことを嘆いていた。神経心理学的検査が行われ、正常な所見が示された。嗅覚は永久に失われたものの、彼女はやがて市議会にも復帰することができた。次の選挙で議席を確保できたかどうかはわからない。しかし、彼女は、もう昔の自分を取り戻し元気になり、家族を立派に守っていった。

※左記の未収録原稿はWEBサイトでご覧いただけます（13ページ参照）
「1985年　徴兵」

1986年　方言

美しい夏の日に自転車で帰宅し、家族と食事をしていたときのことである。子供たちのいたずらに付き合っていると、ポケットベルが鳴った。

電話をして確認すると、近くの町で大きな農場を経営していた50歳くらいの男性が救急車でERに運ばれてきたとのことだった。意識はなく、右手足だけしか動かなかった。私は、「CTスキャンをするので、放射線の準備をしてください、すぐ行きます」と言った。私は、せっかくの休息が台無しになるのが悔しかったが、自転車で病院へ戻った。2階のCT室まで行き、そこでCTスキャンを行った。

左側の側脳室（大脳半球の内部にある空間で髄液が貯留されている）の中に、こぶし大の巨大な腫瘍があることがわかった。腫瘍は造影剤で強く造影されており、周囲の脳組織に対してはっきりと浮き出ていた。私はこの腫瘍を、脳室の脈絡叢から発生した三角部髄膜腫と診断した。手術はしたことがなかったが、やり方はわかっていた。ウプサラでの空き時間にオリベクローナの「神経外科ハンドブック」を読んで、解剖と手術方法をはっきり覚えていたからだ。いずれにせよ、オンコール当番で患者さんを治療できることは嬉しかった。結局、病院から帰宅後、すぐに病院に呼び戻されても、それほど嫌ではなかった。瞳孔が光によく反応するにもかかわらず、患者の意識がないため、緊急手術を行うことを外科のスタッフに伝えた。患者の家族にも、できるだけ自信のある声で「私が手術をします」と伝えた。

手術がうまくいくことを一瞬たりとも疑わなかった。滅菌されたスクラブを着て、手術室に入った。患者の頭蓋内圧が非常に高いために、マンニトールがすでに1本すべて投与されていることを確認した。そして、手術が始まった。頭蓋骨を開け、硬膜を切開すると側頭葉が張り出してきた。顕微鏡を見ながら、側頭葉を少しだけ切開し、対象の腫瘍に向かっていった。すぐに赤褐色の不規則な腫瘍の表面に突き当たった。

腫瘍の表面を焼灼してここに穴を開け、非常に硬い腫瘍をくり抜いた。しばらくすると、腫瘍の前方からせき止められていた大量の髄液が流れ出し、張り出していた脳の表面は明らかに下がってきた。これに合わせて体勢を変え顕微鏡の位置を合わせなくてはならなくなった。私は常に立って手術をしていたため、自分の体勢を変えるのも早かったのである。

焼灼後、ひとかけらずつ腫瘍をマイクロハサミで切断していった。腫瘍の前面は脈絡叢に付着しており、そこから腫瘍に栄養を供給する最大の血管がつながっていた。その血管を焼灼して切断した。腫瘍の中の血流がなくなったと判断し、この後はかなり大きく切っていった。そのとき突然、腫瘍の下から濃い血が噴き出し始めた。急いでその部分の腫瘍を取り除いて確認すると、腫瘍とつながっていた太い血管が、私の操作で裂けていたことがわかった。私は、まず血管に止血剤を押し当てて出血を止めた。そして、残った腫瘍を摘出し、血管を焼灼した。出血は脳室内にあふれていたので、慎重に吸引した。そして完全に止血していることを確認した。腫瘍を取り終えた脳の表面は頭蓋骨より明らかに下に沈み込んだため、この広がった空洞に生理食塩水を注入した。その後、閉創をした。

私の頭の中では、巨大な腫瘍を見事に取り除いたということになっていた。手術の準備から手術、ICUへ患者を戻すまで、非常に時間がかかった。そのとき、すでに深夜の12時を回っていた。

私は、この夏の夜の手術に満足して幸せな気分になり、ゆっくりと家路についた。バードチェリーが咲き乱れ、強い香りを放っていた。こんな幸せがあるのかと、私は感慨にふけった。何か大きなことをやり遂げた、成功した。帰宅後、私はキッチンで静かに座っていた。家族は皆寝ていた。私は少し興奮しており、落ち着いてからベッドに入った。しばらくすると眠くなった。

朝6時頃、ポケットベルが鳴り、すぐに病院に電話した。先ほど手術した患者の右の瞳孔が拡張しているとのことだった。私は苛立ちながら、「私のせいではない」と怒ってしまった。私は急いでCTスキャンをするように言った。幸せな瞬間が一瞬にして不安に変わった。

CTでは右側、つまり私が手術した側とは反対側に、大きくて厚い、硬膜下血腫が写っていた。どうやら頭蓋骨に余裕ができたため、右側の架橋静脈（脳の表面にある静脈で、脳と硬膜の間を橋渡ししているような構造をしている）が途中で切れて、この出血を引き起こしたようであった。

患者は手術室に運ばれ、今度は右側を上にして、私は脳の表面にある大きな血腫を取り除いた。出血の原因は見つからず、どうやらすでに凝固してしまったようだった。脳の表面はきれいで、また十分なスペースがあった。

朝8時、いつもと変わらない1日が始まった。新しい患者を手術しながら、昨夜の手術のことが頭の中をグルグルと回っていた。

術後検査の結果、左の腫瘍も右の硬膜下血腫も消えていることが確認された。患者はICUに移され、人工呼吸器のチューブが抜かれた。数日後、入院病棟に移った。1週間後には驚くほど回復して、愛する家族のもとに帰っていった。

2ヵ月後の検診では、患者はスーツにネクタイ姿で、家族も一緒だった。手術中、私が側頭葉の言語野付近の手術をしたにもかかわらず、彼は見事に回復し、フィンランド語も上手に話せるようになったと感じていた。しかし、家族は困った顔をしていた。家族は、「彼はもうサヴォニア語をしゃべれないじゃないか」と、患者が変わってしまったことを訴えていた。方言がしゃべれなくなったこと以外、記憶や行動に異常はなかった。しかし、患者はこの家族にとってもはやまるで別人、赤の他人のようになってしまったのである。

私は、少なくとも、サヴォニア語の領域が、側頭葉の言語野のどこにあるかはわかった。側頭葉のフィンランド語領域の少し後ろあたりにあるのだ。

その患者とは二度と話をすることはなかったが、1年後、彼が職場に復帰したときに見かけた。サヴォニア語の方言は少ししゃべれるようだったが、家族が満足するようなものとは言えないだろうと思われた。

1986年　バレエダンサー

ヘナは23歳の女性でバレエダンサーだった。彼女はすべてをバレエに捧げ、バレエで生きていこうとしていた。ある日、激しい練習の後、ヘナはてんかんの発作を起こし、口から泡を吹いた。リハーサル室にいた全員が驚き、演出家が救急車を呼んだ。救急隊員はヘナを中央病院の救急外来に運び、神経科に運ばれて検査が行われた。

ヘナはCTスキャンをされた。CTの結果、頭頂葉の後部に直径6~7センチの非常に大きな陰影があり、脳動静脈奇形と思われた。中央病院では血管造影を行い、その画像は紹介状と一緒に我々のところに送られてきた。この健康だった若い女性はこの病院に運ばれたときにはもう症状はなくなっていた。

私たちは一緒に画像を見て、可能性のある治療法、手術について話した。脳動静脈奇形は大きく，とても拡張した血管が何本も流入しており、かなり危険なものであった。しかし私はすでに大きなものも含めて何十例もの脳動静脈奇形を手術してきたので、この若い患者にはリスクと目的を説明して手術を勧めた。

ヘナは1ヵ月後に来院した。私は不安と緊張のため、手術を1週間先延ばしにした。夜、手術中に大出血をした夢を見て、目を覚ますと、もうすでに手術は終わっているのかと思った。私は、水曜日に行われる予定の大手術の準備をした。

その日の朝早く、ヘナは手術室に運ばれた。麻酔医は経験豊かなラジパーで、患者をしっかり管理してくれた。この手術では、出血を抑えるために頭をかなり高く固定した。収縮期血圧は、手術の間、約100に調整した。私は手を洗いながら、再び不安に襲われた。集中力を乱して気が散ってしまうと、止血が困難な出血につながってしまうことがある。昔の脳神経外科の本には、脳動静脈奇形の手術は虎を狩るようなものだと書いてあった。わずかなミスや集中力の欠如が、致命的な出血につながるのである。ガウンと手袋を装着し、最後に麻酔担当の看護師に血圧の状態を確認した。

メスで頭皮を大きく切開し、骨片を取り出した。脈打つ大きな赤い静脈に触れないように細心の注意を払いながら、慎重に硬膜を開いていった。

顕微鏡下で、大きな脳動静脈奇形の剥離を開始した。最初は脳動静脈奇形の縁をたどり、脳動静脈奇形へ入ってくる血管を1本ずつ焼灼して切断していった。血管を焼灼して切断し、また焼灼していく、という作業を繰り返すうちに、だんだん慣れてきた。

必然的にゆっくりした作業になった。急げば精度が落ちるし、このような大きな脳動静脈奇形は血流が激しいので、突然の破裂を食い止めるのは非常に難しいのである。1日がかりの作業で、脳動静脈奇形は一部を除いてほぼ完全に分離することができた。

大きな脳動静脈奇形を摘出し、サイズを測るためにメジャーを脇に置いて写真を撮り、カップの中に納めた。摘出後の大きな空洞を注意深く観察し、わずかな出血も徹底的に焼灼し、出血がないことを確認した。手術が終わり、挿管したまま患者をICUに移した。術後出血を防ぐ目的で、患者の血圧は数日間低く保つことにした。

翌日の午前中、私は慣れた道を歩いて出勤した。まずICUに行くと、ヘナはまだ眠っていた。CTはきれいで特に問題はなく、手術部位に出血はなかった。血管造影の結果、脳動静脈奇形は完全に消失していた。ヘナは1日かけて徐々に麻酔が解け、疲れてはいたが意識はあり、手足もよく動いた。

土曜日、私はオンコール当番で待機していた間に

ＩＣＵに行き、ヘナの様子を確認した。彼女はとても元気そうにしており、手足を満足そうに動かしていた。血圧は低く保たれていた。しばらく話をした後、私は、「もうこの点滴を外しても大丈夫そうだね。何もかもうまくいってるようだ」と言った。しかし点滴を止めると、ヘナは頭痛を訴え、すぐに意識を失ってしまった。最初は左の瞳孔が開き、次に右の瞳孔が開いた。手術部位で細い血管が破裂して出血していたことは明らかだった。私は彼女を急いでＣＴスキャンに入れようとしたが、すでに使用中で待たなくてはならなかった。私はそのＣＴスキャンを使用している患者を機械から出すように命じた。ヘナはすでに挿管されたまま、ＣＴスキャンに入れられた。画像を確認してみると、手術部位に大量の出血があることがわかった。

そのまま手術室に入り、手早く切開部位を開き、骨を取り除いた。硬膜は青く硬く、開いたとたんに黒と赤の血液が噴き出した。顕微鏡を使い、腔内全体の血液を吸引し、焼灼して出血を止めた。長い時間をかけて、腫れ上がった悲しい姿になってしまった脳にあふれた血をなんとか止めた。いつものように切開部を縫合した。悲しみと心配で心が押し潰されそうな気持ちになった。手術直後は、ヘナの瞳孔は正常に戻った。

その後、ＩＣＵに移されたヘナは、１週間以上、人工呼吸器につながれたまま意識を失っていた。右手足も動かなくなった。回復が遅いのを見るのはいつでもつらいものだ。私は他の手術で常に忙しかったのが救いとなっていた。少なくとも時間は過ぎていき、一時的に気を紛らわせることができた。やがてヘナは気管切開が行われ、２週間目には目を開けるようになった。人工呼吸器を外し、一般病棟へ移った。

奇跡を期待するように毎日様子を見に行っていた。ヘナは徐々に座れるようになった。しかし、ヘナはなかなかしゃべることができず、間違った言葉が出たり、右手足が動かなかったりと、いろいろなことがなかなかうまくいかなかった。ヘナは大きな瞳で私を見つめ、涙を流していた。私はしばらく彼女の手を握った。私も泣き出しそうだったので、その場を離れた。

ヘナは別の病院へと転院した。その数週間後、ヘナはリハビリのために中央病院に転院していった。ヘナの外来での経過観察は、最初は2ヵ月後で、その後1年に1回、5年間行われた。ヘナは自立した生活を送れるようになったが、体の右側に重い障害が残ってしまった。歩けるようにはなったが、右手が完全に回復することはなかった。外来での診察では、決まって彼女が30分ほどおしゃべりをした後、泣き出した。彼女は涙が枯れるまで30分弱泣き続ける。私も泣かないようにするのが大変だった。私は、罪悪感にさいなまれながら、黙って彼女の手を握った。そして、1年後にまた経過観察の予約を取った。この予約は、私がマイアミへ留学するまで続いた。

※左記の未収録原稿はWEBサイトでご覧いただけます（13ページ参照）
「エイズの恐怖」

出版へのプレッシャー

1日で、7つの大手術を行ったことがある。これが自分の能力の限界だと思っている。しかし、その頃、このままではいけない、手術だけしていてはいけないということがだんだんわかってきた。私は徐々に論文の執筆を再開した。脳神経外科部長や教授になるためには、論文と手術の両方が必要だったのだ。ただ問題は、脳神経外科部長への道はマティ・ヴァパラハティに握られていて、いくら努力しても私1人の力ではどうにもならないことだった。また10年も経ってから、再び論文を書き始めるのは大変なことであった。私は脳神経外科について、勉強し直さなければならなかった。

ナナ

この時期私は、オンコール当番のシフトと手術ばかりしていた。不規則な生活が、私や家族を苦しめていた。病院と仕事しかなく、家での休息もままならず、常に気が散っていた。スイスで買ったボルボも売却し、3年間は車なしの生活を送った。

小さなサーブ96は、私たち家族に移動の自由をもたらしてくれた。これを運転して、コッコラやルオベシまで行けたし、店や街へも行けた。スウェーデンのコルモデンにも行った。子供たちはたいてい後部座席でキャンディの包み紙などに集中しており、美しい景色にはあまり興味がないようだった。

とある冬は繁華街に1、2回しか行かずじまいだった。それだけ病院、手術に心理的に縛られてしまっていたのだろう。1980年代後半、私は燃え尽き症候群に襲われ、仕事に行くのがつらくなってしまったのだ。

そのとき、犬を飼うことを思いついた。朝早くから病院の図書館に行き、犬の本を探した。そこで筋肉質でがっちりした体を持つ超大型犬のニューファンドランドを見た。その犬を見ているうちに、なんとか1日を生き抜こうという気力が湧いてきたのである。

犬を飼うことを現実的に検討し始めると、娘のアイダと家で犬の本を一緒に読んだ。そして、家族皆で話し合って、我が家で飼える大きさの犬にしようということになった。セントバーナードは馬くらいの大きさで、我が家では飼えない。子犬を見に行ったとき、ベルン・シェパードの雌犬が次女のヘタに噛みついたので、この犬種はやめることにした。ハンガリーの大型シェパード、コモンドールは、私のような感情を爆発させてしまう性格の持ち主だったのでやめた。結局、気立てがよく、子供にも優しい犬種のニューファンドランドにしようということになった。

1988年11月末、ものすごい吹雪の中、我が家にニューファンドランド犬のナナを迎え入れた。その日から、私たちは犬との暮らし方を少しずつ学んでいった。台所にナナのためのスペースを作ったが、ナナはそこから離れてしまうので、すぐに無駄だと気づいた。トイレのしつけには時間がかかったものだ。庭ではなくバルコニーだったためである。ナナの犬用シリアルを入れる大きな鍋を買った。また、ナナが乗れるように大きな車に買い替えた。サーブ900のハッチバック。しばらくして、ナナが走り回ったり泳いだりできるように、別荘も必要だと思うようになった。ドッグトレーニングスクールでナナにしつけをするのは大変であった。しかしそれ以来、ナナはきちんと私たちの指示に従ってくれるようになった。

フィリンキの別荘

リールと私はクオピオの近くで別荘を探した。まだ氷があった2月に行ったカランシラット橋の近くにウオティライネン島を見つけた。そこでいい別荘を発見した。その別荘の持ち主は年老いた家政婦の3人組だった。妻のリールの結婚指輪を担保に、ローンを組んで別荘と車を購入した。その頃は、クオピオに引っ越してきた頃とは時代が違って、よい時代になっていた。1981年頃は大変だった。その当時は脳神経外科医がローンを組めるわけもなく、金利は15%前後と高く、血の気が引くような思いをしていた。しかし結局、学生ローンも住宅ローンもなんとか完済した。

フィリンキの別荘に滞在中に晴れた日には、私は1日に2、3回泳ぎに行ったものだ。子供たちは成長するにつれ、私に付き合ってくれなくなったが、ナナはいつも私に付き合ってくれた。私は、ナナと別荘を手に入れたことで、燃え尽き症候群の最悪な状態からなんとか抜け出すことができた。フィリンキの別荘は、私を仕事と生活の疲れから解放してくれたのである。

自立の必要性

私が気難しい部下であったことは間違いない。あるとき、ミーティング中にマティ・ヴァパラハティは冷静さを失い、テーブルに拳を叩きつけた。いつもは冷静に、私の提案をあの手この手で論理的に否定していた彼だったが、そのときはもはや完全に落ち着きをなくしていた。マティ・ヴァパラハティは1人で何でもやってしまうし、仕事の任せ方も知らない。私は私で自分の意見を押し通そうとする。お互いにどう話をしたらいいのかわからなかったのだ。

私は手術しているときが、唯一自由に遠慮なく楽しめた。よいチームと一緒だったので、のびのびと仕事に打ち込むことができたのだ。私はとても手術のスピードが速いので、マティ・ヴァパラハティの2倍の手術を行うことができたし、スタッフたちからも支持を得られた。脳神経外科には、若くて行動が素早い、仕事熱心な素晴らしい看護師が何人もいた。彼らと一緒に働くと、大変な手術もいくぶん楽に感じられたものである。

私たちのチームは手術のリズムとスムーズな進め方を学んでいった。私が特に話すまでもなく、私も気づかないうちに私の必要な器具を彼らは用意してくれた。「この手術をやり終えたら、みんなで帰ろう」という姿勢で皆一丸となって手術に取り組み、それは我々のチーム能力の高さを示していたと感じていた。

回診や病棟のミーティングは、すべてマティ・ヴァパラハティの厳しい管理下にあった。彼が患者を回診するとき、私たちはまるで小さな子供か初々しい研修生のようだった。彼は我々にとってよかれと思ってやっていたのだろうが、私たちの焦りは大きかった。それでも、マティ・ヴァパラハティは患者にとっては、とてもよい医者であったのは間違いない。彼は患者のためにできることは熱心に何でもしていたように思う。

※左記の未収録原稿はWEBサイトでご覧いただけます（13ページ参照）
「1987年　ロンドン、クイーンスクエア」

1980年代の終わり頃、私はヴァパラハティのもとで働くことに、息苦しさを感じるようになってきた。病院のあらゆる決定権がヴァパラハティの手に委ねられていたためだった。彼とずっと働いているうちに、成功は彼の手柄、合併症は他人のせいという傾向があるような気がしてきたのである。私は、このままではいけないと思い、他の仕事を探そうと考えた。とはいえ、決して現実的な選択肢は多くはない。私は、研究や論文執筆とは無縁の人間であり、ただ手術をしていただけの外科医なのだ。履歴書には、手術の回数や手術の腕前など一行も書けない。

この狭いフィンランド国内ではチャンスも限られる。家族で海外に移住するのは、未知の世界への大きな挑戦であった。

オウルの脳神経外科部長だったスティグ・ニーストレムの引退で、そのポジションが空くことになり、私は応募の準備をしようとした。私は、トロップやマティ・ヴァパラハティの理解を得て、クオピオ大学でdocent（講師：フィンランドでは教授になるための必須条件）を取得するために努力してきた。しかし、その当時の私の論文の数と質では、docentの資格は得られないだろうと思ってもいた。そこで私はdocentの資格を得るために、脳動静脈奇形の外科的治療についてまとめていこうと考えたのである。

動脈瘤や脳動静脈奇形の外科的治療に加え、斜頚の論文も書くことにした。事務所にあるタイプライターをひたすら打って論文を書いた。病院が録音機能付きのタイプライターを調達して貸してくれたので、それを使って私独自の患者データベースを手早く作っていった。当時はコンピュータが普及し始めた頃で、私はすぐにその流れに乗ってコンピュータをマスターしていった。

コンピュータを使えば、膨大なデータベースを作成し、幅広い経験を発表することができると確信してからは、さらに効率的な使い方をしようと強い関心を持つようになったのだ。

脳神経外科部長への応募のために国際的な人脈を築く必要があると思ったが、フィンランドの片田舎とも言えるクオピオでは、これは本当に大変なことだった。私は、自分がいつの間にか主流から外れてしまっていたこと、世界の中心からフィンランドのサボニア地方に流れてきていることを実感した。

クオピオ動脈瘤データベース

動脈瘤を手術することとは、私の知る限り最高の仕事である。もちろん、すべての手術がそうだったが、動脈瘤は特にそうだったと言える。脳動静脈奇形が長時間かかる非常に難しい手術であるのに対し、動脈瘤は素早く、エレガントに治療することができる。手術になるとフロー状態に入り、ワクワクする。

動脈瘤は一般に脳神経外科医の腕の見せ所とされていた。トゥルクの脳神経外科部長だったタピオ・トルマは、何年も前から私と会うたびに同じことを聞いてきた。

「もう動脈瘤の手術はしたのか?」

私が「数百例」と答えられるようになってからは、彼はそれ以上何も言わなくなった。この手術はサスペンスであり、大きなプレッシャーがかかる。わずかなミスが後遺症、最悪の場合には死につながる可能性があるのだ。しかし、「爆弾」とも言える動脈瘤の処置が成功すれば、大きな安堵感と満足感が得られる。

クオピオでの動脈瘤手術の数は次第に増え、年間100例を超えるようになり、その半分は私によるものだった。

データベースの作成の重要性を感じていた私は、ICUの医師だったアールノ・カリの指導のもとデータベースの作成に取りかかることができた。

私は、セッポ・パカリネンから渡された変数のリストをもとに、200弱の変数を作成した。パカリネンは、ヘルシンキ大学トーロ病院の資料からパンチカードに残したデータを持っていた。パカリネンは、当時のコンピュータの専門家の力を借りて、データの解析もしていた。そしてその結果に興奮していた。驚いたのは、前交通動脈瘤の向きが手術成績に与える影響についてのデータだった。彼はそれを何度も何度も繰り返し話してくれて、私は熱心に耳を傾けた。コンピュータはすでに知っていた。前交通動脈瘤の向きが後方に向かっているものは予後が悪いという話は驚きであった。その理由は脳の底部にある視床下部に向かう小さな血管が、手術中に詰まってしまうからだ。

私はクオピオで新しいリストを作成し、手術記録から患者のデータを集め始めた。

私は1976年末から約1000人の動脈瘤の患者を手術してきた。そして、そのデータベース作りに約3年間、夜も週末も診療録や画像の確認に明け暮れた。当時はまだ、すべての病院から情報や画像を簡単に取り寄せることができたのだ。データベースができ上がると、SPSSという統計ソフトに変数が打ち込まれていった。

このようなデータベースを構築することは、私がこれまで行った中で最も困難なことの1つであった。その当時、このようなことをできる人は少なかっただろう。成し遂げるには他のすべてを犠牲にしてもいいという覚悟を持った専門医である必要があった。私には、その覚悟があった。朝から晩まで打ち込めば、多い日には5人分の病歴を保存できたが、2、3人分しか保存できない日もあった。合併症のある患者の分厚いカルテを見直すのには時間がかかり、1人の症例を打ち込むのに、1日がかりになることもあった。

とはいえ、すべての情報が記録されていたわけではない。私は、患者の家族の電話番号や住所を知るために探偵のような仕事もした。医師や患者、家族に膨大な数の手紙を書いた。当時はまだ、みんな喜んで返事をしてくれた。その後、たとえば家族の動脈瘤の病歴などについての追跡調査の手紙を送ると、次第に返事をもらうのが難しくなっていった。患者は基本的に熱心で、長い手紙で情報を共有してくれたので、私はそれに返信するようにした。失われた情報を一つひとつ獲得していくことは、大きな喜びでもあった。

私が学んだ全体的な教訓は、データベースを包括的に設計するのは簡単だが、それをやり遂げるのはまた別のことだ、ということである。クオピオの心臓血管外科医たちも自分たちでデータベースを作り始めたのだが、全員がコミットしていたわけではなく、情報が欠落していたり、巧妙な言い回しに置き換えられていたりで、プロジェクトは失敗に終わったようだ。

病院は全体的に非常に優れたデータベースを持っていたが、どうしても不正確なデータ、間違ったデータを含んでしまうことがある。それでは管理目的には使えるが、科学的な出版、論文には使えない。

信頼性の高い優れたデータベースは、膨大な量の献身的な長期作業の結果だった。森を切り開き、畑を耕し、穀物を蒔き、収穫し、脱穀し、製粉し、生地を作り、自分で作ったオーブンでパンを焼く。パンの香りが漂ってくると、森の動物たちがみんな食べたがるようになる。データベースも同じで、膨大な量の詳細な情報と、数え切れないほどの論文を得ることができる。論文を書くには、確かな専門的技術と能力が要求されるが、基礎データの収集と比べれば、労力的には二の次に過ぎない。

１９９０年代前半にようやく私自身のデータベースが完成したときには、専門的な知識を必要とする統計学だけでなく、あらゆる種類の分析ができるようになっていた。麻酔科医のミンナ・ニスカネンはその知識を持っており、私のよき理解者として相談しやすかった。動脈瘤のデータベースには、論文を何本も書くのに十分なデータがあった。ヴァパラハティと私はこのデータベースからさまざまな可能性を見つけ出した。

いずれにせよ、私の目標である、脳神経外科部長になって独立し、采配を振るうという夢を叶えるために、私の論文を雑誌に掲載しなければならなかった。それを実現するために努力もした。ヴァパラハティと私が、「出版」という熱い目標を共有していれば、もっとうまくいったのかもしれない。今にして思えば、その当時、ヴァパラハティのやることに私はよく我慢していたものだと思う。きっとより上を目指したいという思いが、私を突き動かしていたのだろうと思うのだ。私は、ずっと人知れず夢見ていた長期的な目標を実現させなければいけないと思っていた。

当初、論文は雑誌社からブーメランのように返ってきた（投稿してもすぐに不採択となった）が、やがて掲載されるようになり始めた。フィンランド東部の脳動静脈奇形のデータが「サージカルニューロロジー（Surgical Neurology）」誌に掲載されることになり、ピアレス教授から激励の手紙が届いた。そこで1989年秋、私はピアレスが働いているカナダのオンタリオ州ロンドンへ勉強しに行こうと計画を立てることにした。

また、教授になれるかどうかもわからなかったが、オウル大学にも応募した。やはりダメだった。

※左記の未収録原稿はWEBサイトでご覧いただけます（13ページ参照）
「1989年　助産婦」

7章 1989年 大西洋を越えて

学生時代から、カナダのオンタリオ州ロンドンの脳神経外科とそこで勤務している脳神経外科医のC・G・ドレイク教授のことは知っていた。ドレイク教授と会ったことがあるヤサーギル教授が、ドレイク教授の手術法についてよく教えてくれたのだ。

私はドレイクとピアレスの教科書の中の、後方循環の動脈瘤手術（椎骨動脈から脳底動脈、後大脳動脈とこれらから分岐する血管は、主に脳の深部を走行するため、この部分にできた動脈瘤の手術は難しいと言われている）の章を何度も読み、実際に脳底動脈先端部動脈瘤の手術の際には書いてある通りに実行していた。クオピオで最初に手術した脳底動脈先端動脈瘤は直径2〜3センチの大きなものだった。それをドレイクとピアレスが本で説明していた手術方法でうまく治療することができ、患者を助けることができた。私は、この手術自体はそれほど難しいことではないと思っていた。ところが、そうではないことがわかったのである。

数年前から、ドレイクが引退したという噂が私の耳に入っていた。私はピアレス教授に手紙を書き、私がオンタリオ州ロンドンに勉強に行ってもよいか尋ねた。

1ヵ月もしないうちにピアレスから返事が返ってきた。病院の隣にとある未亡人の部屋があるので、その方が部屋を貸してくれると言って、私を歓迎してくれた。

私は、大学に旅費の助成金を申請した。生まれて初めて大西洋を越えカナダに行くために、トロントまでの航空券を買った。クオピオ、ヘルシンキ、カナダのトロント、ロンドン（オンタリオ州）と飛行機を乗り継ぐことになる。目的地について調べると、オンタリオ州ロンドンは五大湖のほとりにあるクオピオほどの大きさの小さな町ということがわかった。

大きなカバンに荷物を詰め込み、トロント行きの飛行機に乗ったが、とてつもなく長く感じた。トロントからプロペラ機で目的地まで行き、タクシーで大学病院へ向かった。

まず、秘書のヘザー・カーターの部屋に案内された。驚いたことに、ドレイク教授は、まだこの病院で働いていたのだ。彼は外科病棟の責任者であり、ピアレスは脳神経外科の責任者だった。

カナダにいる1ヵ月の間、私は後方循環動脈瘤の手術は一度も見なかったが、挑戦的な前方循環動脈瘤の手術は数多く見学させてもらった。

ドレイク教授は、穏やかで、親しみやすく、カリスマ的なリーダーであった。彼にソフトな語り口で言われたことは、すぐに実行に移された。私にとって、彼はリーダーとしてふさわしいロールモデルであり、彼から多くのことを学んだ。

オンタリオに滞在した1ヵ月弱は、あっという間だった。帰りの出発の朝、私は病棟にお別れを伝えた。ピアレスは、聴神経の腫瘍の手術中で、時間がなく会えなかった。私は、この地での価値ある経験と人々と親交に満足し、帰国の途に就いた。帰りの飛行機は行きよりも早く感じた。朝早くヘルシンキに着き、空港で、ルオベシにいる父に電話をした。クオピオにも電話し、家族に帰国したことを告げた。

※左記の未収録原稿はWEBサイトでご覧いただけます（13ページ参照）
「1990年　泌尿器科医」

クオピオの脳神経外科部長としての1年

マティ・ヴァパラハティ医師がオウルに移ると、私は思いがけずクオピオで独立した管理職のポストに就くことになった。1年間という短い期間だったが、いろいろなことをするのに十分な長さだった。私たちは経蝶形骨洞手術、つまり鼻の穴から副腔鼻腔を通って下垂体に到達し、腫瘍を摘出する手術を導入した。耳鼻科医は猛烈に抵抗した。それは鼻を破壊する行為だと言った。彼らは、眉間の下にある副鼻腔の篩骨洞（しこつどう）からアプローチした。最初の手術は私とヤッコ・リンネが行ったが、簡単ではなかった。残念ながら、私自身はこの方法を学ぶことができなかった。

私は、チームに加わった脳神経外科のレジデント、ヤッコ・リンネとアンティ・ロンカイネンの学位論文を完成させた。私を信頼してくれたこの2人の部下がいなければ、私は目標を達成できなかっただろう。この間の2人の協力には、今でも感謝している。よりよい研究、よりよい文章を書くために、互いに切磋琢磨し合った。結果、よい雑誌に修正なしで受理されたこともあった。

クオピオの脳動脈瘤データベースの変数を作成する際に、1つ変数を追加した。「familial」つまり「家族の特徴がある」「遺伝的な」という変数である。この変数は、家族の間で発生した動脈瘤を指し、いとこは最も遠い親戚に含まれる。意外なことに、家族性のある症例がたくさん見つかった。合計、数百例あった。

これらの症例は、ロンカイネンの学位取得研究の基礎となっていく。この研究は、次第に国際的で複雑な遺伝的欠陥の探索へと発展していった。家族性の症例が慎重に調査されたとき、私たちは近親者のMRA検査のための研究費も取得できた。この研究の結果、撮影した患者の約10%に動脈瘤が見つかった。

動脈瘤のデータベースから多数の多発性動脈瘤患者が発見され、リンネがその患者について素晴らしい論文を書いた。彼の論文は、家族性動脈瘤に関するロンカイネンの研究とともに、最も引用される論文の1つであり続けている。

また、今でも引用されている頸椎手術に関するランダム化試験（研究対象を無作為に2群以上に分けて治療効果などを検証する試験）も行った。新しい専門医のサカリ・サボライネンがそれを主導した。私たちのチームには、2人の脳神経外科のレジデントが新たに加わった。シルパ・レイボとアヌ・オッリカイネンだ。2人とも女性であった。

脳神経外科手術に熱中していた頃、いかに少ない睡眠時間でやりくりしていたのか、今思うとよくそんなことができたのかと思う。私の子供たちは、パパは決して眠らないと考えていた。私が出勤するときには子供たちはまだベッドで寝ていて、私が帰宅する頃にはもう眠っていた。妻のリールは私の厳しい家庭の経営の計画に同意した。彼女は仕事に復帰し、ハルジュラ病院の老人病棟に就職した。結局、彼女はそこで定年まで勤めることになる。

私は、新たな部長のポストに就くために、国際的な経験を積まなければならないと思っていた。そんなとき、カナダのピアレスから私を勇気づける手紙が届いた。私はオンタリオ州ロンドンに戻って、今度は1年かそれ以上の期間、フェローシップを受けることにした。

1992年　マイアミ

ヘルシンキの脳神経外科部長という私の目標に足りないのは、国際経験だけだった。もちろん、他にも応募者はいた。しかし、私は、年齢もちょうどよかったし、私を採用するそれなりのメリットがあれば、選ばれるかもしれないと思っていたのである。以前、1989年にオンタリオ州ロンドンを訪れた際、私はそこをとても気に入った。家族5人なら、クオピオ程度の地方都市のカナダのロンドンでも十分やっていけると思い、今度は家族でまた行きたいと思ったのだ。私は、ピアレス教授とドレイク教授に手紙を書き、1年間のフェローシップに参加することを申し出た。私は、手術の手伝いや切開の処置をすることはできるが、基礎研究をすることはできないと書いた。私は、彼らが手術で世界的に高い評価を受けている後方循環の動脈瘤のデータベースを作ることができる、と伝えた。

その1ヵ月後、驚くべき答えが返ってきた。なんとドレイクが退職し、ピアレスがアメリカのフロリダ州マイアミのジャクソン記念病院に移ったというのだ。そして、ピアレスから、そこで私と一緒に働かないかと言ってきたのである。治安のいいカナダから、問題が多く発生すると思われるアメリカへ移るのは心配だった。しかし、難しいと思いつつも、これが唯一のチャンスだとも思った。私たちはマイアミへの引っ越しの準備を始めることにした。家族5人で1年間海外に行くのと、1人で出かけるのとでは、計画もやるべきことも違う。いろいろなことを考えなくてはならず、頭がパンクしそうだった。

マイアミの空港で、蒸し暑い空気が私たちを出迎えた。荷物をまとめて、バラコア通りにある借りた家に行った。正しい住所に着いたはずだが、そこには誰もいなかった。電話も通じない。

隣人が呼んでくれたタクシーで高級ホテルに行き、そこで一夜を明かすことにした。

翌日、ピアレスの秘書のヘザー・カーターが現れた。鍵を受け取って、部屋に入った。電気もなく、暑さに慣れていない私たちは、息が詰まった。

フィンランド・マルカの切り下げが発表され、突然、大きな衝撃を受けた。私たちは、生活を切り詰めなくてはならなかった。クオピオ大学からの私の給料は、月1200ドルの家賃をまかなうので精一杯だった。

私たちの家は、黒人一家がオーナーだった。その黒人は、カリブ海のドミニカ共和国の首都サントドミンゴに住み、そこでナイトクラブを経営して生計を立てているようだった。マイアミで医学を学んでいる娘が、月初めに家賃の集金にやってきた。自分の鍵で家に入ってくる。私たちは、この娘のあつかましい振る舞いに腹立たしさを覚えた。翌年の夏、私たちがこの家を退去するときも、敷金は戻ってこなかった。彼らは、私たちには見えない家の損傷があったとして、さらに補償を要求してきたのである。ドミニカ共和国にいた家族全員が毎日やってきて、私たちに圧力をかけてきた。結局、妻のリールと子供たちはクオピオに帰り、私はリールの遠い親戚のケトラ夫妻のところに住むことになった。ケトラ夫妻は、マイアミの北、フィンランド人が住んでいることで知られるランタナに住んでいた。私たちは経済的に余裕がなかったため、これ以外に選択肢はなかった。そして私たちはこの家を退去した。

私はアメリカで免税で車を購入するためにローンを組んでいた。フィンランドで買うよりはるかに安い値段で、中古の大きなボルボを買うことができた。そのおかげで移動は楽になったが、周りは私たちが結構お金を持っていると思ってしまう問題が出てきた。待てよ、お金がないのにこんな車に乗っていていいのか？　そこで私は安い自転車を買って、ジャクソン記念病院まで10数キロの通勤を始めてみた。自転車通勤は思っていたよりも大変だったので、この試みはすぐに終わった。次は、地下鉄の駅まで自転車で行き、そこから色とりどりの通勤客の群れに混じって病院まで行った。

ピアレスは、巨大なジャクソン記念病院に赴任して1年になっていた。病院は多くの患者を受け入れていた。

ピアレスは、タフで物言わぬ男として知られていた。オンタリオ州ロンドンでは、ドレイクに対しては、いつも意見の相違が起きないように留意していたが、ここでは事情が違っていた。ピアレスは老医師ロゾモフとその支持者たちと対峙していた。彼らにはピアレスを貶めるような考えを実行する時間があったようだ。

ロゾモフ医師は1950年代に動脈瘤の手術に低体温療法（体を冷やす）を初めて用いた1人だった。ピアレスは、マイアミの病院が教育病院としての権利を失わないために、採用されたということだった。

ピアレスは、好きな人にはとことんサポートをしてくれるが、嫌いな人には手紙のみで対応する。私は後日、ドレイクやピアレスから何枚もの応援の手紙や推薦状をいただいた。これは、ヘルシンキでのポストを得るために、論文や本と同じぐらい大きな役割を果たしたと思う。

この病院では私は研究員（research fellow）だったので、患者さんに触れることはできず、手術の見学のみだった。私は、客員教授に応募することもできたはずだった。45歳にして、3000人以上の患者を手術し、動脈瘤も何百例と手術してきた医師としては、かなり謙虚だったと思う。しかし、私は目標を達成するための最後のチャンスを得たという思いがあり、この状況に感謝していた。

私は脳底動脈や眼動脈などの動脈瘤の手術を数多く見学し、その手術はビデオにも録画されていた。ときどき、ピアレスとは解剖学についていろいろなことを気軽に議論した。彼は私の経験を評価してくれたが、それを参考にしてくれていたかどうかはわからない。ピアレスは、仕事中はいつもネクタイを締め、きれいな格好をしていた。私はといえば、日焼けしたジーンズに、洗濯で色あせたシャツを着ていた。

私は台湾製のノートパソコンを持っていた。そのパソコンで、動脈瘤の画像、患者や手術に関する情報、経過観察データなどのトラックシートを十分に整理してから、変数のリストを作成していた。クオピオほど多くはないが、患者数は数千人。とある日、数百人の患者の情報を保存した後、仕事中にパソコンが煙を出し、故障してしまった。そこで、レジデントのフレッド・ガットマンから、古いパソコンを譲り受けた。少し動作が遅かったが、コーヒーを入れるのにちょうどよかった。この古いコンピュータは信頼できるものだった。その後、このようなデータの消失で困ることがないように、6つのバックアップを作成し、毎日更新することにした。

ピアレスの秘書のヘザー・カーターが、オンタリオ州ロンドンから新しい患者データを取り寄せてくれたので、それをファイルに追加し、何度も確認しながら、最終的には1767人の患者のデータをデータベース化することができた。この数字は、ドレイクにとって納得のいくものであった。彼は、月に1

度フロリダ州西海岸のネイプルズからやってきて、私の仕事をチェックしてくれた。彼とは、1日中座って議論していた。

ピアレスは、私の仕事を細かくチェックすることはなかった。

ドレイクやピアレスと親交のあった杉田虔一郎教授がマイアミを訪れたことがあった。この杉田教授は、脳神経外科の顕微鏡手術の確立に中心的役割を果たし、動脈瘤の杉田クリップで世界的に有名な人だ。彼は、そのときすでに胃ガンに侵され、痩せていた。握手をしたが、私はあまり多くを語らなかった。杉田は1994年に62歳という若さで亡くなったが、日本の死亡記事には「脳神経外科のレオナルド・ダ・ヴィンチ」と書かれていた。彼の技術的な進歩や彼の描いた素晴らしい脳神経外科の手術書は、彼の死後にも生き続けて多くの人を救っている。

ドレイクは、患者のデータを使ってもよいように私に許可を出しているのだから、ウォッカを1本おごってくれと言った。私は喜んでおごった。ピアレスが言うには、ドレイクは「トム・ソーヤー」方式で、自分がやりたくないことは、ポリおばさんにやらせていたトムのように、他の人にやらせるのだそうだ。後日、私も脳神経外科部長を務めていたときに、このトム・ソーヤー方式を取り入れた。経営者はこれを委任と呼ぶのだろう。

動脈瘤の本を書き始めるにあたって、教科書に載っていた25ページの章がベースとなった。それ以外の300ページを超える文章はすべて自分で書いた。余計な言葉を1つも使わない、ドレイク流の文章を書くことも覚えた。私たちは一緒に読み直して、ドレイクの了解を得た。しかしいろいろ問題があったのか、結局ドレイクが書くことになり、その書き上げた文章に、私が加筆していった。

当初はドレイクとピアレスが著者だったが、私が頑張った結果、3人目の著者として名前を加えてもらうことができた。これは嬉しかったし、もっと頑張ろうという気になった。もちろん、このような本があれば、今後の私を待ち構えている試練で大きな武器になる。私は、患者のデータをほとんど暗記しており、ドレイクがそうであったように、患者を詳しく説明することができた。

さらにこの本に章を増やすことにした。フィンランド生まれの麻酔科医ピルヨ・マニネンとオンタリオ州ロンドンの神経外科医スティーブン・ロウニーから血管内治療（カテーテルを使って開頭せずに治療する）に関する文章を、ヤッコ・リンネから多発性動脈瘤に関する文章を追加してもらったのだ。マイアミで本を完成させることはできなかったが、ほぼ完成していた。私はクオピオに帰ってから、最終仕上げをした。

クオピオに戻ったとき、ドレイクからすべての写真が送られてきた。私はそれらの写真を掲載し、キャプションを書いた。彼とはファックスでやりとりした。彼にとってこの本は、彼のライフワークを凝縮された大切な本だったようだ。結局、本は完成したが、出版社がない。それも探さなければならなかった。クオピオで開催された国際学会で、シュプリンガー社の担当者に会い、このプロジェクトを引き受けてもらえないか説得し、この本は出版されることになったのである。

その頃、ちょうど電子メールが普及し始めた。クオピオとはあまり連絡を取っていなかったのだが、クオピオの病棟から届いたクリスマスカードは、とても嬉しかった。私は、帰国の日を待ち焦がれた。毎日、一生懸命働いて寝れば、クオピオに帰れる日が1日ずつ近づいてくる。ポインシアナの真っ赤な花が咲き、マンゴーが熟せば、私はあのクオピオの家に帰れるのだ。

リールと子供たちが私を残してクオピオに戻ると、私はマイアミの北のランタナに住んでいた。

毎日、ほとんど同じような生活だった。朝5時に走り、シャワーを浴び、朝食をとり、コンピュータに向かって仕事をし、正午頃に1時間ほど太陽の下で過ごし、またシャワーを浴びて、夕方までコンピュータに向かって仕事をし、夜に疲れて寝るというものだった。早朝のランニングではいつも、北極星を探しながら走っていた。

私はメイヨークリニックを訪れ、彼らの手術も学んだ。そこでつながったのが、クオピオで参加したISUIA（未破裂頭蓋内動脈瘤の国際共同研究）のコーディネーター、ジェーン・ピーコックだった。今後のフィンランドでの活躍には、この国際的な実績が必要だった。

そしてようやく待ちに待ったフィンランドへ帰国するときが来た。あと数日で帰る日が来る。ヘザーがパリ経由でヘルシンキまでの400ドルの格安航空券を買ってくれた。約1ヵ月後にフィンランドに到着する予定の車、つまり車は船で運ぶため、荷物を満載して港に運んで、コンテナに入れた。フィンランドに車を輸入するための書類も、ぎりぎりのところで揃えた。荷物はそんなにない。最後にもう一度、大西洋で泳いだり、ケトラ夫妻とささやかな歓送会をしたりした。

飛行機に乗り、フランスに着くとそこはマイアミとは違って安心できた。

フィンランドは、患者さんが亡くなるまで全病歴を追うことができる数少ない国の1つで、フィンランド国民全員の死因が死因データベースに登録されている。そのため、未破裂動脈瘤に対するユベーラの追跡調査は、世界的にも類を見ないものとなっている。マイアミで、私はその大きな価値を知ることができた。しかし、ヘルシンキで教授になる希望は、伝説的フィンランド歌手のラウリ・バディングの歌「雲が遠くに消えていく」（「Kauas pilvet karkaavat」）のように、だんだん薄れてきているような気がした。

8章 クオピオの家に帰る

クオピオに帰る

私は、フィンランドに帰れたことをとても喜んでいた。クオピオ空港では、家族が出迎えてくれた。楽しい再会があり、やがてクオピオでの仕事が始まった。

私の髪は、太陽の光でブロンドに脱色されていた。私はスリムで日焼けしていて、ハンサムですらあった。あれほど青白かったのに、と周囲は驚いていた。マイアミに行く前は、目の下に黒いクマがあった。チューリッヒでの医師の試験以来、ずっとそうだったのだ。マイアミにいた1年間は、別荘で毎日太陽に当たっていたが、ヘルシンキでは、陽に当たることは少ないのだ。

復帰後の最初の手術は、中大脳動脈の巨大動脈瘤の手術だった。1年以上ぶりの手術だったが、うまくいった。慣れ親しんだチームに囲まれ、安心感があった。

私は、このクオピオで脳神経外科部長というポストを与えられた。

ヘルシンキで脳神経外科部長のポストが空くという話が出始めた。私は、論文の教え子だったロンカイネンやリンネたちの執筆を手伝った。家族性動脈瘤の研究が、国際協力による幅広い研究に発展していたのだ。どんな小さなことでも、脳神経外科部長の応募へ助けとなっていると感じた。

クオピオでの仕事は、一時的なものだと思いつつも、かなり満足していた。ヴァパラハティは教授職になったため、その結果として、私は多くの手術を執刀することになり、そのほとんどが動脈瘤であった。今にして思えば、ヴァパラハティがクオピオで教授職を得たのはよいことだった。それがなければ、彼はオウルに留まり、私は地方で評判の高いクオピオにずっと留まることになっていたことだろう。

私は手術の教え方を知らなかったし、手術を誰かに任せることも好きではなかった。私は外科医として、何でも自分でするのが好きだったのである。患者の体位を決め、剃毛し、開頭手術を自分で行い、ほとんどの場合、縫合も自分で行った。しかし徐々に、若い外科医が動脈瘤の手術ができるように、アシストすることを覚えた。特に私の教え子のヤッコ・リンネは熟練した外科医に成長した。教えるのが難しいのは、すでに多くの経験がある人たちだ。手術の進行や手技を説明し始めると、彼らは自分の症例を思い出し、その話をし始める。そんなとき、私は黙ってしまう。

マイアミから帰国後、クオピオで脳動脈瘤破裂の治療に関する非常に重要なランダム化試験を開始した。この研究は非常に重要なものだったので、ヴァパラハティとの研究計画の交渉は難なく進んだ。倫理委員会からの承認も得られた。この病院には、よい設備と十分な能力、そして患者データ、さらにフォローアップの手順が用意されていた。これは動脈瘤に対する顕微鏡を使った開頭術対カテーテルを使った血管内治療を比較する世界初のランダム化試験であった。患者は血管造影の際に、どちらかの治療法に無作為に割り付けられた。患者は番号のついた茶色の封筒を開け、中に記載された治療法、すなわち開頭術または血管内治療を受けることになる。この研究は、ティモ・コイビストの学位論文になった。彼が博士号を取得したのは、私がヘルシンキ大学の脳神経外科部長になってからのことだ。

※左記の未収録原稿はWEBサイトでご覧いただけます（13ページ参照）
「1994年　退役軍人」

1995年　複雑な連鎖

私の恩師ドレイクは、内頚動脈とそこから分岐する眼動脈の分岐部にある動脈瘤は、その80%以上が女性に発症するため女性動脈瘤と呼んだ。私たちを訪ねてきた35歳の女性患者は、右目の視力が低下し始めていると症状を訴えていた。クオピオ中央病院で検査したところ、右内頸動脈、眼動脈分岐部に直径2・5センチを超える巨大な動脈瘤があることがわかった。右目以外に症状はない。はっきりとした視野狭窄も認めていたことから，動脈瘤が右眼神経を圧迫していたことは明らかだった。血管造影の所見は明瞭であり，それ以上検査は必要なかった。

ドレイクによると、患者の半数は診断から1年後に死亡するか、健康状態が悪くなっているとのことだった。患者は、治療が困難だろうと思われるこの動脈瘤を手術することに同意した。

私は沈痛な思いで手術室に入った。巨大動脈瘤は常に治療が困難であった。巨大な動脈瘤には大きな圧力がかかっており、特に動脈瘤の根元にプラークがある場合、それを完全に処理するのは困難だった。しかも、この種の動脈瘤は頭蓋底（頭蓋骨の底面。今回の動脈瘤手術では、頭蓋底の骨が邪魔になることが往々にしてある）にあるため、動脈瘤のすぐそばの骨を少し削る必要があった。

これは非常に困難な手術であることが事前にわかっており、死と重度の後遺症が潜んでいることを理解していた。この動脈瘤は破裂していなかったので、少しはプレッシャーから解放された。破裂している動脈瘤は手術中に特に出血しやすいからだ。

手術室に戻り、私はチームにうなずくと、彼らもうなずき返した。私は印をつけた部分に切開創を描いた。頭蓋骨に穴を1つ開け、ここをきっかけにして骨弁を作り、眼窩の端まで骨を削った。顕微鏡下で硬膜を開き、これを固定した。顕微鏡を覗き込んで、前頭葉の下を慎重に進んだ。このように動脈瘤の上部が前頭葉に食い込んでいる場合、剥離中に動脈瘤が破裂することがあるが、今回はそのようなことがなかった。巨大な動脈瘤は、視神経を強く押し上げており、視神経は薄く引き伸ばされていた。私は構造を確認して理解し、硬膜を頭蓋骨の底部から切り離し、動脈瘤の底部を完全に露出させるために、小さなドリルで頭蓋底の骨の一部を削り取った。眼神経と、頭蓋底を走る内頸動脈が見えてきた。頭蓋底から副鼻腔に通じる篩骨に小さな穴が開いているのに気づいたので、閉創時に筋肉の小片と組織接着剤で補修した。

さて、いよいよ動脈瘤をクリップすることになった。金色の一時遮断クリップを内頸動脈の上と下に挿入した（安全に動脈瘤をクリップするために、一時的に血管を遮断する目的に用いる）。動脈瘤の強い脈が弱くなったが不十分だったので、もう1つ小さな一時遮断クリップを後交通動脈（内頸動脈から分岐している枝）に挿入した。今度は動脈瘤が柔らかくなった。大きなパーマネントクリップ（動脈瘤をクリップし、そのまま留置しておくもの）を数個選び、メスで動脈瘤を穿刺した。血液が排出し動脈瘤は潰れたが、非常にゆっくりと再び拡張してきた。穿刺した穴からはあまり血が出てこなかった。どうやら、一時遮断クリップを使用していない眼動脈から血液が供給されているようだった。

吸引管と剥離鉗子を使って動脈瘤の根元を露出させ、まず有窓型のクリップを深部に挿入し、その横に強力で長いクリップを2つ付けた。その後、慎重に一時遮断クリップを外した。動脈瘤は完全に循環から切り離されたように見えた。超音波プローブで内頸動脈の流れを確認すると、大きな音を立てて勢いよく流れていることがわかった。つまり、私が挿入したクリップは脳の血液循環を保ち、動脈瘤だけを遮断したのだ。もし、内頸動脈の血流がクリップで遮断されてしまったら、麻痺か、あるいは致命的なことになっていただろう。私は満足し、開頭の際に小さな穴が開いた篩骨洞の上に側頭筋を置き、組織接着剤をたっぷりつけて、鼻腔との交通を遮断した。ラジオから流れるアダルト・コンテンポラリーを聴きながら、私は注意深く縫合した。

患者はその後順調に回復した。ＩＣＵでは、目はまだ腫れていたが、視力はすでによくなっており、手足の動きも良好だという。入院治療に移った後、患者はすぐに立ち上がり、1週間後には元気に帰宅された。切開した部分はきれいに治り、抜糸も終わり、目の腫れも引いていた。私たちは別れを告げ、2ヵ月後の外来で再会することになった。

しかし、そうはうまくいかなかった。1週間後、患者は鼻をかんだらしい。その後に発熱し、錯乱状態に陥った。別の病院で、重症の髄膜炎と診断され、そこのICUで強力な抗生物質が投与された。そのICUで、突然呼吸困難に陥り、大きな肺塞栓症が見つかったため、抗凝固療法（血液をサラサラにする薬物療法）が行われた。その数日後、突然、下肢が完全に麻痺してしまった。MRIで調べると、胸椎に大きな血腫があり、脊髄を圧迫していたことがわかった。この出血は、抗凝固薬を飲んでいたことが原因だったようだ。

電話連絡があり、患者は直ちに我々の病院に移された。頭蓋底に開いてしまった穴を再び補修し、脊髄を圧迫していた血腫を取り除かなければならない。抗凝固薬を中和した後、患者を手術室に移し、初めに髄膜炎の原因と思われる頭蓋底の処置をした。顕微鏡で見てみると、私が使った筋肉片がずれたため、穴が開いた篩骨洞より髄膜に感染を起こしたのだ。この部分をもう一度修復した。頭蓋底の手術の後、まだ麻酔が効いているうちに患者をうつぶせにし、脊椎数個分の長さの大きな硬膜外血腫を取り除いた。

ICUと入院病棟で強力な抗生物質が継続され、患者は再び抗凝固薬を投与された。その後、患者は回復した。患者の上肢の可動は良好だったが、下肢の動きとヘソより下の感覚低下は回復しなかった。この患者は1週間ほど私たちと一緒に過ごし、その後、さらなるケアと長期的なリハビリのために地元の病院へ戻られた。

やがて患者は車椅子で経過観察に私の病院に来たが、下肢の感覚と可動性が少しだけ回復していた。私は患者が退院するときに、鼻をかんではいけないと注意すべきだったと深く反省している。

1996年　「お前は人殺しだ」

家族性動脈瘤研究において、45歳の健康な男性に2つの未破裂動脈瘤が見つかった。動脈瘤は中大脳動脈の右側と脳底動脈の先端にあった。1つは直径1センチ半、もう1つは1センチ弱であった。患者は国境付近のとある小さな町から手術にやってきた。このまま放置しておくよりは、手術のほうが予後がよいと伝えていたためだ。この男性は、17才の娘と15才の息子に連れられて来た。奥さんの姿はない。離婚したらしい。子供たちはお父さんと仲がよかった。

一度の診察で両方の動脈瘤を手術するために、私は大きめの開頭でアプローチした。まず前頭葉と側頭葉の間を剥離して、この隙間にある中大脳動脈瘤を処理し、次に頭蓋底の深部にある動脈瘤を処理することにした。この後者の動脈瘤は非常にやっかいな場所にあった。私は、患者と子供たちとじっくりと話をした。脳幹の手前にある後方循環動脈瘤は、手術が難しいことで有名なのだ。

手術の朝、ＩＣＵの回診を終えて廊下に出てきた私は、手術室に入っていく患者に手を振って挨拶した。クオピオの新しい建物では、ＩＣＵと手術室が同じフロアに配置され、合理的な配置になっていた。私は病棟に行き、回診をした後、コーヒーを飲んで他の医師と患者について少し話をした。

私は手術室に向かった。中に入り、手術チームの他の5人に手を振って挨拶した。私は微笑んだが、それはマスクの奥だったので、チームの目には見えなかっただろう。

患者の頭の上に立つ。私はチームのスタッフたちにうなずくと、全員がうなずき返した。さあ、手術を始めるぞ。

骨まで切開し、スプリングフックを使って皮弁を眼窩の端までしっかりと前方に引き下げた。3つの穴を開け、大きな骨片を作り、その根元を小さなドリルで削り、骨片を切り離せるようにした。小型のドリルで眼窩まで骨を取り除き、蝶形骨の翼も慎重に取り除いた。硬膜は柔らかく脳は張っていなかった。硬膜を半円状に切開し、切開部の縁を縫合して固定した。

脈打つ脳の表面は美しかった。麻酔が効いているせいか、明らかに弛緩していた。顕微鏡で前頭葉と側頭葉の隙間を1センチほど開き、生理食塩水を注入すると、中大脳動脈の分岐部に脈を打っている動脈瘤がすぐに確認できた。動脈瘤から中大脳動脈の2本の枝を剥離したが、片方は強固に癒着しており、剥離に時間がかかった。中大脳動脈に金色の一時遮断クリップを挿入し、動脈瘤の根元にクリップを挟んだ。クリップが閉じたことを確認し、一時遮断クリップを外した。側頭葉側の動脈枝の血流が弱いように思えたので、クリップの位置を何度か調整し、納得のいくまで適切な位置を探った。ガーゼで患部を覆い、血管の上にパパベリン（血管拡張薬）を塗布した。

今度は、ハンドルとマウスピースを使って、顕微鏡を頭蓋底に向けた。内頚動脈のほうへ進み、周囲のくも膜をマイクロハサミで切開しながら剥離を進めていった。第三脳神経をたどっていくと、比較的簡単に脳底先端動脈瘤を見つけることができた。動脈瘤は赤く滑らかで、力強く脈を打ち、少し右に押していたのが見えた。上小脳動脈は動脈瘤の頚部から分岐している。マイクロ剥離鉗子で動脈瘤の頚部を露出させた。脳底動脈には一時遮断クリップはつけなかった。なぜなら、動脈瘤は破裂しておらず、つけなくても特に問題ないと判断したからである。クリップは1・5センチほどの長さのものを選んだ。動脈瘤の頚部にきれいに差し込むことができた。クリップをゆっくりと閉じていく。動脈瘤の脈動が止まったので、クリップはきれいに収まり、動脈瘤を完全に閉鎖したように見えた。動脈瘤の表面を焼灼したところ、完全に潰れた。動脈瘤の周囲の細い血管にパパベリンを塗布、止血を確認、脳が腫れていないことを確認した。私はこの手術の結果に満足しながら、丁寧に閉頭していった。

患者はICUに移され、3番ベッドでしばらく経過観察された。麻酔科医と私は、ICUの医師に患者の様子を報告した。私は手術に満足していた。切開から縫合まで、2時間余り。クリップした脳底動脈瘤の根元には第三脳神経が通っているが、患者の右の瞳孔は正常であった（第三脳神経への手術操作によるダメージがまったくなかったことを意味している）。家族の控室には、患者のお子さんが待っていた。私は彼らに、手術は成功し、数時間後には患者は目を覚ますだろうと伝えた。

しかし患者は目を覚まさなかった。急いでCTスキャンをしたが、異常な所見はなかった。出血はなく、前頭葉の前に少し空気が入っている程度だった。ICUで子供たちと再会し、彼らは私と同じように心配していた。私は、「心配しないでください、回復しますから」と説得した。しかし、翌日になっても、患者はまだ意識が戻らなかった。再度行ったCTスキャンで脳の両側にわずかな影が見られたが、これは術後の血管攣縮による脳梗塞と思われた。血圧を上げ、大量の輸液と1リットルの血漿などの点滴を投与し、やれることをすべてやった。絶体絶命だった。患者さんの子供たちに何度も説明をした。私はどんどんつらくなっていった。私は希望を失い始めた。

翌日になって脳梗塞はさらに進んだ。この患者は重度の動脈性血管攣縮を起こしていたことは明らかであった。

その後数日間、患者の容態は急速に悪化した。最終的には、脳の両側に広範な壊死が見られた。やがて脳死が宣告され、治療が中止された。お子さんたちはICUの向かいにある彼の部屋の前に立っていた。私は彼らに父親の死を知らせなければならなかった。彼らはショックを受けていた。男の子は私の前に飛び出してきて、拳で私を叩きながら叫び始めた。

「お前は人殺しだ！　人殺しだ」

私はそのお子さんの手首をつかんで何も言わずにいると、やがてそのお子さんは落ち着いた。2人で涙をぬぐった。臓器提供プログラムでは臓器が必要で、私たちは、いつもは積極的に家族にお声がけしていたが、今回は検討もしなかった。とても言えるような状況ではない。許可を得ることは当然できなかっただろう。私は、法医解剖が法律で義務づけられており、数日中に監察医が法医解剖を行うことを告げた。

私は解剖に立ち会った。同じ建物で行われ、有能で経験豊富なカリ・カルコラが担当した。私は解剖が嫌いだ。何しろ彼らは私の患者だったのだ。私のせいで亡くなったのだ。なんとか助かってほしいと全力を尽くしたにもかかわらず。今回は、罪悪感がとてつもなく強かった。金属製のテーブルの上で、首の下に木製の支えを置いて、真っ青になって硬直していたこの患者は、数日前に私が話をしていた患者とはまったく違うのだ。彼は今、死んでしまったのだ。

頭皮は頭頂部を耳から反対の耳まで切開され、前方の頭皮が目の位置まで引き下げられ、頭蓋骨が露出された。頭蓋骨の上部をブンブン音を立てて小型の丸ノコで切り取っていく。金属製のテーブルの上でカチャカチャと音がする。硬膜、小脳鎌、脳のテントを切断し、頭蓋骨の底の深いところの脊髄を長いナイフで切断する。ゴム手袋をはめた手が、開いた頭蓋骨から脳を取り出す。

脳全体が広範囲に壊死していた。クリップは動脈瘤をきれいに閉じていた。静脈は開いていて、血液循環も問題なかった。他の臓器は良好な状態であった。死因は未破裂の脳動脈瘤の手術とそれに伴う血管攣縮で、脳が広範囲に壊死し、腫脹したためだった。

私は、オンタリオ州ロンドンで1767件の後方循環動脈瘤に関する本を執筆していた。その中で、未破裂動脈瘤で手術を受けた患者が血管攣縮を起こしたケースが2例あった。極めて稀な合併症であったが、致死的なものであった。

20年後、私はあるメールを受け取った。それはそのときの子供であった女性からのものだった。そのメールには、娘さんが彼女自身の病状について助言を求めると同時に、やがて娘さんと弟さんが父親の死から立ち直ったという報告もあった。彼らは学校を卒業し、仕事を見つけ、家庭を築いていたのだ。

クオピオでの最後の夏、1997年、私は大きな頭蓋咽頭腫の7歳の子供の手術を行った。これは脳の中心近くにでき、周囲の重要構造物と癒着する腫瘍で、摘出術は技術的にとても難しい。手術はうまくいったが、回復には至らなかった。手術の跡はきれいで問題なく、腫瘍は消えていた。ところが、術後1週間のCTスキャンでは、脳幹全体が萎縮していた。この所見は、神経細胞のミエリン鞘が大量に機能低下する「橋中心脱髄崩壊症」というとても稀な合併症を示唆していた。ミエリン鞘とは神経細胞の軸索の周りを幾重にも包み込む、脂質に富んだ膜構造のことである。病気の性質上、体液の組成が大幅に狂ってしまったことが引き金になったと考えられ、回復は難しい。治療続行を強く主張していた母親と、私と外科部長で話をした。このまま治療を続けても意味がないと思ったからだ。そして、私たちは、人工呼吸器を止めた。子供は亡くなった。母親は、私たちを殺人者だと非難した。私たちはそういう職業なのだろう、少なくとも私にはそのように感じられた。

1996年　スケートボーダー

ヤンネは、プイヨンの丘周辺に住む14歳か15歳くらいの、気立てのいい、太った子供だった。いつも元気よく手を振ってくれた。1980年代後半、フィンランドではスケートボードの新しい波が到来し、防具もつけずに街を疾走する少年たちを見かけるようになった。ヤンネも家族からスケートボードを買ってもらい、地元の静かな歩道や道路を熱心に滑っていた。カラフルなシャツにワイドパンツ、テニスシューズ。彼はヘルメットをかぶらなかった。長い髪が風になびいていたのを思い出す。

ブイヨンの丘近くのプイヨンラークソでは、スケートで滑り降りるためのさまざまな坂があった。一番大きいのはマカシイニンマキで、今はもう潰れてしまった商店を通り過ぎ、大きな長屋が立ち並ぶ場所まで下っていく。いつも1人で滑っているヤンネは、その日はマカシイニンマキまで足を伸ばした。自宅から松林の中の近道を通っていく。古い本屋の横にある丘に登ると、彼は歩行者用道路に誰もいないことを注意深く確認した。ヤンネはスピードを上げ、ボードに飛び乗った。坂の途中のカーブで、彼はバランスを崩した。ボードが滑り落ちて、ヤンネは猛スピードで歩道に倒れ込み、頭を強く打って、意識を失った。スケートボードはそのまま、さらに坂を下ったところにある溝に止まった。店から出てきたお客さんがその様子を見て、急いで店内に戻り、救急車を呼ぶように頼むと、すぐに来た。救急隊は、ヤンネのところに行き、首を固定した後、ストレッチャーに乗せた。担架は救急車の後ろから入れられ、サイレンを鳴らして大学病院の救命救急センターに向かって走り出した。

救急治療室では、後頭部に出血を伴う挫傷が見つかり、縫合された。頭蓋骨は骨折していたが、頚椎は問題なかった。意識不明のまま、ヤンネは気管内挿管された。瞳孔は光に対する反応が鈍くなっていた。CTスキャンを撮ると、脳の左側は半球全体に厚さ1センチ半の硬膜下血腫があり、正中線は右側に押され歪んでいた。脳の両側に広範な脳挫傷も伴っていた。ヤンネは身分証明書を持っていなかったが、小さな町だったので顔見知りだ。すぐに両親に知らせが行き、両親は驚いて救命救急センターに駆け込んだ。ヤンネは、脳挫傷と硬膜下血腫のため、深い昏睡状態になっていた。

私は両親と話し、事態がいかに深刻かを伝える必要があった。私たちにできることは、脳を圧迫している血腫を取り除くために大開頭術を行うことだけだった。そして、ヤンネはすぐに手術室に運ばれた。両親はICUの待機室に残って、手術を待った。

手術室では、ヤンネの頭を頭部固定フレームに取り付け、左側の広い範囲の毛を剃った。

私は慣れている開頭を手際よく行った。

硬膜は青みがかった非常に硬いもので、私たちはよく「岩のように硬い」という表現を使っていたが、その言葉が表すものはまさにこれだった。メスで硬膜を少し切り開くと、小さな切り口から黒い血が噴き出した。硬膜を大きく開き、1センチ以上の厚さの血腫をすべて吸引した。手術中、傷ついた脳は膨張し、大きな開口部から押し出され始め、まるでポルチーニ茸の黒い傘が、開いた頭蓋骨から出てきているような状態であった。私は脳の表面を止血し、硬膜を開いたままにして、骨片をはずし、頭皮を二重に強く縫合した。骨片は洗浄し、後日挿入できるように冷凍保存した。

手術の後、両親に、ヤンネの予後が非常に悪いことを伝えた。脳挫傷の場合、子供は意外と回復するものだが、ヤンネは回復を期待することができなかった。両親は、ヤンネのためにできることは何でもしてほしいと言った。私はステロイド治療を始めた。ある研究では、ステロイドは効果がないとされていたが、子供に関しては可能性はゼロではないと思ったからだ。

翌日、CTスキャンを撮った。その結果、挫傷は両側に拡大していたことがわかった。

脳圧は30～40ミリ水銀と非常に高く、ときにはそれ以上の高い数字が続き、その間ヤンネは麻酔をかけられたまま、人工呼吸につけられた状態で、頭を少し上げた体勢（脳圧を下げるための体位）で眠っていた。

1週間後、気管切開を行った。ヤンネは3週間ICUで過ごし、徐々に麻酔を解除していったが、意識が戻る気配はなかった。やがて病状が安定し出し、ヤンネは脳神経外科病棟の個室へと移され、両親は彼と多くの時間を過ごすことができるようになった。この数週間、両親とは数え切れないほどの会話を交わした。深い意識喪失が続くと、私たちケアチームの間では徐々に回復への希望が薄れ始めたが、両親にとってはそうではなかった。

ヤンネは気管の穴から自力で呼吸をするように

なったが、手足は痛みの刺激で弱々しく動くだけだった。瞳孔はまだ中くらいの大きさで、光に対する明確な反応はない。CTで見ると、脳の腫れは引いており、脳内の血腫は徐々に周囲の組織に吸収され、小さくなっているように見えた。1ヵ月が経った。ヤンネが意識を取り戻すことはないだろうと思われたが、静かに望みをつないでいた。

数ヵ月後、ヤンネはまつ毛を動かしながら目を開け始めた。部屋にはラジオがあり、ヤンネが好きな音楽が流れていた。理学療法士が毎日体操をして、関節の可動域を広げていた。食事は、鼻から挿入された胃管からカロリーの高い水分とビタミン、ミネラルが投与された。ヤンネは、怪我をしてから10キロほど体重が減り、ふっくらとした印象はなくなっていた。リハビリテーション施設に移った後も、状態は変わらず、スタッフによると、ヤンネと何らかの意思疎通をとることは不可能だった。日中はベッドに横たわり、目を開けているだけだ。しかし両親はヤンネが音楽を聴いており、彼らの話している言葉を理解していると固く信じていた。両親は生活を大きく変えた。住んでいた家を売り払い、ヤンネの世話がしやすい平屋を購入した。ヤンネが使っている車いすを部屋から部屋へ問題なく移動させ、シャワーやお風呂に入れるように、家の中の敷居を取り払う大改造が行われた。玄関にはスロープが設置され、そこから車椅子でアスファルト舗装された庭に移動し、座って過ごすことができるようにした。母親はパートタイムとして働くようにして、家で過ごす時間を増やした。両親が働いている間は、看護師がヤンネの面倒を見るようになった。

スケートボードでのつまずきは、ほんの数秒の間にヤンネと彼の家族全員の人生を完全に変えてしまった。ヘルメットをかぶっていれば、この大怪我は防げただろうか、軽減されただろうか？　もちろん、その通りだ。しかし、彼はヘルメットをかぶっていなかった。時間を取り返すことはできない。

ヘルシンキへ

ついに1996年、ヘルシンキ大学の脳神経外科部長の応募が始まった。ヘルシンキ大学中央病院の神経内科教授マルク・カステと、引退する脳神経外科部長オッリ・ヘイスカネンが、私に電話をかけてきた。カステは長々と空想的に語り、ヘイスカネンは冷静に簡潔に話した。ヴァパラハティは、このポストに応募することついては何も言わなかった。私は黙っていた。彼は面目を潰してでも、応募してくるだろうと思った。年齢が高いということは、メリットにはならない。むしろ、まだ仕事に専念できる年数が長いとの理由で、若い人が選ばれるのが普通だった。

私は、募集要項に従って慎重に応募書類を集め始めた。オウルの部長には2回、ベルリンの部長にも1回応募していたので、慣れていた。それらは申請手続きの経験として無駄ではなかった。すでに準備されていた書類も多くあったものの、手続きには数週間を要した。

今回は、数年前の応募のときよりも少し希望を持っていた。オウルでの2回の応募では、私は教授になる資格すらないと判断されたのだ。3人の選考委員のうち、1人はJ・ピカード教授で、彼は私を評価する際にこう簡潔に述べている。

「この人は45歳にもなって、他人の手術の研究をして喜んでいるようだ」

このイギリス人の鋭い侮蔑の言葉は、一瞬私の心に突き刺さった。しかし、ピカードは本題を大きく間違えていた。人生はすべて勉強なのだ。それから10数年後、ロートン教授（世界的に高名なアメリカの脳神経外科医）に会ったが、「私もゆっくり成長するタイプだ」と言われた。痛い目に遭ってもすぐに忘れ、すぐに立ち直って前進するのが私のやり方だ。

業績のうち、直近数年のものを更新しなくてはいけなかった。すべての論文をコピーし、その中から最もよく書けた論文10本を選んだ。履歴書には、私の経歴、博士号、若手への博士論文の指導歴、教育歴などを書かないといけない。私は、数週間かけて、すべてをよい形に整えた。一番苦労したのは、脳神経外科部長になった際の脳神経外科運営の計画だった。選考委員は3人の外国人で、彼らに英語で説明しなければならなかった。通常、3人は北欧、ヨーロッパ、アメリカかカナダの専門家であった。私は、マイアミでピアレスとドレイクにもらった推薦状を添付した。また、募集要項には含まれていなかったが、私の得意とする外科手術の経験一覧も添付した。願書を間違いなく郵送した。20年以上目指していた夢に見ていたヘルシンキ大学の脳神経外科部長の候補になったのだ。

この頃、ヤサーギル教授は退官し、後任にはヤサーギル教授のもとで以前研修していた米川教授が就任した。私が学生時代に見学に行った際、彼が食堂で静かに座っているのを見た記憶がある。米川の手術を見学したこともある。米川は何も言わずに部屋に入ってきて、メスを持ち、侍のように素早く、まったく無言で切っていった。とてもエレガントな手術だった。

選考委員の評価のうち2つで応募者のうちトップ、他では2位か3位の評価を受けた。選考委員は、この部長のポストの面接を受けることができる3人の候補者を選んだ。セッポ・ユヴェラ、ユハ・E・ヤースケライネン両博士と私だ。ヴァパラハティは落選したようだ。

ニューロ病棟（神経内科と脳神経外科）の責任者だったカステ教授は、私を強く推薦してくれ、面接のために電話をかけてきてくれたり、面接のトレーニングに付き合ってくれたりした。脳神経外科では、外部からの刺激的な人材が必要だったのである。過去にヘルシンキ大学中央病院の外から来た人はほとんどいなかった。ヘルシンキでは自分たちの病院が一番だと威張っていたが、私はクオピオの医師たち、特にリンネやロンカイネンと同じように、さらなるトレーニングを求めて世界に飛び出していった。カステ病棟長によると、彼ら選考委員たちはいわゆるトップクラスの臨床技術のある医師をその職に望んでいたらしい。きっと、いろいろなロビー活動があったのだろう。私は、面接官とその好みについて調べた。ヘルシンキの友人にも聞いてみたが、ほとんどの人が、私がこのポジションに応募し、面接に招かれたことに驚いていた。ヘルシンキの都市圏の内側では、フィンランドの他の地域に対する敬意があまりなく、私のような地方で働いている人間にチャンスはないと考えられていたようだ。面接はとても感触がよかった。ここまでのプランも見事だったと思う。ピアレスの手紙も複数枚持っていたので、私の言葉の裏付け、説得力の面でも強かったように思う。私の欠点は、大学人としての教育者の経験が乏しいことだった。クオピオでは、その機会がなかった。管理業務の経験や訓練もほとんどなかった。

長い間待たされた後、ついに最終決定が下された。私が選ばれたのだ。ヴァパラハティは、その手紙を開いて読んでいた。結局、私はヘルシンキ大学に、部長として1997年9月に就任することになった。カステは、脳神経病棟の責任者として、マウスピース付きの高性能の顕微鏡を準備してくれた。私は、それ以外の要求をしなかった。

世界の他の国々では、新しいポジションに就くときには自分のチームを連れてくるものだが、フィンランドではそれは不可能だった。ヘルシンキ大学中央病院の手術室チーム、ICUの看護師長、そして神経放射線科医のポラスは、私の招待に応じてクオピオにやってきて、私の仕事ぶりを見て回った。私は1年間の休職期間を申請したが、認められたのは1997年末までのことであった。

私の成功は、クオピオではとても大きなことだと思われていた。周囲の私に対する尊敬の念は、1段も2段も高くなった。RBM（成果重視型組織改革）の波に乗って私と対立していた人たちも、突然、挨拶してくるようになった。妻のリールと私はヘルシンキまで行き、病院のすぐ隣のトーロにアパートを探した。家族全員でヘルシンキに引っ越すことは考えていなかった。子供たちは学校に行っているし、そもそもヘルシンキに大きくて高価な家を買う余裕がなかった。

赤毛で左利きの器械渡し看護師のリンクラが、クオピオの最高の脳神経外科医が去っていくと言ってくれた。もちろん、クオピオの外科医はみんな腕がよかったから、それを聞いて心が温かくなった。リンクラと一緒に手術するのは楽しかった。私は喉の奥にしこりを残したような感じだったのだが、それが取れたように楽になった。重い任務から解き放たれてほっとした。

目標達成のためには、動脈瘤のデータベースの構築と、マイアミでの執筆と学術的なメリットのある論文が必要だったのだ。ドレイクとピアレスのサポートで最終選考に進み、最終的に選ばれたのはいいのだが、決して簡単な選考ではなかったはずだ。私は、ヘルシンキに出発するという思いで胸が高鳴った。目標を達成したことが、身に染みて実感できるようになったのだ。ぎりぎりで選考を勝ち抜いたと思うのだが、どんなにわずかな差でも勝者は勝者だ。面接では、教育歴がないことを強く指摘されたので、本当にぎりぎりの判断だったのかもしれない。しかし、私は他の候補者よりも国際的な経験があった。

何度も歓送迎会が開かれ、スピーチが行われ、ボルボの荷台にはさまざまなプレゼントが集まった。フィンランド国内はもとより、世界中から数え切れないほどの祝福と応援の手紙が届いた。

私は、長期的な視野でキャリアを積んできた。教授になると決めていた。私はチューリッヒのヤサーギル教授の後のポストのことを考えたことがある。もしヤサーギル教授が私に彼の後を継ぐよう勧めてきたとしても、私は断っただろう。その頃、私はヤサーギル教授の後継者には到底なれるとは思えなかった。

私がクオピオで最後に行った手術は、ラハティから来た聴神経の腫瘍の女性だった。ラハティは何年も前から患者を紹介、転院させてくれた。「今度はラハティからは、ヘルシンキに送ります」と言ってくれた。「どうぞ、どんな症例でも送ってください」と私は伝えた。今ヘルシンキ大学トーロ病院では私が責任者となっているのだから。

かつて私の上司だったヘンリー・トロップ教授に1980年に告げた「17年後にヘルシンキに戻ります」という約束は、ぎりぎり守ることができた。

※左記の未収録原稿はWEBサイトでご覧いただけます（13ページ参照）
「1997年　頚椎手術」

9章 1997年 ヘルシンキ大学病院 脳神経外科部長

「このあたりを変えられると思うか？ ユハ？」

私がヘルシンキ大学トーロ病院の脳神経外科の部長になってから最初の数日は、すべての病棟、外科、その他の専門病棟を回った。できるだけ多くの人に挨拶に行くようにした。ヘルシンキ大学中央病院の整形外科・外傷科の教授は、チューリッヒで一緒に勉強したセッポ・サンタビルタ教授だった。彼は、ひたすら研究を続けており、私はそれをクオピオから羨望の眼差しで見ていた。

形成外科部長のシルパ・アスコ・セルヤヴァーラ教授は、私を歓迎してくれた。腕のいい外科医なら、事務的な仕事も難なくこなせるだろう、と。私はそう願っていたのだが、これから何が起こるかわからないので不安だった。私は全力を尽くして戦おうと思った。

ヘルシンキ大学トーロ病院に来て2日目には、すでに脳底先端動脈瘤の手術が決まっていた。最も難しい手術だが、これは私の腕の見せ所だ。何しろ、私はここでは新人なのだ。おそらくみんなは私に注目しているだろう。何ができるのか？　何を知っているのか？　タフな神経を持っているか？　この手術で、おそらく私のヘルシンキ大学トーロ病院での将来全体のトーンが決まるかもしれない。私が何を必要とするか、私がプレッシャーに耐えることができるか？　など、病院のみんなは、私の手術に興味があったに違いない。

手術は、慣れないことも多かったが、私はよく頑張った。私が新しく購入した顕微鏡は、クオピオで使い慣れたもので、安心した。顕微鏡のマウスピースを歯で挟むと、不安な気持ちは消える。周りに立っている先輩医師にも邪魔されない。自分が他の人より優れていることは間違いない。私は、無事に動脈瘤を処置した。そして患者は快方に向かった。

開頭時に骨片が床に滑り落ちたが、それは慣れない環境のせいだった。滅菌した後、いつものように問題なく頭に戻した。「骨片を床に落とすのが、脳神経外科部長の手術戦略だ」というジョークを聞いた。私は気にしなかった。これは、チームとして一緒に手術をしたことがないために起こった、特に問題のない極めて稀なミスだったのだ。6000件以上の手術の中で、このようなことは4〜5回しか起こっていない。経験豊富な技師のアルジャ・ラスネンは、初めての手術にもかかわらず、素晴らしい仕事をしてくれた。杉田式ヘッドフレームは私にとって初めてのもので、使いづらいと感じた。クオピオで一度試したが、それきり使ったことはなかった。後になって素晴らしい道具であることがわかった。

私は、手術が得意だったので、すぐに大勢の患者、2ヵ月半で120件の手術を行った。すると周囲は非常に驚いた。「信じられない。正気の沙汰じゃない。

あなたは自殺するつもりですか」と言われた。私は聞き流しつつ、こう思っていた。

「死なない限り、私は日に日に強くなっていく」

週末はクオピオ行きバスに乗って家族のもとへ帰った。クオピオに近づくと、ローワンベリージャムのような甘さと酸っぱさを同時に感じた。クオピオで過ごした17年間のすべてが頭に浮かび、かつての同僚たちの顔が浮かんできた。私は、1ヵ月足らずで、ヘルシンキ大学トーロ病院にしっかりと馴染んでいった。ヘルシンキ大学トーロ病院は私の居場所なのだと、正しい選択をしたように感じた。しかし、クオピオの思い出を断ち切るには、まだ時間が必要だった。

お祝いのカードと花束が私のいる小さなオフィスに押し寄せた。机と本棚、それにハイスカネン医師の枕が置かれている古ぼけたソファーという、おそらく世界で最も質素な脳神経外科部長室だった。そんなことはどうでもよくて、私は手術室こそが自分のオフィスだと考えていた。

空港や街角で、これまで私を認めてくれなかった人たちが、まるで親友のように声をかけてくれるようになった。また、レジデント時代の同僚も何人か訪ねてきてくれた。私は彼らの気持ちがよくわかってしまったのだが、それはそれで気持ちがいいものだった。私は、階級が上がったのだ。

死者は黙っているが、重度の障害を負った患者たちはそうではない。

1986年にからバレエダンサーとして活躍したヘナバレエの招待状が私に届いた。彼女は、体の半分が麻痺している。私の手術のせいだ。行こうかと思ったが、行かなかった。行けなかったのだ。血圧を下げるためのニトロプルシドの点滴を、なぜ突然止めてしまったのか。あのとき、徐々に止めるべきだった。バレエの公演にも行くべきだった。

このような他の元患者さんから連絡があり、その都度私は、謙虚になる。戦争が終わった地域の道を歩くようなものだ。

私が脳神経外科部長のポストを得るためにヘルシンキ大学トーロ病院に来たことは、いろいろな点で事態を複雑にしていた。妻のリールは、私が自分勝手な人生を歩み始めたと言った。週末に定期的にヘルシンキからクオピオに帰るのは大変なことだった。最初は電車で通っていたのだが、飛行機のほうがいいことがわかった。リールが家具を用意して配置してくれたアパートは素敵だった。高い天井が気に入ったし、ヘルシンキ大学トーロ病院から近かったので、住みやすかった。夜に動脈瘤の緊急手術の電話がかかってきたら、病院まで歩いて行って手術室に行き、手術をして、1時間半後にはベッドに戻って寝ることができた。

私がヘルシンキに赴任してきたとき、父が見学にやってきた。父は手術室で私の仕事を1日観察していた。父は当時75歳で、私は2022年の秋に75歳になる。父は私の仕事の厳しさを知り、2件の手術の後、まだ残り2件の手術が残っていることに驚いていた。

脳神経外科部長のルーティン

念願のヘルシンキ大学トーロ病院脳神経外科部長になったことで、新たな問題が発生した。手術、治療方針、会議。私の行動は周囲にすべて監視されていたようだ。自分が周囲に注意深く見られていることに気づくまでに時間がかかったのは、私が仕事に没頭し過ぎていたからだ。もし、批判されたり、言われたことをすべて私が受け止めていたりしていたら、私の計画していた脳神経外科の方向性はかなり変わったことだろう。ヘルシンキ大学トーロ病院のこのポストへの応募書類には、私が考える脳神経外科の発展計画が含まれていた。初めはヘルシンキ大学中央病院の中の小さな部門だったため、それは十分に実行することが可能だった。数年後、私たちの努力と苦労の甲斐があって、予算は大幅に増えて、大所帯になった。経営の批判はすべて部長に向けられるので、自分が責任を持って回答しなくてはいけない。部長というのは孤独なものだ。みんなを喜ばせることはできないし、みんなの言うことを聞いていたら、何もできない。何をやっても誰かに怒られる仕事だ。

私がオフィスに着くと、紹介状と添付された画像が私の机の上に置かれていた。私の秘書のトゥーラ・ヘランダーは、これをうまく扱ってくれた。紹介状と、当時としては膨大な数の画像が入った大きな茶封筒が、私の小さな机の隅に積み上げられていた。最初は1日に5件くらい、やがて10件くらいになった。朝早くにオフィスに着くと、それらを確認して、紹介元の医師たちに返事を書くことが習慣になった。これは朝早くから夜遅くまで、大変な仕事だった。やがて、朝4時に起床、朝の運動、コーヒー、新聞、そして病院のオフィスへ出勤、というリズムがだんだんでき上がってきた。5時か6時にはオフィスに着いて、朝の静かな時間に、すべての紹介状への返事を書き留める。1日でも休んだら、仕事が手につかなくなる。

私には、仕事が始まる前に、紹介状の返事をすべて書く時間があった。それは、朝の時間帯が最適だった。電話や他の邪魔が入らない。また、夕方になると、手術の後で疲れ切ってしまい、難しい症例を掘り下げたり、大きな封筒の中から最新の検査を探したりする気力がなくなってしまうからであった。そんなときは、夜、病院を出る前に紹介状をさっとめくってみることにしている。一晩寝ると、問題の答えが頭の中に浮かんでくる。朝、ゆっくり休んだ後なら、口述筆記がとてもうまくいくのだ。

当初は年間1500件ほどの他院からの紹介があったが、年々増加している。返事を書くこの作業は、ずっと続けていた。紹介した医師からお礼を言われることもあるが、そこまで多くはない。フィンランドの病院では、紹介先の医師に肯定的なフィードバックをすることはあまり多くはない。しかし、たとえ小さな感謝の言葉でも、私の心の支えになっている。

私たちは、緊急性の高い順番で手術を行った。1週間以内、1ヵ月以内、6ヵ月以内に分類した。約4割の患者が緊急にやらなくていけない手術だった。難易度の高い手術は、ヘルシンキ大学病院の伝統に沿って脳神経外科部長がやることになっていたので、私が担当した。しかし、バランスをとるために、私にはもっと簡単な手術も必要だった。極端に難しい手術ばかり担当すると、合併症の手術ばかりになる。その重圧に耐えられる人は、ほとんどいないだろう。私の担当以外の手術は、手術の経験に応じて他の専門医に分担させた。病棟すべての患者を安全に治療しなければならない。それが私の譲れないスタンスだった。

朝の回診を終えると、たいていは手術に臨んだ。平日は毎日手術するようにした。病棟では陰口を叩かれていたが、変化への抵抗のヤジには耳を貸す気はなかった。私は、何が起こっているのかを素直に受け止めていた。私は、病棟の実績を増やすための明確な計画を立て、それに従って行動し、手術リストをいかにうまく処理するかを考えていたのだ。野球にたとえて言うと、一番足が速い人を、一番打者に起用することが多いと思う。このヘルシンキ大学トーロ病院脳神経外科の一番速い医師は、私だ。自分ができる手術の数を緻密に計算し、それをこなしていく。いつも病院にいる私が、こんなに働いているのだから、私のライバルたちも大変だっただろう。

当初、午後5時、7時、9時に病院にいると、「いつまで、ここにいるんだ」と言われた。オンコール当番の医師や長時間の手術をする人を除けば、みんな午後3時に帰るのが当たり前だったのだ。私はいつもこう答えていた。

「私はここで働いている」

EUで導入された労働時間に関する法律に、私は従っていなかった。そのようにして18年間働いてきた。私は病院にいるすべての患者に手術を行ったと非難されたが、これは事実ではなかった。当初は脳神経外科全体の手術数が年間2000人で、そのうち、400〜500人程度を私が担当した。やがて全体の手術数が3000人を超えることになった。

最初の1年間は、近くから遠くから、いろいろな目で見られていた。手術室に見学に来る人はほとんどいなかったが、私がトラブルを起こすと、休憩室から数人の上級医が現れてきっちりと監視した。スクリーンに映し出される顕微鏡の映像を黙って見ているのは、私が助けを求めてくることを予期していたのだろう。でも、私は助けを求めなかった。顕微鏡手術は、最も重要な手術であり、1人で行うものだ。もし私が助けを求めたら、豊富な手術経験があるという私の脳神経外科部長としての唯一の権威が完全に失墜しただろう。

隣の病棟の整形外科医たちは、食堂で冗談を言い合っていた。

「教授を助けに行くのは誰の番だ?」

外科医の腕がよくないと、外科病棟を率いるのは難しい。なぜならば、一般的にスタッフの間で尊敬の念がなくなってしまうからだ。発表された論文の数、管理職としての経験の多寡では、誰も尊敬してくれない。

難しい手術をすると、合併症が起きる確率が高まる。最初の頃は、それに対して厳しい批判を受けた。重大な合併症があると、他のグループの人たちはすぐにさまざまな意見を言ってきた。自分の足で歩いていた患者が、術後は車椅子に乗せられて退院する。しかし、もしこのような私の失敗をすべて記憶から消すことができたなら、私の知識や知恵も同時に消える。手術がうまくいっているときは、チームは拡大する。しかし、問題が起きると、そのチームは縮小する。脳神経外科医は1人で苦しみ、残酷な批判や噂話の的になる。しかし、ここヘルシンキ大学トーロ病院では、私の脳神経外科医としての腕前がだんだんと認められ、ネガティブな噂話は聞かれなくなった。

すべて順調にうまくいっていた。私の最初の患者の1人は有名な政治家の配偶者であった。彼女は嗅神経付近に巨大な髄膜腫という良性腫瘍を患っていた。術後、彼女はすぐに回復した。他にも有力者やその家族など、多くの患者を抱えることができ、強固なネットワークを構築し、やがて訪れる厳しい時代を乗り越えていった。

古参の脳神経外科医たちは、必ずしもこの変化に適応していなかった。「こんなやり方は今までやったことがない」と、医師も看護師も口を揃えて言う。また、変わらない、変えたくないという人もいた。変えられないという人が多いときは、別の方法を探した。私より年上のスタッフは早期退職をしてもらったり、パートタイムに変えてもらったりした。私は、彼らベテランの豊富な臨床経験やその他の能力を若いスタッフにシフトしていったのである。

私が目指したのは、サブスペシャリティの強化と追加であった。サブスペシャルティとは、各診療科の下に連なる細かな専門分野を指す。脳血管と小児脳神経外科のオンコール当番スタッフを結成した。私が赴任した当時、脳神経外科はヘルシンキ大学トーロ病院で最も小さな部門だったが、早く拡大しようと思っていた。レジデント時代も、部長として戻ってきた今も、「全員がやれるべきことをすべてやる」というのがルールだった。患者の運命は、たまたま担当した医師やベッドで決まる。しかし、患者のためを思えば、そういうことがあってはならない。私が導入した脳血管バイパス術は、リーナ・キヴィペルトとマーティン・レヘカが引き継いだ。彼らはその後、私よりも熟練した技術を持つようになっていった。

就任当初、放射線会議と毎朝のICU回診に参加した。基本的な考え方の変化から、徐々に変わっていくのだろうと思っていた。私は、高齢者や不健康な患者、難しい腫瘍や脳動脈瘤の治療にも力を入れるという、新しい治療方針を繰り返し説明した。患者を速やかに入院させる必要があり、電話1本で済むようにした。患者を追い出すのではなく、できる限り助けようとするのである。私は、患者が治療されずに帰されたという話を聞くと、必ずその医師やスタッフに説明を求めた。患者を断ったスタッフに電話をかけさせ、治療することを勧めることもあった。

私への風当たりは強く、激しい意見をもらうこともあったが、私は曲げなかった。そして、数ヵ月の間に、クオピオでの治療方針のほとんどをヘルシンキ大学トーロ病院へ実践的に導入することができたのである。私はいつも夜遅くまでそこにいたが、そこにはオンコール当番のレジデントだけがいて、オンコール当番の脳神経外科医は帰宅するのが普通だった。それは昔からのやり方で、私はそのシステムを変えることができなかったのだ。

※左記の未収録原稿はWEBサイトでご覧いただけます（13ページ参照）
「1999年　つらい日々」「オンコール当番ポルリシーの変更について」「手術リストと緊急治療」

解雇の危機

私がヘルシンキ大学トーロ病院の脳神経外科部長として着任したとき、ベテランの脳神経外科の看護師長は私にこう尋ねた。

「ユハ、あなたはこの状況を変えられると思っているの？」

私はその質問の意図を理解しておらず、気にもしていなかった。それは励ましの言葉でもなければ、協力してやっていこうという言葉でもない。私は彼女に何も返事を返さなかった。朝のコーヒーミーティングは、病棟の運営を考えるものだったが、私は一度も行かなかった。それは私の計画に反対するミーティングだったのだ。それ以来、私は看護師長を極力避けるようになった。私には、病棟を変えたいという思いがあった。

私は、実力と経験で選ばれ、そして脳神経外科の病棟運営のプランも応募時に承認されているのだ。

しかしその当時は、救急患者の受け入れや手術件数の増加に関して、経営陣のコミットメントが得られているとはいいがたい計画だったと思う。私は、治療が必要な患者ばかりを見ていて、費用の増大など考えもしなかった。正直なところ、これほど多くの患者を放置していたことが理解できなかった。カステ病棟長と私は、運営陣と激論を交わした。

「街で苦しんでいる人を見殺しにしろというのか？」

答えはなかった。

重症の脳梗塞や高齢者、難易度の高い脳出血が多く、これは大きな支出となった。部長1年目には、手術件数が年間500～600件増えた。これは大変なことだった。予算が吹き飛んでしまったのだ。お金の問題は正直どうでもよいように感じられ、単に患者さんの命や自立できるように手助けするチャンスだと思っていたのだ。予算は私が考えたのではないのだ。

内部監査と外部監査を実施されたとき、私は金銭的な不正を疑われた。私はお金を管理できたわけではなく、単に多くの患者を治療していただけだった。ヘルシンキ大学トーロ病院の役員会で、私をクビにしようという話が持ち上がった。私は、何が起こっているのかわからないまま、素直にその会議に参加した。

会議では、議長のリトヴァ・ラウリラが私のことをただの博士と呼んだ。誰かが、私は脳神経外科部長だと指摘した。しかし、そんなことはお構いなしに、彼女は厳しい口調で、私の犯罪行為について説明するよう求めた。事態の深刻さを理解していなかったので、私は緊張しなかった。自分が悪いことをしたとは思っていなかったからだ。

私は病棟の業務を説明するために6人の手術症例を準備した。この1年間、これまでとは違って、私たちが治療し、成果を上げてきた症例だった。神経病理学のマッティ・ハルティア教授は、カステ病棟長に促されてか、私が優秀で積極的に仕事をしていたので、支持されるべきだと短く話した。若い社会民主主義者のトゥーラ・ハータイネンも私を支持してくれた。

「病院はこうあるべきだ」

15分で終わるはずの私の解雇会議は、次第に私の活動に対する1時間の賛美へと変わってしまった。

私は試練を乗り越えた。病棟に戻ると、看護師長がその知らせを待っていた。看護師長は、私をクビにしようとした計画が崩れ、がっかりしていた様子だった。私は、もう少しで自分のキャリアが終わるというところまで来ていたことに、後になって気がついた。もしクビになっていたら、どうなっていただろう。この狭いフィンランドでは、仕事がない。海外に移住するしかなかっただろう。

ムービングオン

会議の後、患者さんの治療と病棟の改装の両方に資金が回るようになった。私はカステ病棟長やCFOと一緒に、神経病棟、ひいては脳神経外科の年間予算立案に参加することができた。病棟の財政に影響を与えるチャンスでもあった。内部監査、外部監査が病棟に次々にやってきた。私は、監査役の話す言葉が理解できなかった。

この病棟の財政を改善する試行錯誤から予算と手術件数を常にチェックし、財務管理も少し勉強した。私がヘルシンキ大学トーロ病院に来てから明らかに増えた、診療圏外の患者を治療した際の収入も大切にした。この収入は常に監視されており、私のキャリアを継続させるための安全性を高めていた。また、予算を使わないでいると、翌年はお金が減るということも知った。毎年ほんの少しずつ手術患者を増やした。前年より100人ほど、週に2人くらいの増加だった。

1970年代のレジデント時代、資源不足を理由に手術を制限することは、病棟を萎縮させるという意味で、望ましくない選択肢だと考えていた。クオピオの病棟は、ヴァパラハティのビジョンと努力によって築き上げられたもので、それは私のエネルギーと削った睡眠で実行されたものだった。私はへルシンキ大学トーロ病院で同じことを精一杯やろうと思っていた。

病棟を拡大していくには、自分1人の力ではどうにもならない。大きな取り組みには、多くの努力とサポートが必要だ。後に、私の後任の脳神経外科部長になったミカ・ニエメと現在の看護師長のリトヴァ・サルメンペラは、私の最大の支援者だった。初期の頃は、神経病棟長のカステ教授が私と深く関わってくれて、私はよくパニックになって彼に電話をしていた。カステ教授は、どんなことでも助けてくれた。また、事務局長のマルッティ・ケコマキは、リソースを得るために私を助け、支援してくれた。ヘルシンキ大学トーロ病院の脳神経外科の運営に不安を感じていた私は、彼の自宅を訪ね、病院の発展について相談したこともある。彼は私がどうやってこの病院を拡大していくのか熱心に聞いてくれた。話すうちにだんだんその方法が見えてきて、私は、この仕事に対する熱意と情熱を取り戻した。

2001年　エストニアの女の子

フィンランド湾を挟んで南に位置するエストニアは、脳神経外科に関しては、フィンランドよりも長い教育の歴史を持っている。1632年に設立されたタルトゥ大学や、世界初の脳神経外科教授だったルードヴィヒ・プーセップがサンクトペテルブルクから移住して設立した、その当時最先端の脳神経科学研究所があるのもタルトゥの特徴だ。

あるNGOから、エストニアの8歳の女の子、ケルツが重病だと連絡があった。送られてきたCTとMRIには、脳幹（脳の深部にあり、大脳や小脳と脊髄を連絡し幹のような形をしている。生命維持や意識の覚醒などさまざまな働きを担っている）の内部に巨大な丸い病変が描出されていた。海綿状血管腫という、異常な血管がとぐろを巻いたような塊となっている血管奇形である。この海綿状血管腫は破裂することもあり、脳幹部で破裂すると、しばしば重篤な症状を引き起こすことがあるのだ。ヘルシンキ大学トーロ病院への転院は決まったが、当初は放射線治療が予定されていた。長い交渉の末、私たちはケルツを脳神経外科に入院させることができた。私は画像を見て、右側頭葉の下からアプローチして脳幹を開き、病変部を摘出して治療できると確信していた。

ケルツの両親は、田舎の村からフェリーで彼女を連れてきてくれた。私はてっきり、もっと元気な子だと思っていた。実際は、体重は15キロあるかないかで、まるで強制収容所から来たかのように痩せていた。手足は曲がり、関節は硬く、水分や食事は経鼻胃管から長い間とっていたらしい。血管造影はできない。体力のない患者だからだ。

血液を採取した後、麻酔科医に診察を依頼した。彼女は、麻酔をかけることを真っ向から否定した。私は「手術こそがよい変化をもたらす可能性がある。この子をこの状態から救うには、私の計画していた手術しかない」と話した。その日の夜に他の麻酔科医とも相談したのだろう、彼女は「やります」と言った。

翌朝、私は再びケルツの様子を見に行き、手術のリスクと目的について、もう一度彼女の両親と話し合った。元気な女子学生だったケルツは、病気の間、何もできない寝たきりの患者になっていた。手術室では、「こんな患者を手術していいのか」と、スタッフ全員が慄然としていた。私はそれを聞き流した。麻酔をし、左向きに体勢に変えた。

ケルツの頭は杉田クリップの生みの親である日本の脳神経外科医、杉田虔一郎が作った杉田式ヘッドフレームに固定されていた。私は、ケルツの背中の腰椎の間に針を刺し、出てきた透明な髄液をチューブで小瓶に排出した。側頭葉の下から手術するときは、あまり強く押し過ぎると、側頭葉を大きく傷つけてしまうので注意する必要がある。これを防ぐためにあらかじめ髄液を適度に排出するのだ。右のこめかみにある金髪の髪を剃り、消毒し、耳の上前方を取り囲むように小さな馬蹄形の切開の印を描いた。顕微鏡を用いて、慎重にバイポーラ鉗子と吸引管を使いつつ、側頭葉を持ち上げながら、脳幹の近くまで進入した。このスペースに脳ベラ（脳を牽引し固定させる器具）を挿入して側頭葉を固定させる。本来はとても狭く深いスペースだが、顕微鏡を高倍率にして観察すると、腰椎の間から髄液があらかじめ排出されていたため、手術操作に十分な余裕があることがわかった。

第三脳神経があり、すぐ近くに後大脳動脈が走行している。これらが脳幹の位置を同定する目印になる。その下にふっくらと脳幹の一部が膨らんでいることとわかった。脳幹には重要な神経が密集しているため、無闇に傷つけることはできない。この膨らんでいる部分を鋭利な鉗子で切り込んでいく。2〜3ミリ進むと黒い血が噴き出した。病変部は血腫が大半だった。海綿状血管腫と思われる小さな病変部を摘出した。これらの操作の後、脳幹は明らかに退縮した。切開した部分を生理食塩水で満たし、顕微鏡操作を終えた。骨を戻し、閉創した。手術中も血圧は安定し、心配していた不整脈も出なかった。

ケルツはICUに移され、そこでゆっくりと麻酔から覚まされた。翌日には意識が戻り、人工呼吸器のチューブも外れた。手術後のケルツの状態がよくなったように思えたが、他の人はそう思わなかったようだ。2日間のICUでの入院後、ケルツは入院病棟に移され、輸液と、硬直した手足へのリハビリが開始された。そして、10日ほどで母国エストニアに帰り、さらに治療を続けることになった。

手足が動くようになった、経鼻胃管が外れた、といった嬉しい知らせがNGOから届いた。彼女は、食事もできるようになった。長旅で大変になること、両親の資金不足もあり、私たちは訪問治療の予定を立てなかった。

1年後、髪の長い美しい女学生の写真が、私に計り知れない喜びを与えてくれた。エストニアの新聞「ポスティメス（Postimees）」がケルツを取材したのだ。この手術はフィンランドの新聞でも大きく取り上げられ、NGOはさらなる資金獲得を目指してマスコミにこの話を持っていった。私の父も、このケルッのことを聞き、夏休みに彼女のことを聞きに来た。この手術の一件は、私の自尊心を少しばかり刺激し、そしてエストニアからの患者を増やすことができた。

その後、ケルッは順調に回復して大学に通い、やがて教師となり、母親となったそうだ。

管理運営

私は、経営者としての訓練や管理の経験はほとんどなかった。ヴァパラハティの休暇中や彼がオウルにいた1年間に、彼のバックアップとして働いていただけだった。

私のリーダーシップのお手本は、父、コンラッド・アッカート、そしてC・G・ドレイクだ。私の教科書は、リンナの『無名戦士』であり、黒澤明の『七人の侍』だった。コスケラやロッカ、島田勘兵衛からリーダーとは何かを学んだ。そして主に直感で進めた。

私は昔から、そして今も、なるべく会議を避けている。会議の出席は週に1回と決めていた。会議をしても、実際のやり方は変わらない。決定や方針は描けても、それを実行に移せるかどうかは別問題だ。私の考えでは、リーダーの役割は命令を出すことではなく、やり方を示すことだった。現場にいて、チームと一緒に塹壕に入り、前衛であれ後衛であれ、常に一緒にいることだ。会議室にいてはダメだ。

時代が変わってきていることは十分理解していた。もう、徹底的な管理者教育なしに、まったく素人の私がリーダー格になることはないと思う。私の後任となる優秀な脳神経外科医ミカ・ニエメは、明らかに他のスタッフより抜きん出ていた。手術の腕はもちろんのこと、数値にも強く、私の仕事を引き継いでくれることは明らかだった。彼は、2年間の厳しい管理職訓練を受けた。

私が着任した1997年当時、私は、脳神経外科の拡大を提唱していたカステ病棟長が率いる神経病棟に所属していた。カステ教授は、脳神経外科医のトロップ教授の指導のもとで学位論文を書いており、他の多くの神経内科医よりも脳神経外科医の気質が強かったのである。私は、あらゆる問題で彼から確固たる支持を受け、ヘルシンキ大学トーロ病院で物事を成し遂げる方法を学んだ。

私は重要な会議を見極めようとした。病棟の利益という観点から大事な会議には参加し、それ以外の会議には決して参加しなかった。何か特別なマネジメントスタイルを持っていたかどうかは、私にはわからない。いずれにせよ、『無名戦士』のコスケラ式、ロッカ式のやり方は結果を出した。私は、常にチームの一員であったし、いつも彼らを意識していた。

リノベーションとリソース

病棟は当初から大規模な改修が必要だった。アルヴォ・リランダー院長の支援もあり、脳神経外科を大規模な改修の重点分野とすることに決まった。それがしばらくの間続いたが、やがてその改修は止まった。患者数の急激な増加を管理部が受け入れなかったのだ。

それでもなんとかＩＣＵの改修に着手することができ、その結果、ＩＣＵは18床と倍増することができた。整形外科との激しい闘争の末、私たちは整形外科病棟の1つを徐々に使えるようになり、その後この病棟は脳神経外科とＩＣＵの一部になった。整形外科医たちは、最後まで私たちとやり合った。彼らの骨腫瘍のオフィスは別の場所に確保されたにもかかわらず、彼らはオフィスを退こうとしなかった。

後に事務長となるマルッティ・ケコマキ教授は、何度も脳神経外科を訪れ、その状況を観察していた。経験豊富な彼は、私たちが非常に限られた資源で仕事をしていたことを理解していた。しかし、多くの患者を救うために、もっと頼み続けることが大切だった。粘り強く要求し続ける必要があった。カステ教授は、私たちがさらなるリソースを求める際に、素晴らしいサポートをしてくれた。彼がレコードをかけると、つまり彼が話し始めると、管理者たちは屈服した。彼は話し続けた。1平方メートルの面積をめぐる争いは、熾烈だった。せっかく手に入れたものを失わないために、病棟から離れることはできない。2～3週間の夏休みは取れても、何週間、何ヵ月も続くような海外研修のために休みを取ることはできなかった。

外科病棟の改修にこぎつけるまでに7年かかった。定期的に行う手術用に、もう1つ手術室を確保する必要があったのだ。最終的には、裁量権と資金を獲得し、仮設の病棟も手配することができた。改修期間中の仮病棟の確保は、まるで格闘技のように熾烈を極めた。

私の希望はただ1つ、1番の手術室の奥の壁をダークブルーに塗ってもらうことだった。他のスタッフや建築設計士たちの質の高い仕事を邪魔する気はまったくなかった。

ライブ手術コース（手術の様子をライブで他の脳神経外科医に供覧する。脳神経外科医に対する教育的なもの。ヘルシンキ大学トーロ病院ではヘルネスニエミが２００１年から開催し、その後世界的に有名なコースになっていった）では、脳神経外科医のアンティ・ポーラネンがＡＶ機器をうまく調整してくれた。

ＡＶ機器をアップグレードしていく中で、顕微鏡の映像が手術ロビーに送信されるようになった。ＡＶ機器のケーブルは床の縁を這わせる必要があった。また、大勢の来客用にソファーとスツールを用意した。ロッカールームが狭かったので、改装時に一番奥のスペースを確保し、そこに大きなロッカールームを作った。

アップグレードされた手術室は、日々の手術の見学や、増え続ける見学者のトレーニングに適するように設計されていた。各手術室で何が起こっているのかを、手術ロビーのスクリーンやモニターから見ることができた。

※左記の未収録原稿はＷＥＢサイトでご覧いただけます（13ページ参照）
「大学教授」「エキスパートアセスメント」

彼らはここで何をしていたのか？

外国からの手術見学者も増え始め、有名な脳神経外科医も多くヘルシンキ大学トーロ病院に招待された。ほとんどの脳神経外科医が自発的に我々の手術室に来たのだ。

ヤサーギル教授の後継者の米川泰弘をヘルシンキ大学トーロ病院に招き、講演してもらった。その後、彼は手術の見学をしていった。いつものことだが、彼は言葉数が少なかった。数日後、私は彼から長いメールを受け取った。そこには、〝より年輩の脳神経外科医として〟私の手術法について多くの改善すべき点が書かれており、そのうちいくつかを取り入れた。米川はチューリッヒで学会を開き、私も招待された。2006年、イタリアがワールドカップで優勝したとき、妻のリールとチューリッヒを訪れた。2008年、私は米川に引退後の予定を尋ねた。彼は、日本かスイスのどちらかで時計を集めると言っていた。2017年、米川泰弘は77歳で死去した。

私は常にメールをチェックし、ヘルシンキ大学トーロ病院の脳神経外科病棟の訪問を希望するほとんどの人をなるべく早く迎え入れることにした。チューリッヒでのやり方を倣っていた。私は、留学で多くのことを学びそして今があると思っていたので、その恩返しをしたいと思っていた。私たちの病棟は、海外の有名な病棟とは比べものにならないくらい小さい。しかし、来訪者は当院の建物を見に来たのではなく、私たちのチームワーク、実際の手術の仕方を学びに来ているのである。

論文や学会発表、インターネットの普及で、次第にこの小さな病棟への関心が高まり、特にライブ手術コースの評判は瞬く間に広がった。その数は年々増え、世界各地から集まってくるようになった。私たちの親身な対応と、問題になりがちな言葉に対する私たちの理解によって、来院者の不安を解消することができた。また、ここヘルシンキ大学トーロ病院では、フェロー（後述）とビジター（数週間以内の見学者）のグループがお互いに助け合いながら生活をしていた。このことは、すぐに世界中に知れ渡った。
18年間で、3000人以上の外国人が我々のもとへ訪れた。

もちろん、来訪者に対しても不満はあった。面倒くさいと思う人も多い。ときおり、「どのように来訪者を扱うのか」「どのように手術を行えばいいのか」という激しい論争が起こった。スタッフの中には訪問者の増加について賛成派もいれば、「彼らはヘルシンキ大学トーロ病院に何しに来たんだ」というスタッフもいた。来訪者は、ライブ手術コースの参加者とそれ以外の期間の滞在者で半々だった。100人弱がフェローで、彼らと一緒に研究をしたりした。1997年に年間4本だった論文数は、私の在任の終盤には年間100本近くにまで増えていった。私が部長を務めている間、脳神経外科病棟からは計1000本の論文が発表された。そのうち3分の1の論文は、フェローやビジターたち「外国人部隊」とともに携わったものである。

なぜ、これほどの変化をもたらすことができたのか。それは、努力の賜物である。施設長として権力と地位を得ていた私は、脳神経外科のために全身全霊を捧げてきた。私は来院者を、断固として守った。

フェローシップ（前編）

フェローとは、さらなる研鑽を求める脳神経外科医のことだ。フェローシップの期間は通常1年間で、その目的は、脳神経外科のある領域の専門知識、サブスペシャリティを身につけることである。フィンランドのような小さな国では、さらなるトレーニングを受けるために海外へ行くのが一般的だが、国内でももちろん可能だ。このような経験を積むことで、自国での就職活動や厳しい競争の中でのポジション獲得が容易になる。1年以上海外で過ごすということは、自分のコンフォートゾーンから一歩外に出るということであり、あらゆる意味で大きな経験を意

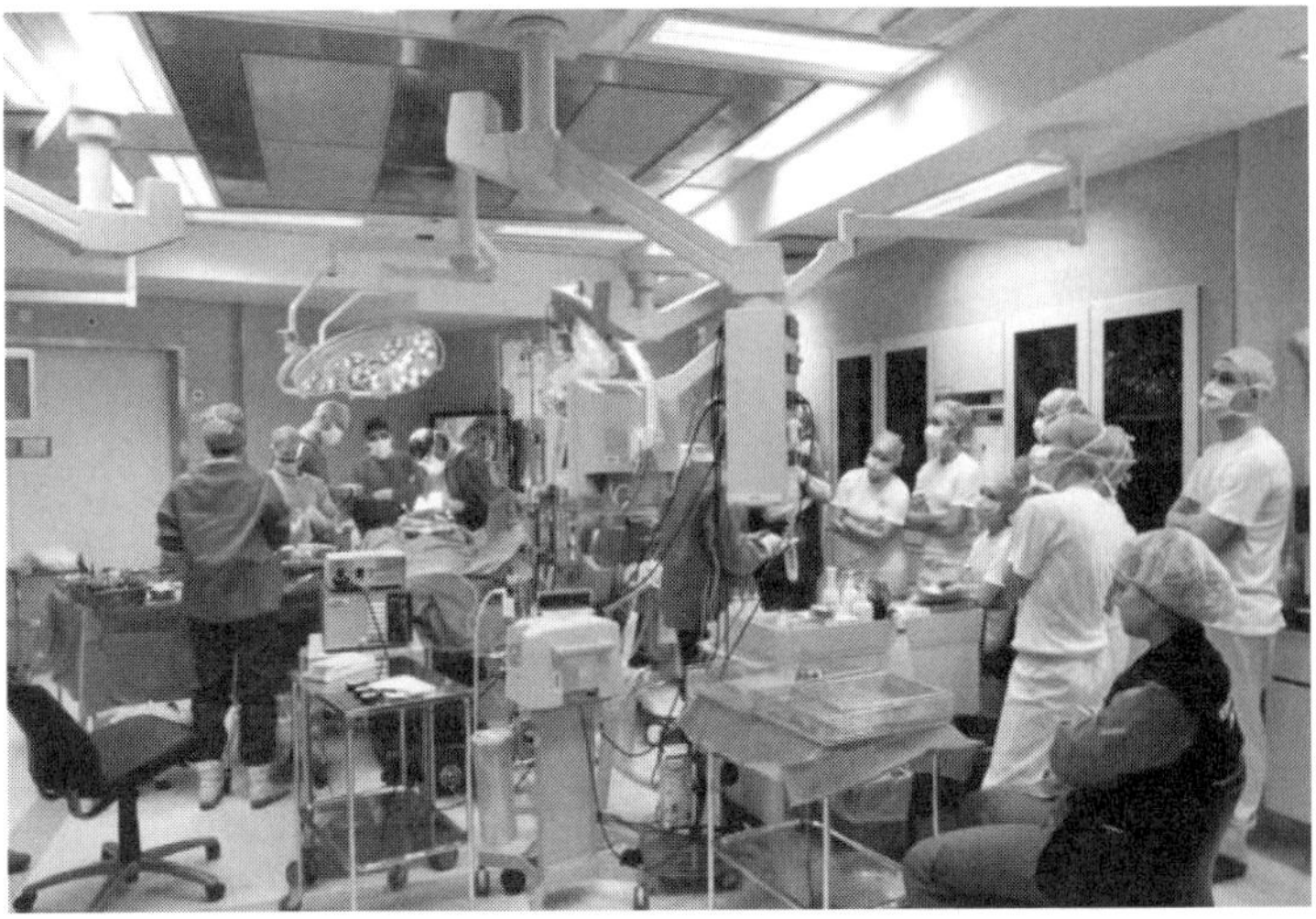

ヘルシンキ大学トーロ病院の手術室。1997年から2015年までに手術見学者は3000人を超えた

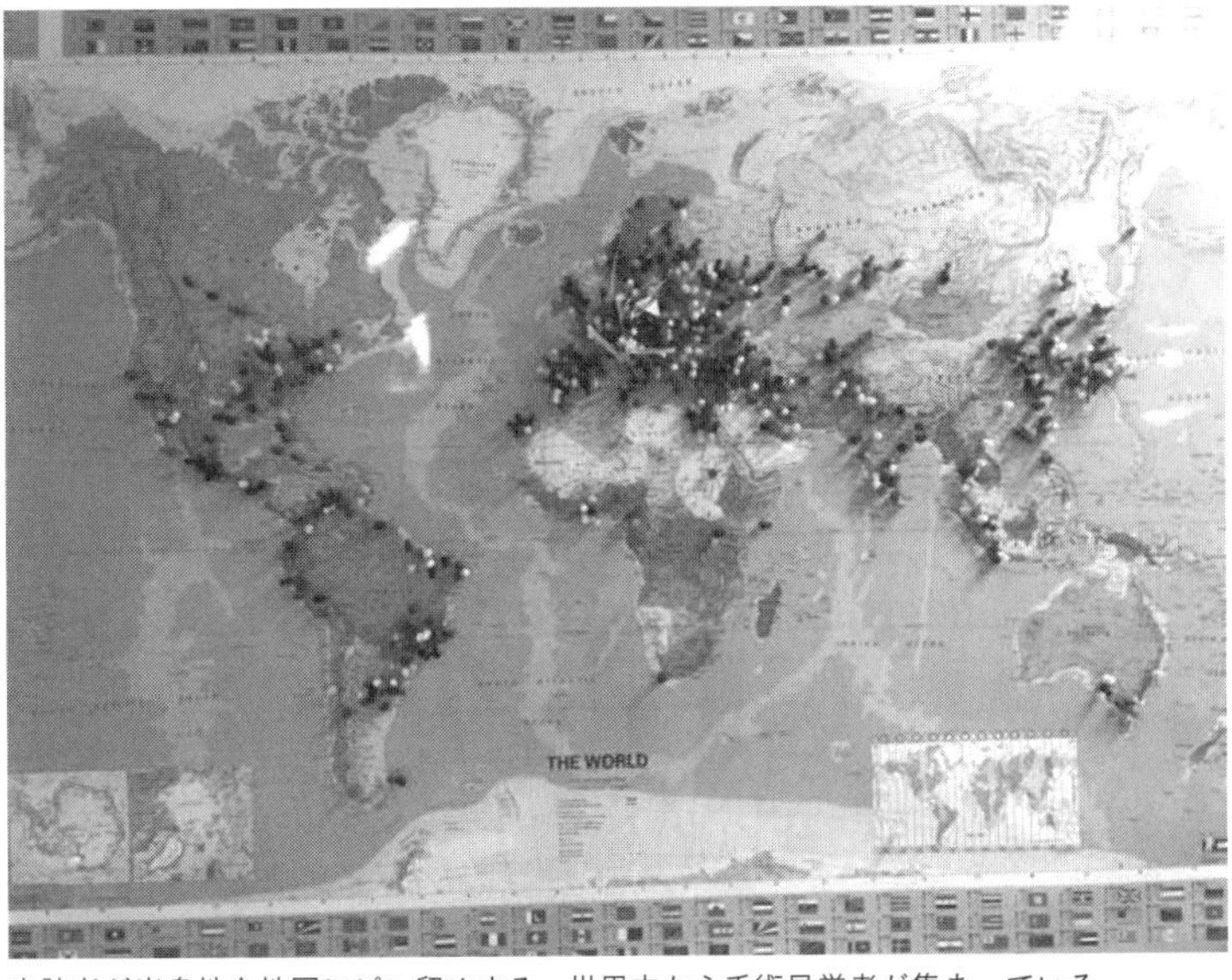

来訪者が出身地を地図にピン留めする。世界中から手術見学者が集まっている

味する。これを実行できる人はごくわずかだった。フェローシップの例としては、頭蓋底手術、脳動静脈奇形、脳腫瘍、脊椎手術、機能的脳神経外科、小児脳神経外科などがある。ヘルシンキ大学トーロ病院のフェローのほとんどは動脈瘤や脳動静脈奇形の治療や手術を見学しに来ていた。

この病棟には2つの助手のポストがあった。基本的には、このポストは空いているのが常であった。そのうちの1つを、フェローの経済的なサポートに使おうと思いついたのだ。私のこのような活動に対しては、不平不満はあったし、苦情も受けた。

この私のやり方は、エースクラップアカデミーやエーンルート財団から相当額の支援と資金提供が始まるまでの数年間続くことになった。裕福な国から来た人の中には、出身大学からの資金援助や自費で来る人もいたが、発展途上国から来た人には、可能な限りのサポートが必要であった。私は、長い間、来客用のクーポン券を使って、彼らの食事をサポートしていた。しかし、経費がかさむと、管理部の会計監査人の目にとまる。そこで私は、手術の手伝い、研究・論文執筆、病棟での仕事の対価として彼らに食費を支給するなど工夫をすることにした。

海外で学んだことをもとにフェローシップ制度を設計し、病棟の運営計画に盛り込んだ。病棟は研修センターとしても注目される必要があり、それを実現しようとしたのである。

1998年初め、私のもとに、奇妙な書かれ方をした宛名の茶色の封筒が届いた。差出人は、中国の脳神経外科医、フーシェンで、1年以上のフェローシップを希望していると書かれてあった。その封筒には、彼が自分の車と一緒に写っている写真も入っていた。当時、中国では自家用車は珍しかった。私は、フーシェンをヘルシンキ大学トーロ病院に招待する旨、手紙を返した。すると、彼はたどたどしい英語で「空港に迎えに来てくれ」と手紙を送ってきた。私は彼を迎えに行き、ホテルに連れて行った。なかなか大変だったが、手術室では理解し合うことができた。フーシェンは、中国北部の瀋陽で学位と専門医を取得したとのことだった。彼は若く経験豊富で、解剖学を理解していた。また、彼のやり方は中国流で、手術室でもぶっきらぼうな物言いだった。私は、それはむしろよいことだと思い、大目に見ることにした。数ヵ月後、私はフーシェンに術中のイラストを描くようにお願いした。彼はすぐに素晴らしい脳神経のイラストを描いてくれて、私たちはそれを多くの論文で使用した。

フーシェンと私は、これまで多くの手術を一緒に行ってきた。後頭蓋窩脳動静脈奇形の再手術の際、開頭するときに動脈を損傷してしまったことがある。出血がひどく、脳動静脈奇形をすぐに取り除かなければならなかった。バイパス手術を行う際、長い動脈グラフトが床に落ちた。私は手術室にいた他の人と同じように恐ろしくなったが、フーシェンは落ち着いていた。その動脈をメチルアルコールに漬けておくように、助手に頼んだ。メチルアルコールに浸けてから、再び縫合した。血管造影検査でもグラフトはふさがっておらず、また感染症が起きることもなく、やがて患者は快方に向かった。

フーシェンに続いて、大分から石井圭亮とその家族がやってきた。石井は、とても礼儀正しく、前向きで、誰とでも仲良くなれる人だった。病院の外に出てタバコを吸うこともあり、いつの間にか病院のスタッフとも顔見知りになっていた。フィンランド人がよく使う「ボイボイ（voi voi）」という言葉もすぐに覚えた。

1999年　ジュリア

ジュリアはもうすぐで5歳になる活発な女の子だった。私の手元にある写真では私の膝の上に大胆に座り、満面の笑みを浮かべている。彼女の皮膚にはカフェオレのような茶色の斑点があった。彼女は左目が見えなくなっており、その左目が少し飛び出ているように見えた。視力の低下はとても緩やかなもので、その場合は見逃しやすいのだ。

ＭＲＩの結果、左視神経に非常に大きな腫瘍があり、頭蓋骨と眼窩の中で成長していたことがわかった。右目の視力は正常だったが、腫瘍は視交叉（左右の視神経が合流し、再び左右に分かれていくX状の神経繊維の束）の左側から正中線を横切って右方向に、また脳の底部にある視床下部（視交叉のやや奥、上方に位置し、自律神経系や内分泌機能、情動などに深く関係する非常に重要な部位）に向かって上方に成長していた。腫瘍ははっきりとしていて、大きかった。私は、これを視神経の良性腫瘍、視神経膠腫だと推測した。

私は彼女の両親と話をした。ジュリアの左目の視力を回復させるのは難しいが、腫瘍を除去すれば右視神経への広がりは防げる。もちろん、腫瘍を除去すれば右の視神経も損傷する恐れがあり、その場合は全盲になる恐れもある。私たちはこの状況についてじっくり話し合った。その結果、できるだけ根治的な手術を行うが、右目の視力を維持するためにできる限りのことをするという結論に達した。

手術の朝、ジュリアは両親に見送られながら手術室に運ばれた。

左のこめかみの生え際の毛を少し剃り、その部分を消毒し切開のマーキングをつけた。器械出し看護師のトーベが手術用ドレープをかけ、私とフーシェンは手を洗いに向かった。失明は最悪の結果となる。私は不安だった。しかし、フーシェンはいつものように「問題ない」と言った。

この少女の頭蓋骨を開くのに問題はなかった。組織も骨も薄かった。顕微鏡を使って前頭葉の下、左視神経の近くまで進んだ。そこには巨大な腫瘍があり、顕微鏡で見るとＭＲＩよりもさらに大きく見えた。

左の視神経は拡張し、灰色を帯びていた。私は腫瘍の中に入り、灰色で柔らかかった腫瘍の一片を切り取り病理に回した。術中の病理診断で、それは予想通り視神経膠腫であることが確認された。右視神経はまったく正常に見え、腫瘍の縁との境界が比較的はっきりしていた。眼窩と視神経路を開き、眼窩内から腫瘍を摘出した。その後、視床下部、視交叉、右視神経付近から頭蓋内腫瘍の剥離を開始した。手術中にご両親に電話し、腫瘍を完全に切除すると右目の視力が危うくなることを報告した。話し合った末に、私たちは、患者の視力を維持するために、右側の腫瘍を少し残すことにした。私とフーシェンは手術が成功したことを確信した。

彼女はICUに搬送された。その後、ジュリアの視力を確認しようとICUに行った。彼女は明るい目で私を見て、右目が見えると言った。両親も私も感激した。

ジュリアはすぐに回復し、退院した。

手術から18ヵ月後、検査でジュリアの脳室が拡張していたことがわかった。これは内視鏡で第3脳室底部を穿刺することで治療された。MRIでは、視神経腫瘍の残骸が縮小していたことが確認された。

そのとき、ジュリアは当然ながら左目が見えないままで、右目も若干の視野欠損があった。手術をして順調に回復していたジュリアは学校で十字目《クロス・アイド》とあだ名をつけられ、からかわれて、転校を余儀なくされた。馬鹿にされ、醜いと言われ、いつも仲間外れにされた。やがてジュリアはそれに耐えられなくなり、14歳のときに自殺未遂を起こした。精神科の病院に入院し、その後、強力な抗うつ剤による治療が何年も続くことになった。

地獄のような学校生活を乗り越え、ジュリアは観光学を学ぶために大学に入学した。そこでジュリアはたくさんの友達を作ることができた。彼女は専門を変更し看護助手となるための訓練をした。現在、ジュリアは学位を取得したらしい。視覚障害者として働き、愛犬と、子供を作る予定のパートナーと一緒に暮らしているという。

2002年　シルヴィア

「ユハ、パドヴァに来てくれ、いい症例があるんだ！」

その電話は、イタリアの学会で知り合ったパレルモの脳神経外科医、ジャンカルロ・ペラからだった。

彼からさらに詳しい情報と画像がメールで送られてきた。パドヴァの脳神経外科部長だったレナート・シエンツァは、非常に腕のいい脳神経外科医で、絵も上手だ。私は、ペラとシエンツァの2人とも仲良くなって、ブレインハウスのイベントで一緒に手術をし、ヘルシンキ大学トーロ病院にも何度も来てもらい、ときには彼らが手術の患者さんを連れてくるようになった。また彼らはライブ手術コースやそれ以外でも訪ねてきてくれるようになった。

ペラが紹介してくれた患者は21歳の女性で、貧しいクロアチアの学生だった。直径5センチの巨大な椎骨脳動脈瘤、最も治療が難しいと言われている脳動脈瘤の1つだ。私たちは、イタリアのパドヴァへ手術の旅に出ることにした。チームは日本人フェローの石井啓介、器械渡し看護師のカイサ・クーモラ、そして私の3人で構成された。パドヴァにはよい手術室があり、設備も整っており、経験豊富なスタッフがサポートしてくれることになっていた。

パドヴァの病院に着き、手術を行った。まず、中大脳動脈と前交通動脈の未破裂脳動脈瘤の2例をウォームアップ代わりに手術した。これらの手術が成功した後、私たちは最も難しい手術の準備を整えた。

昼食後の午後、私たちは、患者に麻酔をかけ、横向きの体勢にして固定した。私は腰椎に長い針を刺した。その針にはチューブと小さなボトルがついていて、そこに50ミリリットルの透明な髄液がたっぷり排出されるようになっていた。これで手術部位に空間ができる。私は右耳の後ろの太い黒髪を少し剃った。手術部位を消毒し、長い切開線をマーキングし、局所麻酔を注射した。

耳の後ろから長い切開創を開き、筋肉を切開した。ドレイクとピアレスから学んだことをすべて思い出しながら、レトラクターを挿入した。

巨大で力強く脈打つ動脈瘤、長く並んだ脳神経、そして動脈瘤に押しつけられ変形した脳幹が見えた。動脈瘤からは逆側に飛び出ているもう1つ別の膨みもあった。動脈瘤の心臓側である左右椎骨動脈と末梢側である脳底動脈に金色の一時遮断クリップを挿入した。これらの血管からは細いが脳幹を栄養するとても重要な血管が枝分かれしており、さらに脳神経が何本もまとわりついている。これらすべてのものを傷つけないように細心の注意を払って一連の操作を行った。

重要な中枢への血液循環が遮断されているため、5分以内に処置を終えなければならなかった。私は脳幹を圧迫していた動脈瘤の周囲を手早く剥離していった。

時間が経つのが早く感じられたが、なんとかやり遂げた。いくつもクリップを使って、この巨大な動脈瘤を潰すことができた。しかしまだ安心はできない。

合計5分弱の間、脳幹などの循環が遮断されたことになる。また、神経が傷つき咽頭麻痺になると、唾液や飲んだ液体を気管に吸い込みやすくなり、治療が困難な肺炎になったり、死に至ることもある。術後の経過を見てみないとこうした心配はぬぐえない。石井は手際よく閉頭し、縫合していった。出血もない。

患者はICUに移された。シエンツァとペラと私は患者の様子を見に行った。

その夜、手術チームと大勢の友人たちが食事に出かけた。イタリアでは食事が本当においしい。イタリアでは、教会、サッカー、食事が優先される。私は患者の受け持ち医に、麻酔から覚めたら咽頭の状態を確認するよう指示を出した。気管切開が必要になるかもしれないと思ったからだ。

ホテルで1泊し、翌日は車でベネチアに行き、街を見て回り、食事をして、フランクフルト経由で帰国した。毎日、患者さんの状態についてメールでやりとりした。驚いたことに、咽頭には何の問題も起こらず、手足の麻痺もなかったようだった。患者はすぐに動けるようになったらしい。若くて体格のいい彼女は、軽快に回復した。家族もそばで励ましてくれていた。

数年後、イタリアのパドヴァで食事に行ったときのことだ。レストランでシェンツァとペラと食事をした。彼らから別室に行くように言われて行くと、背の高いスリムな女性が待っていた。彼女は私に微笑んでハグをしてくれた。あのときのクロアチア人の患者だった。彼女は、特に後遺症もなく、生き生きと勉強のことを話してくれた。その後、数年かけて、彼女は勉強を終え、英語の教師になったという。そして最近、結婚したとのことだ。

フェローシップ（後編）

私と同じように、石井啓介の上司の古林もドレイク博士のフェローだった。それがきっかけで石井がヘルシンキ大学トーロ病院でフェローをすることになった。

私は、ヘルシンキ大学トーロ病院での手術の様子をビデオに残した。ＶＨＳテープが大量にでき、保管場所に困るようになった。バンコクからフェローで来たクライスリー・チャントラは、そのすべてを観て、後日来訪する人のためにそれぞれのテープに1〜5の星の評価を残してくれた。その後、大容量のハードディスクを手に入れたことで、膨大な数のビデオを小さなスペースに保存することができた。私たちは、論文投稿用にビデオクリップを作り、それから数年後に「1001本のビデオ」コレクションを作り上げることができた。石井啓介は、フーシェンと一緒にこの論文を書いた。

※左記の未収録原稿はＷＥＢサイトでご覧いただけます（13ページ参照）
「レザとイスタンブール」

多くのフェロー

本当にたくさんのフェローが来てくれた。私は多くのことを教えたが、脳神経外科と世界の両方について、私自身がさらに多くを彼らとの日々の中で学んだ。何週間、何ヵ月もフェローと一緒に過ごし、患者の悩みや異国の地での困難な生活を共有することほど濃密な交流はないだろう。大きい病院になると、些細なことでも必ず議論や衝突が起こる。誰が助手をするか、誰が論文を書くか、あるいはお互いが気に入らないというような些細なことで言い争うこともあった。それでも、基本的に私たちは仲良くやっていた。私たちはルールを作り、それを守っていた。

ときには、本当に困ったフェローがいて、病院での仕事が難しくなることもあり、その人を長く引き受けたことを深く後悔することもあった。また、帰国させることもできなかった。何人かはフェローシップの期間を続けることができず、途中で辞めてしまう人もあった。私は、海外からのフェローを、黒澤映画の『七人の侍』にちなんで、ハングリー・サムライと呼んでいる。彼らは、食い扶持を稼ぐために一生懸命働き、注意深く観察して、貪欲に学んでいた。

2006年 ナタ

ナタは13歳のスポーツとピアノが好きな女の子だった。父と母と、おしゃべりが好きな妹と住んでいた。学校での生活は順調で問題はなかった。

ある日、ナタが学校で妙な気配を感じるようになった。彼女自身はそのときの状況をあまり正確に覚えていなかったらしい。彼女の学校の友達によると、ナタは机の上で固まって、長い間自分の世界に没頭していた。学校の先生は、1分くらいはその状態が続いていたと言っていた。彼女は、たびたび自分の世界に迷い込んでしまうことがあったらしいが、それが大きな出来事につながるようなことはなかった。

校医はナタを小児科医院に連れてきて、詳しい検査をさせた。脳波検査では、左前頭葉から側頭葉のあたりに異常があることがわかった。MRIでは、中大脳動脈付近に鶏卵大の脳動脈瘤が発見された。これが原因でてんかんが起きていたのだ。動脈瘤の大部分は血栓化していた。動脈瘤内に多く血栓を認めたが、少なくとも画像上ではクリックを挿入する動脈瘤の頚部にはそれらはないようであった。

ナタの画像を確認し、動脈瘤の手術は早ければ早いほどいいことがわかった。ほどなくして、ナタが家族とともに病棟にやってきた。てんかんの薬を飲み始めてから、状態は良好になったらしい。私は画像を見せながら、ナタと家族に状況を説明し、手術を勧めた。一緒に手術室も見に行って同意を得た。動脈瘤の頚部をクリップで完全にふさがなければいけなかった。そうしないと、動脈瘤はどんどん大きくなり、脳を圧迫して破裂してしまうだろう。

手術当日の朝、ナタは勇気を振り絞って手術室に入ってきた。大勢のフェローや見学者とともに、もう一度CTスキャンの画像を見た。私たちはあまり話をしなかった。私は、クリップする際に、頚部にきちんと挟み込める部分があるのだろうかと心配だった。手術室は静寂だった。ガウンと手袋をつけて、マーキングに従って切開する。すべてが順調に進んでいった。

大きめの丈夫なクリップ3個が準備された。

さっそく、動脈瘤の出入り口の血管を一時遮断クリップで閉鎖し、動脈瘤の頚部から離れた動脈瘤の先端へメスを入れた。

もう後戻りはできないし、後悔しても遅い。動脈瘤を摘出する制限時間はわずか5分もない。メスの穴から濃い血腫と黄色っぽい液体が流れ出た。

動脈瘤の頚部に強力なクリップを3つ挿入した。

クリップはうまくいった。動脈瘤の中には何もない。しばらく待っていたが、クリップした部分から出血はない。すぐにナタのご両親に電話をかけた。

「手術は技術的にはうまくいきました」

しかし、この時点では、まだ不安は残っていた。歓声を上げる医師もいるかもしれないが、状況はまだ予断を許さない。まだナタがどうなっているのかわからない。術後のCTスキャンにも異常はなかった。私は再び患者のご両親と直接会って話をした。ナタは数日ICUで経過を見ることになった。予想通り、ナタは順調に回復していった。合併症のリスクは、日を追うごとに減っていく。

1週間後、ナタは起き上がった。そして、まるで何事もなかったかのように活発に動き回るようになった。目の腫れは消えていた。切開部分もきれいに治り、抜糸も行われた。ナタと家族は喜び、同時に少し不安げな表情で、家へ帰っていった。

後日、手術チーム全員がナタの家族の家に招待された。私たちは嬉しかったが、少し複雑な気持ちだった。一般に完全に回復するには長い時間がかかる。その間、感染症が発生するかもしれないし、いろいろな後遺症が出るかもしれない。数時間の滞在の間に、ナタの妹にもいろいろな話ができたと思う。ナタは、しばらくしたらてんかんの薬を飲まなくてもよくなるだろう。そして画像では動脈瘤の縮小、萎縮を確認することができるだろうと思った。

退院後、ナタは学校でよく勉強した。高校を卒業し、大学で化学の勉強をした。現在、彼女はフィンランド北部にある大学に就職し、夫と1匹の犬とともに暮らしている。彼女は、燃え尽き症候群も経験し、克服した。手術後20年間、MRIはきれいなままで、てんかんの薬も必要なくなった。

ときおり、彼女からメールが届く。若い人への手術は、手術の成功のときの思い出よりも強く印象に残ることがある。手術の成功例は、たいてい印象に残らないままあっという間に終わってしまうことが多いのだが、ナタの場合はそうではなかった。手術を行った患者からよいフィードバックをいただくことで、私のせいで後遺症になり、亡くなってしまった人たちのことを一瞬でも忘れることができ、また前に進もうという気力が湧いてくるのだ。

2020年5月　ナタからの手紙

2006年、私は13歳で、中学生になったばかりでした。手術はある秋の木曜日に予定されていました。MRIを撮ってから手術まで1日ほどあったのですが、あまり何も考えていなかったように記憶しています。手術が怖かったのかもしれないし、早く終わって学校に戻りたいという気持ちが強かったのかもしれません。ただ、救急手術室の廊下に座って、先生や他のチームの人たちを待っていたのをはっきりと覚えています。母と父がその手術のことを恐れていたことがわかっていたので、私は両親を慰める勇敢な少女になろうと思っていました。手術を受ける前に、母にこう言ったのを覚えています。「大丈夫、まだ死なないよ」と。

集中治療室で目が覚めたとき、「まだ指は動くし、体調もいいから、（その年の冬に開催された）ピアノコンクールに出られる」と思いました。手術前は病院や先生が怖かった。だけど、入院病棟にいると、そこまで怖くないんだということがわかりました。むしろ本当に親切で思いやりのある人たちが、いつも私の周りにいるんだと思いました。

入院していたとき、私の心は、幸せで自由な気分でした。自宅に帰ってから、事態の深刻さと何が起こったのかを実感したことを覚えています。家族や友人たちが心配する姿を見て、そう感じたのかもしれません。その後、家族で何度も話し合い、気持ちの整理をつけ、何が起こったのかをよく話し合いました。

病院のチーム全員がマンカの家に遊びに来てくれて、私のピアノを聞いてくれたときは本当に嬉しかったです。「本当に健康で、すべてが順調にいっていることを見せるんだ」と思いました。病院の食堂でアイスクリームを食べたり、レッドブルを飲んだりしたときも幸せなひとときでした。

手術をしなかったら、きっと悪い結果になっていたでしょう。今はすべてに感謝の気持ちでいっぱいです。弱ったときには、毎日に感謝し、精一杯生きることを自分に言い聞かせるようにしています。鷹は低く飛ぶことができますが、鶏は高く飛べませんものね。

以上、月曜日の夜に思いつくままに書いてみました。ここから何か材料が得られるといいのですが。手術時に感じたことや私の体の状況について、もし必要であれば、書けることはもっとありますよ。大きな岩が体を圧迫していたような感覚は、手術後もずっと続いていました。私は手術の前はそれほど恐怖を感じていませんでした。むしろ、手続きだったり、痛み、針のことを考えることだったり、手術という言葉が持つイメージに恐怖を感じていたのだと思います。後から振り返ってみて、初めて事態の重大さを理解したのです。

ありがとうございました。

※左記の未収録原稿はＷＥＢサイトでご覧いただけます（13ページ参照）
「臨床研究」「医学生への教育」

限界への挑戦

脳神経外科医として成長するにつれ、私は常に自分の限界を求めるようになり、不可能を可能にしようと試みるようになってきた。成功する可能性が少しでもあるなら、挑戦する。周囲から非難されることもあったが、キャラバンが進めば犬は吠える。私が批判を受けるのが得意なのは、成功したことが多いからだ。

クオピオでは、肺水腫がひどく、今まさに死の淵に立っている患者の動脈瘤を手術したこともある。頭蓋骨を開くと、患者の心拍が強くなった。手術の後、冷たく青ざめていた患者さんは回復した。しかし、この患者は今までのフィンランドのやり方ならどのように対処されていただろうと思った。このまま手術をしなかったら死んでしまうのは確実だった。死んでしまってはどうにもならないので、私は一歩踏み出した。患者さんはその結果、回復した。同じようなことが、他の患者にも起こった。

当時は、病気の種類や患者の年齢や状態によって、治療の限界があった。動脈瘤や脳動静脈奇形、腫瘍など、一見不可能に見えるものでも、経験と顕微鏡手術の技術で治療が可能になることもある。新しいことを考え、挑戦することは私の得意とするところであり、それはいつも成功するわけではなく、失敗することもある。しかし、手術のやり方やその都度の結果をきちんと分析することで改善されれば、その後の成功率を高めることができた。

※左記の未収録原稿はWEBサイトでご覧いただけます（13ページ参照）
「2004年　津波」

2001年～2015年
全世界が知っている

2001年6月、スカンジナビア脳神経外科学会の年次大会がトルコで開催された。

ヤサーギル教授がヘルシンキ大学トーロ病院で手術をすると言うと、20人ほどの学会参加者がついてきた。初日はヤサーギル教授は2時間近い講演をした。ヘルシンキ大学トーロ病院の講義室は満員で、報道陣も来ていた。彼らは、ヘルシンキの静けさを楽しんでいたようだ。

私たちの病院には、緊急の治療を必要とする患者が絶え間なくやってきた。私たちは、たくさんの患者の中からヤサーギル教授が手術をする患者を選んだ。初日は私が手術をした。最初の患者は若い女性で、内頚動脈の動脈瘤があった。手術前、教授は「君の影のようになって静かにしている」と言った。ところが、手術が始まると、すぐに右だ、左だ、と私にアドバイスをしてきた。彼は、自分を制御できていないかのようだった。しかし、私はそれを気にすることなく、ただ黙々と作業を続けた。この動脈瘤を私は難なくクリップすることができた。世界一を前にして、自分の得意とする種目で成功したのだか

手術前に指導するヤサーギル教授。ヘルシンキ、2003年

ら、かなり気分がよかった。私は、あなたからすべてを学んだとヤサーギル教授に言った。

2人目の患者は、少し年配の女性で、脳底動脈先端部の動脈瘤が破裂していた。動脈瘤の中でも、この部位は治療が最も困難だ。私はオンタリオ州ロンドンとマイアミで、脳底動脈瘤の治療について多くを学んできた。クオピオではこれらの動脈瘤の手術を行い、私は10年前にこの動脈瘤に関する論文を発表していた。私は自分が何をするべきかわかっていたし、成功することに何の疑いも持っていなかった。結局、彼女は私の患者であり、この手術はショーではない。患者の命がかかっているのだ。

教授からは、いつまで経っても終わらないような長いアドバイスがたくさんあった。私は何も言わなかった。ヤサーギル教授の指示とはまったく逆に、患者は左側を上にして横向きにした。動脈瘤は正中線よりやや左側にあったので、左側からのアプローチを選択したのだ。ドレイクとピアレスから学んだ側頭下開頭術を行い、高倍率の顕微鏡を覗き込みながら、側頭葉の下を通り、動脈瘤のある動脈の先端に到達する。慣れた方法だったので、切開からクリッピングまで、手術はたった45分ほどで終わった。

その後、ヤサーギル教授は世界中の病院をめぐるたび「ユハは35分で手術を終えた」と、ことあるごとに言い回ってくれた。次第にその時間はさらに短縮され、「ユハは30分以下で手術を終えた」と言うようになった。ヤサーギル教授は私を世界的に有名にしてくれたのだ。また彼は世界中の医師にヘルシンキ大学トーロ病院に見学に来るように勧めてくれた。

1週間が過ぎた。私は教授のために開頭や閉頭を行った。ヤサーギル教授の妻、ダイアンが器械出し看護師をしており、チームと私は彼らによく仕えた。手術は1日に1回、あるいは2回あり、その間には教授は用意された静かな部屋で休憩をとっていた。手術の様子は、スタッフだけでなく、20人ほどの見学者が見ていた。教授は手術に熱中し、夢中になっていた。手術室も、私たちのやり方も気に入ってくれたようであった。手術はすべてうまくいった。75歳のヤサーギル教授はこう言った。

「君は私を若返らせてくれた」

さまざまな意見はあったものの、このコースはヘルシンキ大学トーロ病院で初めてのライブ手術として、大成功を収めた。そして２００２年６月に第２回のコースが設定された。

このコースでは麻酔科医の助けを借りなければならないのだが、彼らから私自身も手術をするように頼まれていた。しかしその私のスピードが教授をひどく苛立たせてしまった。「お前は私を尊敬していない」と彼は言った。これは真実ではない。私は、チューリッヒで勉強を始めた36年前の１９６６年以来、ずっとヤサーギル教授の生徒であり、彼からすべてを学んできたのだ。

経験豊富な副部長のミカ・ニエメが教授のために開頭や閉頭をした。私は隣の手術室で執刀していた。この頃には、手術用顕微鏡の映像をロビーに送るためのＡＶ機器も充実しており、50人ほどの観客を収容できるスペースがあった。ヤサーギル教授は何度

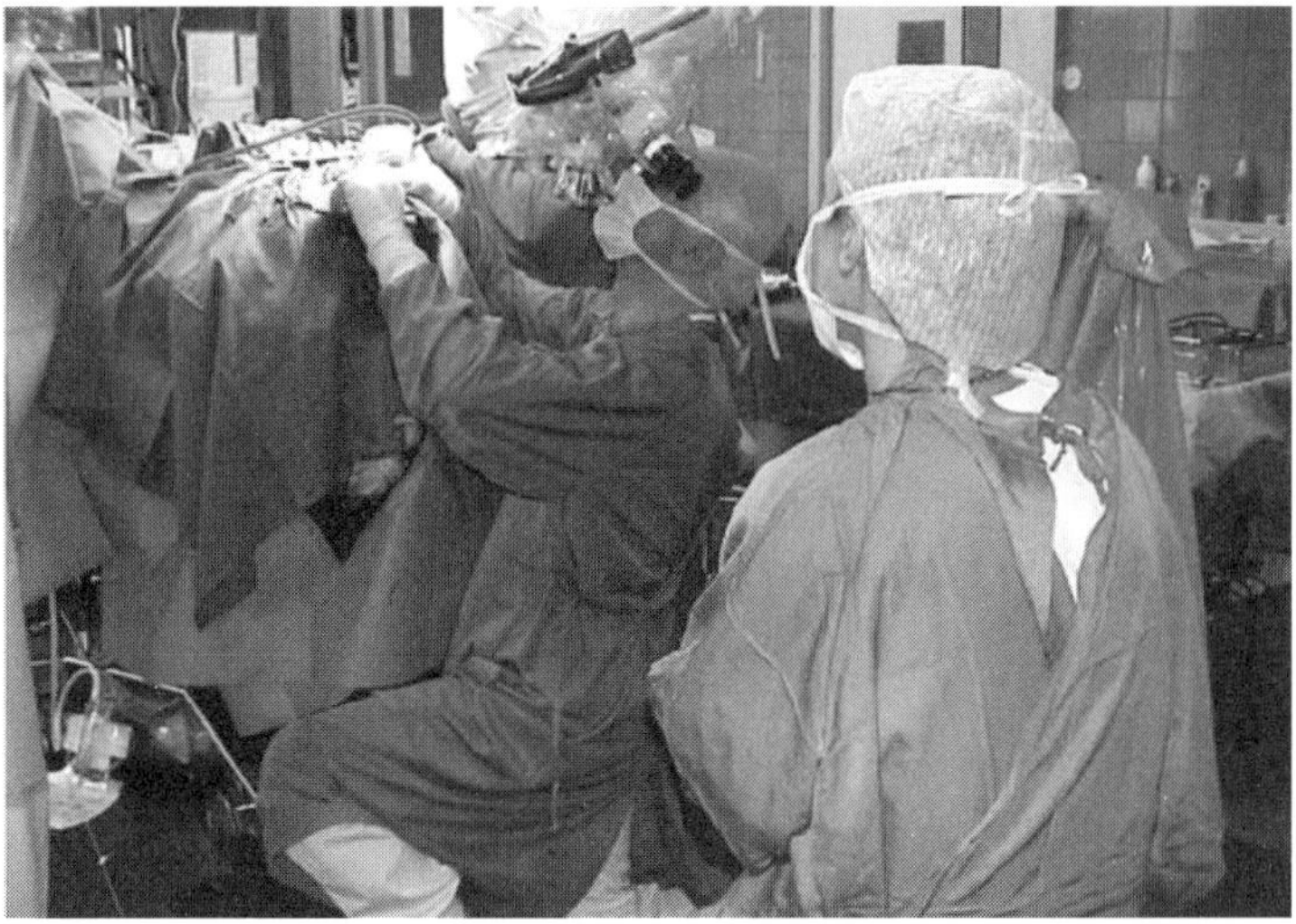
手術中。ヘルシンキ、2003年

も私に言った。「お前は有名人じゃない！」と。ヤサーギル教授はそれを繰り返し言い続けてきたので、私はうんざりして言い返した。

「私は有名ではないけれど、いい人間です」

いくつか簡単な手術が終わった後、ある1人の患者が私の手術リストに入ってきた。40歳くらいの男性で、約1・5センチの脳底先端動脈瘤が破裂していた。彼は、クオピオで開頭ではなくカテーテルを使った治療を受け、小さな金属コイルで動脈瘤はきれいにふさがれていた。しかし、3ヵ月の経過観察中に動脈瘤の直径が2倍の3センチになってしまった。コイルが動脈瘤の奥に束になって追いやられていたのだ。この動脈瘤は最も困難な場所にあり、しかも巨大な動脈瘤であったが、私は治療が可能だと判断した。

ヤサーギル教授は、この手術を行える人間の手はこの世に存在しないと言っていた。大きなリスクはあるが、私はできると思った。患者は水曜日の朝、手術室に運ばれた。私は、何度も何度も、この手術のことを頭の中でイメージしながら、手洗いに入った。大勢の人が見ているのだから、自分の実力をはっきり示せるはずだ。

動脈瘤の心臓側の脳底動脈に一時遮断クリップを挿入した。これでこの大きな動脈瘤の圧が弱まり、クリップを挿入するスペースを作るために動脈瘤の頚部を剥離することができた。

これで成功すると確信した。

長いクリップを動脈瘤の広い頚部に慎重に挿入した。クリップはゆっくりと閉じていき、すべてが順調にいくと思えた。ところが、動脈瘤がコイルでいっぱいになってしまい、頚部が裂けてしまった。血液が噴き出した。出血は後交通動脈から流れてきている。出血を止めるためには、脳底動脈の一時遮断クリップを永久的なものにすぐに交換、すなわち、脳底動脈の上部への血流を永久に遮断しなければならなかった。これは重篤な合併症を引き起こすことを意味する。出血は止まった。もう、誰も見ていなかったらいいのにと思った。私は失敗してしまった。

意気消沈した私は、切開した部分を何重にも縫合した。手術室の外に出て、医師やスタッフたちとその質問の洪水に向き合わなければならない。見学者は概して経験豊かな脳神経外科医で、私の気持ちに共感してくれる傾向にあった。敵対的な批判的コメントはヘルシンキ大学トーロ病院では稀だった。

私は、そのプレッシャーと批判的なコメントを受け止めようと気を引き締めた。質問を投げかける人はたいてい、自分がいかに経験豊かなのかをアピールしたいという動機がある。

ＩＣＵでは、その患者は人工呼吸器をつけられていて、意識が戻らなかった。

症状から動脈瘤の近くから分岐している小さな血管に循環障害があることは明らかだった。

その寝たきりの患者は、数ヵ月後、彼の地元の病院で亡くなった。後日、奥さんから手紙が届き、死亡を知らされた。ご主人の巨大な脳動脈瘤の治療に果敢に挑んだ私に、奥様からお礼の言葉がしたためてあった。私は、失敗を詫びる返事を出した。私はあのとき、自分の能力を過大評価していたのだ。

ライブ手術コースの継続

短期間のうちに、私たちのライブ手術コースはよく知られるようになった。当時はまだ世界でもそれほど多くはなかったのだが、数年後には他の地域でも続々と行われるようになった。私たちのライブ手術コースでは、数多くの難しい手術が実演された。私は、後方循環動脈瘤など、他の外科医がやり方を知らない、あるいはあえてやらないような手術を選んだ。私は手術のスピードが速いので、ヘルシンキ大学トーロ病院では1週間に、他の場所で1ヵ月に見るのと同じ数の手術を見せることができた。また、ヤサーギル教授の厳しい視線に耐えて手術を成功させることができれば、何でもできるはずだと思った。ヤサーギル教授の教え子だったウール・テュレ教授が、ヤサーギル教授をサポートする形で参加するようになった。

今では、70人ほどの脳神経外科医が、見学に来るようになった。私はクオピオでは、後頭蓋窩（頭蓋骨の後下方のスペースで、小脳と脳幹が入っている。狭く深いスペースのため、手術が難しいことが多い）の硬膜動静脈瘻（硬膜を栄養する動脈が直接静脈に流れ込む病気。脳に血液が逆流し、出血や浮腫を起こすことがある）を多く手術してきた。この分野は血管内治療が主流になってきてはいたが、私はヘルシンキ大学トーロ病院でも開頭手術を続けており、よい成績を残していた。私たちは、ライブ手術コースで左側の大きな硬膜動静脈瘻の手術をした。骨片を取り除くと、その下にある硬膜が岩のように硬く感じられた。経験から、硬膜の中のどこかに血腫ができたのではないかと疑った。当時、トロップ医師は教授になるための申請をすると同時に、この稀な合併症に関する数人の患者シリーズを発表していた。私は以前、クオピオで一度だけ遭遇したことがあったのだ

手術の翌日以降、CTスキャンが繰り返された。

残念なことに動脈が閉塞して広範囲に壊死していたことが示されていた。

開頭の際に血管を傷つけ、脳循環が不可逆的に損なわれてしまったのだ。再び死が訪れたのだ。死はいつも隅に潜んでいて、それを完全に避けることはできない。

後方循環動脈瘤の本の中で、ドレイクが名言を書いていた。

「もし、もうチャンスがあれば、私たちが学んだことをすべて使って、後遺症に苦しんだり、亡くなってしまった患者さんに、手術をしたい。そうすれば、彼らたちは、生きて自立した生活を送ることができたはず」

もし、もう一度、この亡くなってしまった患者に手術ができるならば、患者は生きていて、自立した人生を送っているはずであった。おそらくではあるが。このライブ手術コース以来、少なくとも自分にとってより簡単な手術症例を選択するようになった。

ライブ手術コースは、毎年6月の第1週に開催された。私は最初の16回を開催し、参加した。私の後任ミカ・ニエメは、エースクラップアカデミーの支援を受けながら、このコースを続けている。当初は2週間のコースだったが、数年後には1週間のコースに変更した。エースクラップの関与は大きな安心感を与え、この仕事にプロフェッショナリズムをもたらしてくれた。コースを重ねるごとに、私たちはより多くのことを学んでいった。次第にコースはその年を特徴づけるイベントとなった。

ライブ手術コースの前には、計画会議があった。2～3ヵ月前から、手術に適した患者を集めていた。待機中に病状が悪化しないような患者を集めないとならない。執刀医は、世界中の著名な脳神経外科医たちだ。コースは日曜日の講義から始まり、月曜日の朝に私が短いプレゼンテーションを行い、その後徐々にグループごとに手術室に移動していった。

午前中は、手術すべき患者の病状と関連する画像を提示した。執刀医に質問することも可能だが、できれば手術の後が望ましい。来訪する脳神経外科医には、事前に画像や患者のファイルを送って、症例に集中できるようにするのが一般的である。私たちは手術前に患者に会いに行き、スタッフの脳神経外科医が執刀医を紹介することで、患者は誰が手術するのかがわかるようになっていた。フィンランドの患者は、世界的な外科医の力を借りることに抵抗がなく、むしろ喜んでくれた。

最大で、世界中から１００人以上の脳神経外科医

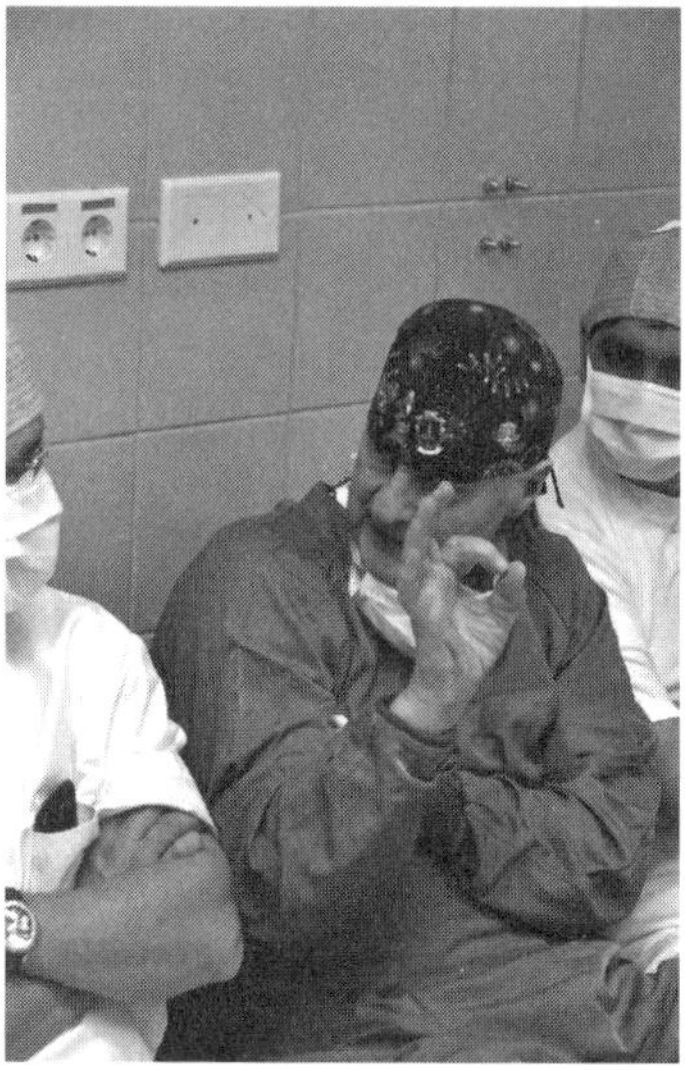

手術後にその場でレクチャーする私。「The best moment for teaching！」2011年

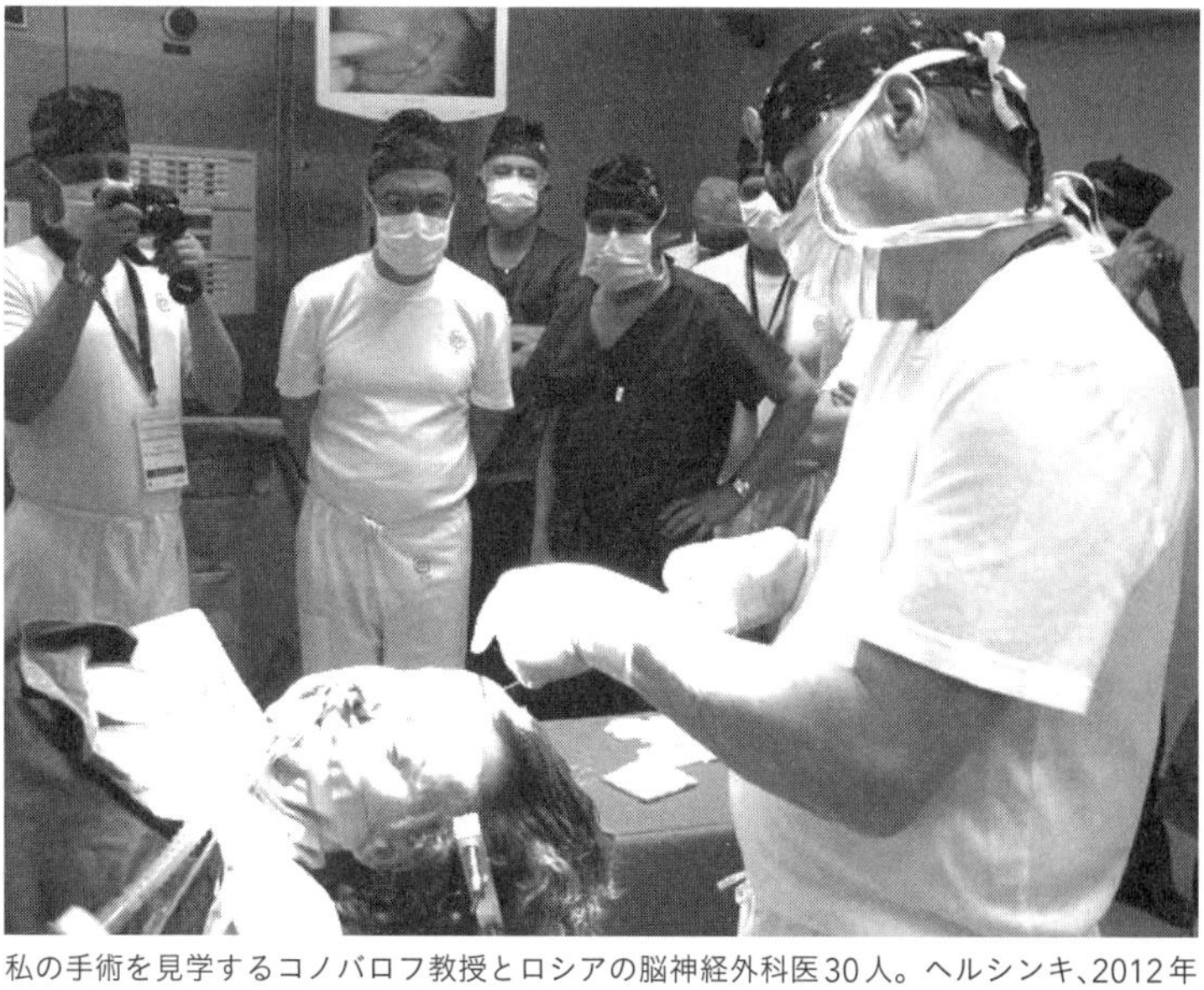

私の手術を見学するコノバロフ教授とロシアの脳神経外科医30人。ヘルシンキ、2012年

が参加し、その上、私たちのスタッフも参加する1週間となっていった。参加希望者はさらに多かったので、何人かには翌年以降に参加するようにお願いすることもあった。

2004年、ヤサーギル教授に代わって、彼の教え子だったアリ・F・クリシュト教授とウール・テュレ教授に交代した。このほかにも、ヴィンコ・ドレンク、マイケル・ロートン、谷川緑野、ピーター・ヴァイコッツィ、ファディー・シャーベル、など、数え切れないほどの腕利き脳神経外科医が、その後の手術を担当したのである。

異国の環境に身を置くと、仕事は少なくとも10倍難しくなり、通常は数回のデモンストレーションしか行わない。クリシュト教授が言ったように、「旅先」で失敗することは、「自分の家の台所」で失敗することよりもずっと多いのだ。

ライブ手術コースの利点は、世界最高峰の外科医の手術を見ることができることである。その場にいれば、緊張や不安、血と汗、成功したときの感動や安堵感、合併症による深い絶望感などが伝わってくる。編集された手術映像を流すのとはまったく違う、ユニークなイベントなのだ。2013年、私たちのコースはエースクラップ社から、世界で最も優れたライブ・デモンストレーション・コースとして表彰された。この小さな国に住む私たち全員が、それを誇りに思うことができる。現在、世界中で毎年800以上のコースが開催されている。ライブ手術コースの成功の秘訣は、私たちが最初に行ったこと、ヤサーギル教授が最初に関わったこと、そして彼の弟子や他のスーパースターが関わったことにある。私たちが動脈瘤の外科治療を続けていることで、その手術を見学する人が集まった。他の多くの場所では、血管内治療に移行していった。

このコース受講後の参加者全員は概ね満足していたようだ。6月上旬は、フィンランドでは1日中太陽が沈まないので、外国人の睡眠不足が心配されたが、その他は快適だったと思う。火曜日には、いつもクロサアリで夕食会があった。手術が終わると、

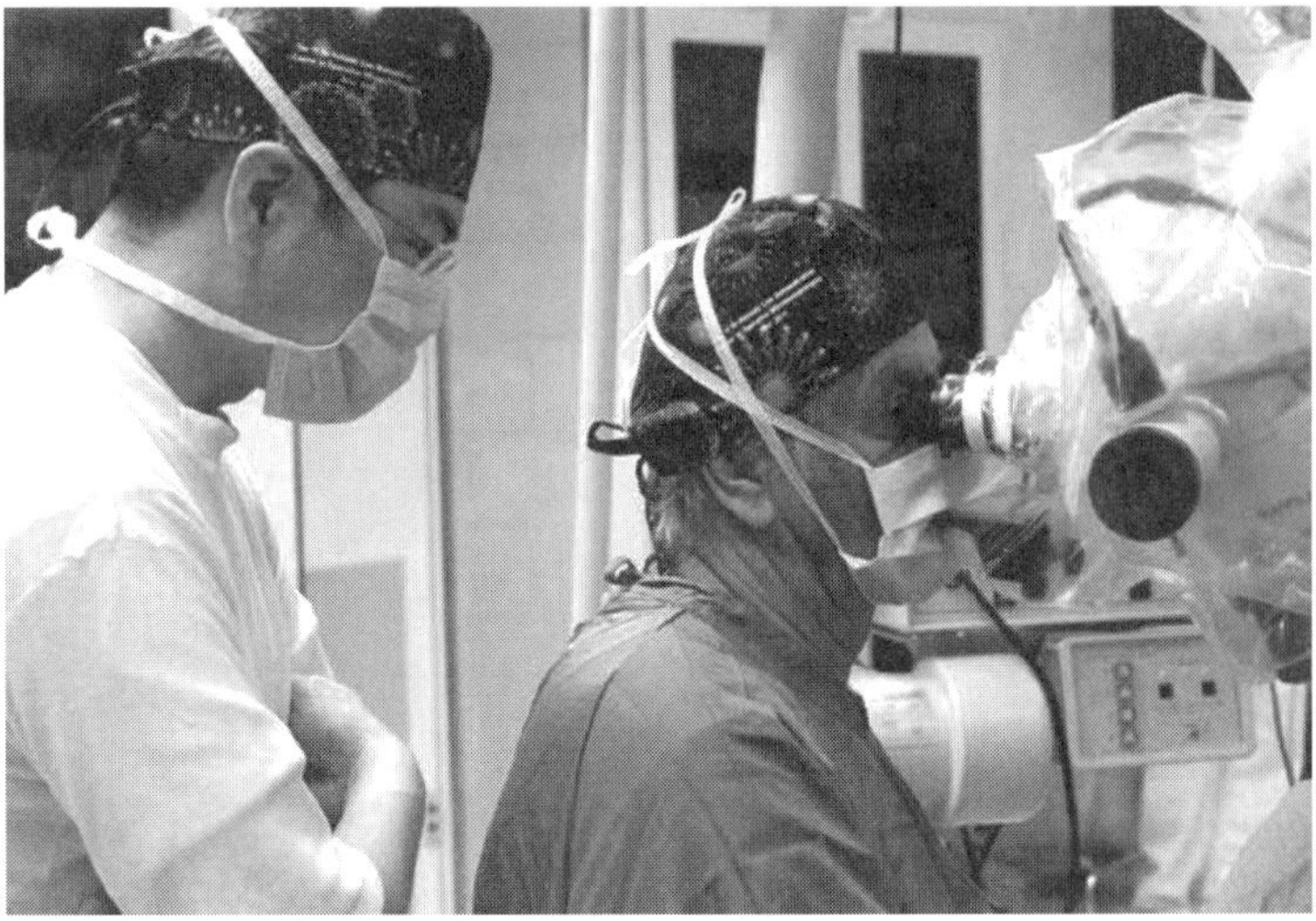

ヴィンコ・ドレンクの手術を見学する谷川緑野医師。ヘルシンキ、2012年

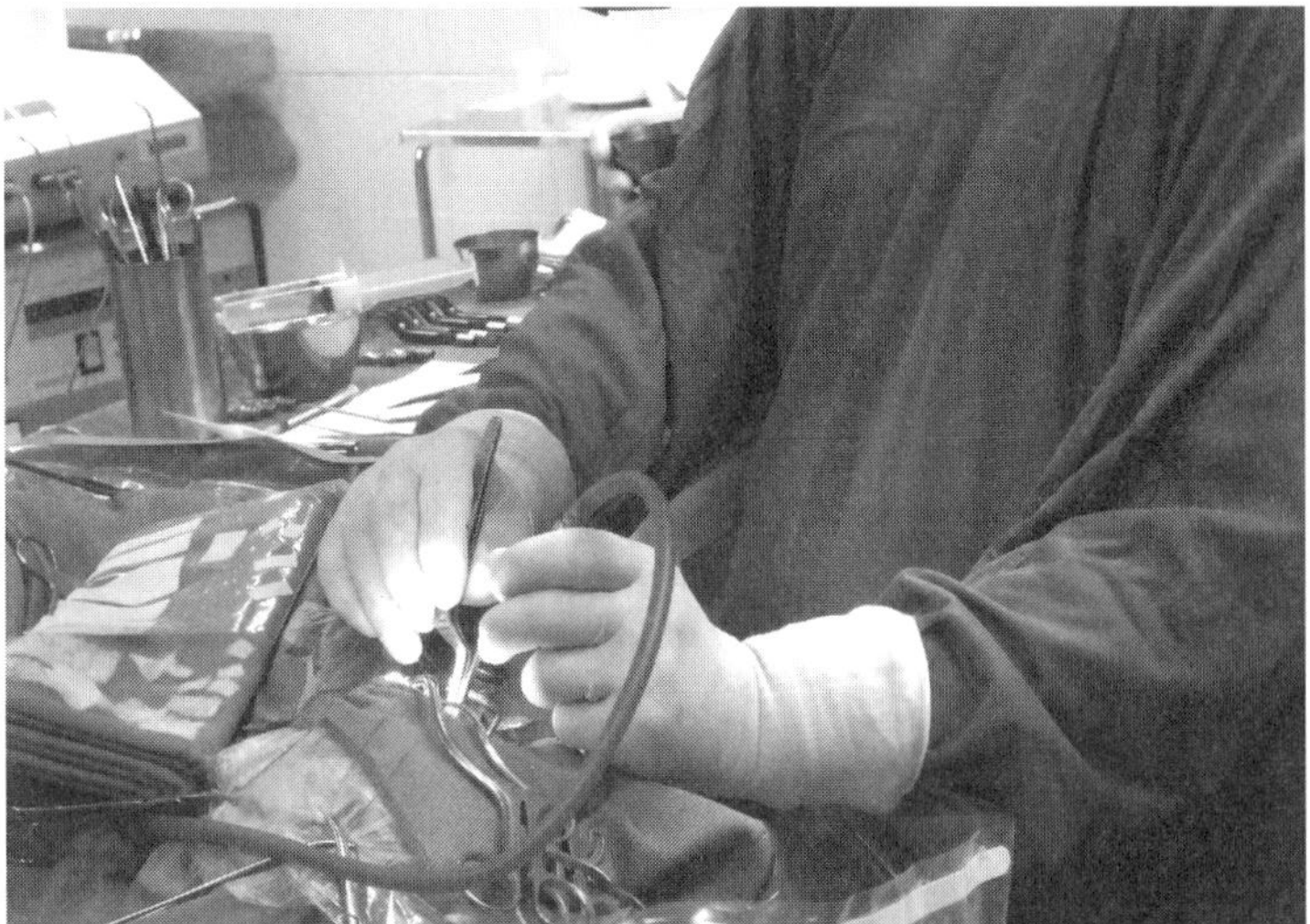

手術をする私。ヘルシンキ、2012年

夜は参加者がそれぞれ好きな行動をとった。参加者たちは、お互いに知り合い、ネットワークを広げ、情報や経験を交換し合った。

※左記の未収録原稿はWEBサイトでご覧いただけます（13ページ参照）
「その他のライブ手術コース」

海外からの患者

評判が高まるにつれ、北欧やイタリア、ロシアなどからも患者が来るようになった。数は多くないが、いわゆる臨時収入のようなものになり、フィンランド行政も好意的に受け止めてくれた。

オスロから多くの患者がやってきており、私たちフィンランドとノルウェーは手術に関する正式な協定を結び、アメリカよりも安い値段で手術を受けることができた。

とある健康な若いイタリア人女性が、未破裂の巨大動脈瘤の治療のために来院した。手術を待つ間、彼女は妹と街に買い物に出かけた。しかし、ストックマンにいるとき、突然意識を失い、ヘルシンキ大学トーロ病院に運び込まれて死亡が確認された。未破裂動脈瘤が手術前に破裂したのだ。

ロシア人、そしてフランス人の患者も、フランスの有名な血管内治療の専門家だったジャック・モレ教授から送られてきた。多くは脳動静脈奇形であった。ある巨大内頚動脈瘤のフランス人女性は飛行機恐怖症で、タクシーでヘルシンキまで来た。タクシー運転手は2名で、移動の疲れと患者がずっとしゃべっていたため、疲労困憊していた。巨大な動脈瘤の内部にできていた血栓を取り除き、動脈瘤の壁を3分の1程度しか残らないように切り落とした。残った部分を大きなクリップで閉鎖し、側頭葉を圧迫していた動脈瘤はなくなった。このフランス人女性は口数が少なくなった。また飛行機への恐怖心もなくなり、順調に回復していった。側頭葉は正常に機能す

モスクワのブルデンコ研究所の名誉教授に就任。2013年

るようになり、患者は飛行機に乗って故郷に帰ることにした。タクシーの運転手は、先に帰していた。

受賞歴

私は数多くの国を訪問し、講演を行ってきた。ロシアのアレクサンダー・コノバロフ教授に招かれて、2013年にモスクワのブルデンコ研究所の名誉教授にも就任した。私たちは大勢のスタッフたちとともに現地に赴いた。多くのフェローやスタッフ、そしてフィンランド人フェローの何人かが同行した。この研究所への出張は成功し、もちろん私にとって大変な名誉となった。

2014年、ワールド・ニューロサージェリー誌（World Neurosurgery）は過去1世紀で最も重要な69人の脳神経外科医を選出した。私はその中の1人となることができた。クッシング、ダンディ、オリベクローナ、ヤサーギル、コノバロフ、ドレンク、ロバート・F・スペッツラーなどとともに表紙を飾った。小さい国出身の脳神経外科医にとって、これ以上の栄誉はないだろう。同年、ジョリーというオンライン出版社が、世界で最も優れた脳神経外科医18人を選出したが、私はその中にも入っている。私は自分自身がこれほど重要な存在だと感じたことはない。ドレイクが自分自身を言っていたように、私は普通の男なのだ。

フィンランドでも、私の評判が上がり始めた。2008年のタンペレ・メディカル・コンベンションでは、建築家のリスト氏から、私の優れた業績に対して第1回ピクティッカ賞を授与された。

フィンランド・メンサ賞とフィンランド工芸博物館の年間最優秀工芸家賞を受賞できた。このときは少し恥ずかしかった。私は自分が特別に知的だとか、指が器用だと思ったことはない。どちらもまったく平均的なレベルだったのだが、一生懸命やっていた。引退した年の2015年には、フィンランドで最も優れた医師に贈られるコンラッド・レイヨワラ賞とマックス・オーカー・ブロム賞（Konrad ReijoWaara Award and the Max Oker-Blom prize）、そして最優秀外科医賞を受賞した。

※左記の未収録原稿はWEBサイトでご覧いただけます（13ページ参照）
「ユトレヒトでレーザー技術を学ぶ」「論文作成」「学位論文」「世界一速い脳神経外科医と世界一遅いクリップ」「2008年　キアラ」

ヘルシンキ　ブック

ヘルシンキ大学トーロ病院に赴任して間もなく、私たちは脳神経外科の教科書の制作に取りかかった。当時、フィンランド語で書かれた教科書は、1980年代後半にスティグ・ニーストレム教授が書いたものがあるだけだった。

フィンランド人医師がそれぞれの専門分野について書いた章を集め、1つの作品にすることを目指した。しかし、あるサヴォニア人の無言の抵抗により、この試みは失敗に終わった。このフィンランド語の新しい脳神経外科の教科書は現れることはなかった。

私は、この頓挫した教科書のために4つの章を書いていた。それを1冊の本にまとめようとした。私の頭の中では、この分野についてアップデートを繰り返していた。

しかし、何よりも必要なのは、手術のさまざまな段階を説明する、今現在トレーニング段階にある若く鋭い観察眼であった。

やがて新しい本が完成した。この本は、少ない予算で、多くの努力によって書かれたものである。専門家は関与していないが、フェローの中にはさまざまな才能がある医師が多くいた。エースクラップアカデミーには、この取り組みを支援していただき、さまざまな筆者の心のこもったストーリーを多く盛り込んだ。序文は、私が尊敬するバロー神経科学研究所（BNI）の所長、ロバート・F・スペッツラー教授が書いてくれた。この本のタイトルは「Helsinki Microneurosurgery: Basics and Tricks」になった。タイトルが示す通り、最も簡単なものから最も難しいものまで、実用的な脳神経外科手術の手順が書かれている。

本書は大変好評だった。これにより、主要な言語圏の脳神経外科医が自国語で出版を希望したのである。この本は翻訳され、エースクラップ・アカデミーがその翻訳版の出版に資金を提供した。この本は、通称「ヘルシンキ ブック」（Helsinki book）と呼ばれ、スペイン語、ロシア語、ポルトガル語、日本語、中国語、タイ語で翻訳されている。オンライン版は中国を除いて無料で閲覧でき、中国では印刷版のみ入手可能だ。この本は、中国の脳神経外科医1万7000人の間で急速に広まっている。

ヘルシンキが脳神経外科のメッカに

手術室の壁に貼られた地図に、ピンが立ち始めた。ヨーロッパがいっぱいだ。普通のピンに混じって長いピンも出始めた。私の計算によると、18年の間に3000人以上の脳神経外科医がヘルシンキ大学トーロ病院を訪れ、そのうちの約半数はライブ手術コースで、残りの半数はライブコース以外で、長期または短期滞在した。多くの医師が、コースだけではなく、見学を希望していた。私たちを観察し、私たちがどのように働いているのか、じっくりと見たいと言ってきたのである。マンツーマンの指導はなく、手術室には常に5~6人のフェローに加え、同じくらいの人数の見学者がいた。あるとき、夏休みから帰ってきたら、手術室に見学者が1人もいなかった。誰もいない中で手術するのは不思議な感じがした。

異なる文化圏からの見学者が多く、言語的なレベルがさまざまであったため、予想外の問題が発生することがあった。私は皆に勇気を出して英語を話すように勧めたが、そのレベルはゼロから完璧に話せる人までさまざまだった。中国やロシアからの訪問者の多くは、ほんの2~3語しか英語を話せず、それすらできない人もいた。アメリカやイギリスから来た人には、できるだけゆっくり、はっきりと話してもらうようお願いした。ここ手術室での私たちの仕事言葉になっていたのは「ブロークンイングリッシュ」だ。私自身、流暢過ぎる英語は聞き取れないことがあった。

私はいつもメールにすぐに返信するようにしていた。ロシアや中国の脳神経外科医や他の多くの国々からの見学希望者のために、ビザ取得のための招待状を作成しなくてはならなかったからだ。

1~2週間、中には1ヵ月、あるいはそれ以上滞在する者もいた。その理由は、当院の手術件数の多さと、非常に効率的な運営にあった。他の病院では1ヵ月かかる手術経験が、ヘルシンキ大学トーロ病院では1週間でできる。スタッフが、来院者を温かく迎えたことも印象に残ったようで、口コミで評判が広がっていった。フィンランドは小さくて安全な国なので、気軽に訪れることができたようだ。特にフィンランドの若い看護師や助手の大半は、流暢な英語を話すことができ、その多くは私よりも英語が堪能だ。

当初、看護師の多くは自分の語学力や能力を恥ずかしがり、見学者がいる場合には手術に参加することを拒否していた。しかし、次第に大勢が見学していても、すぐに普通に手術ができるように成長した。やがて手術室のスタッフたちは、国際的なエキスパートにまで成長していった。手術の見学者は、世界中の医師とリアルタイムでコミュニケーションをとりながら、チームのプロフェッショナルな技量に感嘆の声を上げていた。特に、麻酔科医の仕事の速さには感嘆の声が上がった。手術室では次の患者が待っているので、外科医として食事をする暇もなかった。世界トップクラスのチームは、大騒ぎをすることもなく、1日に何件もの手術を淡々とこなしていた。

※左記の未収録原稿はWEBサイトでご覧いただけます（13ページ参照）
「その他の来場者」「フィンランド脳神経外科学会」「会議・学会」「2007年　リーナ」

1001マイクロニューロサージェリービデオ

私が退職する最後の年には、いろいろなことを急いで片付けていた。退職の準備をしていなかったのだ。その頃、私はフェローたちと必死になってビデオシリーズを作っていた。「1001マイクロニューロサージェリービデオ（1001 Microneurosurgical Videos）」は、私の本棚に最初に並んだ本である、子供向けの「千夜一夜物語」にちなんで名づけられた。これには、約1400本の手術映像が収録されており、私が最後にヘルシンキ大学トーロ病院で行った手術の映像も含まれている。

この映像集は、Surgical Neurology International の

ホームページで公開されている。この動画は世界中で人気があり、全体で数百万回再生されている。

信念と希望

信じていた。一生懸命働き、人々に奉仕すること。会議で目立つのではなく、見せかけの仕事でもなく、偉そうな態度でもなく、本当の仕事をしたかった。私は常に、思えるような、本当の仕事をしたかった。私は常に、自分が正しい場所にいて、正しい選択をしてきたと信じてきた。絶望の淵に立たされたときでも、転職を考えたことはない。脳神経外科医になったことを後悔したことは一度もない。短い間、あるいは長く続いても、苦しみを味わったら次に進まなければならない。やがて、物事はうまくいく。

暗い気持ちで沈んでしまうような夜は続くものではない。手術に失敗しても、気を取り直して次の手術を成功させなければならない。自分がやっていることを信じていなければ、自分が得意だと信じていなければ、この仕事に耐えられるわけがないのだ。世間からのクレームが増えればプレッシャーになり、自分の仕事の正しさに対する信念が揺らいでしまう。「無謀なリスクを冒したと」と、直接的にも間接的にも批判されたことがある。フィンランドの脳神経外科医には直接、批判された。間接的に仄めかされることはしょっちゅうある。赤の他人から見れば、その手術のリスクは無謀なものに映ったのだろう。私は自分の能力を知っている。手術に挑むかどうかは、誰もが自分自身で決めなければならない。それをやり遂げる不屈の精神と技術が必要なのだ。

私は毎年、新年には「1つの合併症にもあたりませんように」と願う。しかし、当然と言うべきだろう、遅くとも1月末までには、その願いは崩れ去る。合併症は節目のようなものだ。静かな成功の連続が失敗を洗い流し、大きな手術の連続が常に新しいことを考えさせてくれた。私が一番苦しいときには、完璧な楽観主義でいようと思った。マットの上でノックアウトされても、常に立ち上がるのが大事だ。

「Take it easy」はいいアドバイスだった。私は、自分のオストロボスニア的な傾向（内向的、正直、率直な物言いをする、激しい）を抑制する方法をたくさん学んだが、うまく活かせなかった。私は、困難な状況を避け、関わり合いを持たずに通り過ぎようとした。しかし、強いプレッシャーにさらされ、我慢の限界に達したとき、私は大声を出してしまっていた。これはなかなか治らないもので、多くの人が私に憤りを感じたと思う。私はいつも、30分後にはきちんと謝ることにしていた。

私は病棟の責任者だったので、あらゆる階層からさまざまな批判を耳にしていた。ライブ手術コースで、患者に起きてしまった合併症について、「なぜ彼らに手術をさせたのか」「なぜ自分で手術をしなかったのか」と私を責める人が来るのだ。私はそれを黙って聞くしかなかったのだが、ときには、私は電話口で怒鳴り散らしてしまうこともあった。

患者に常に希望を与えることが大切だ。重い病気から回復するのに何年もかかる人がいるかもしれない。でも、それでいいのだ。もちろん、子供に関しては、一生を約束できるようにしたいものである。「今年のクリスマスは祝うことができないでしょう」なんて、患者に言う言葉としては最悪だ。ある若い掃除機のセールスマンは、この言葉を聞かされた後、6年以上生きたそうである。我々の手には負えないのだ。医者の力など、運命を決める神の力のほんの一滴にも及ばない。謙虚さを忘れないことが大切だ。

消耗

手術と手術の合間は疲れていて、机に足を乗せた瞬間に眠ってしまうことがよくあった。ハンナ・レトとの会話の途中で眠ってしまい、5~10分後に目が覚めたこともあった。脳神経外科医はどこでも寝てしまうのだ。働き過ぎはよくない。確かにそうだが、これが今までの私のやり方だったのである。不規則な睡眠を続けてきた人間は、睡眠か仕事かの切り替えを常に心得ている。もちろん休みの日に寝るのが一番いいのだが、私は2件目と3件目の手術の合間に眠るのがよかった。

あるとき、疲労から手術の最中に眠ってしまったのではないかと思ったことがある。目を覚ますと、顕微鏡が目に押しつけられていた。自分は眠っていない、ただ物思いにふけっているだけだと完全に思い込もうとした。私は恐ろしくなった。緊急手術だったのだが、とにかく手術は成功した。そのようなことがあったのはそのときだけだ。そのときは、ラジオと大勢の見学者の声、手術室の緊張感が、私の目を覚まし、手術に集中させた。実際、手術の見学者はもっと大変なのだ。3年間ほど寒い手術室で他人の手術を見学し、知識を吸収してきた私が個人的な経験として断言できる。

私はどんなに疲れていても、もう1回手術をするタフさを身につけていた。患者の頭をヘッドフレームに取り付け、髪を剃り、患部を消毒していると、どこからか力が湧いてきて、手術を進めることができるのだ。

ヘルシンキ大学トーロ病院での私の記録は、月曜日に1つの手術室で動脈瘤の手術を6件、そのうち2件は脳底動脈先端部動脈瘤だった。7件だったかもしれないが、残念ながら確認する方法はない。この記録は、世界中のどの病棟でも成し遂げるのは難しいと思う。効率的なチームが私を助け、私は彼らを励まし、チーム一丸となって手術をしてきたのである。

著名人としての生活

フィンランドでは国民的スターであっても、国境を越えて世界に出ることはほとんどない。国際的に知られるようになるのは、難しいのだ。

私は脳神経外科の世界において、だんだん知られるようになった。1990年代後半に、国内外で知名度が上がってきたように思う。国際的なライブ手術コースも、それ以外の海外出張や講演、数え切れないほどの見学者も、このタイミングで増えてきた。

フィンランドでは、病棟の実力を世界の医師たちに認知してもらうことが、資金やリソースを呼び込むことにつながると考えていた。2001年からは、ほぼ毎年、ライブ手術コースに関する新聞記事が掲載された。最初はヤサーギル教授がマスコミやテレビの取材を受け、その後、コースを続けるうちに、参加者と同様に私たちも取材を受けるようになったのである。ヘルシンキ大学トーロ病院の院内報はもちろんのこと、全国紙でも紹介された。脳神経外科の存在を広めるだけではなく、資金援助の必要性を知ってもらうだけの宣伝効果は欲しかった。

2011年、大手新聞社のヘルシンギン・サノマット の月刊誌「クウカウシリイト(Kuukausiliite)」に、記事が掲載された。私がムンバイで受賞したギンデ賞とライブ手術コースについて、トミー・ニエミネンが巧みな文章で紹介してくれたのである。誌面では私たちの病棟全体が、素敵な写真とともに賞賛された。

私が年を取ったことに気づいたのは、私を教授と呼んだり、正式な呼び方をしたりする人が出てきたときだ。

私はいつも、取材者を手術室に案内してから、取材のインタビューに答えていた。その際、経験豊富なフェローを同行させる。そのフェローが手術の説明をした。そして質問に答えた。手術室という日常とかけ離れた環境で素人に脳神経外科の世界を案内した。

テレビ番組「プナイネン・ランカ」の司会者のマーリット・タスチュラは、2006年のインタビューの前に何度もこの病院に足を運び、徹底的な背景調査を行った。この名インタビューは、アーカイブとして残されている。実は、私は以前、解雇の危機にさらされた会議で、自分の立場が常に脅かされていることを直感的に察知する方法を学んだ。また同時に、運営本部が病院の世間の評判を常に気にしていたことに気づいた。病院の資金には限りがあり、その経営資源をめぐる競争は激しかった。どうにかして、国内の多くの市民の支持と尊敬を得る必要があると思った。

このインタビューは、今もインターネット上に残っていて、私も15年ぶりに見たところだ。司会者のマーリットは、私の仕事と私に関するあらゆることを見事に引き出してくれた。私は今でも、彼女の最後の質問「人生の意味」について考えており、番組を見返した後も再び考えている。人生の意味は誰にも明かされておらず、誰も、最も賢明な人でさえも、確かな知識を持っていない。私にとっての生きる意味とは、この仕事であり、憂鬱になることなくただ空を目指すことだ。

「一生懸命に働いて、人のために尽くす」

これが私の無宗教の宗教だ。

2015年6月のライブ手術コースで、トミ・ペウラコスキはヘルシンギン・サノマット紙に書いている。

「彼の日常は聖書の中のようだ。彼は手術室の床に落ちた髪の毛を掃き集めてゴミ箱に捨てることさえする。しかしある年齢になれば、脳神経外科医の仕事から去らなければならない」

そう、限界があるのだ。脳神経外科はハードなスポーツのようなもので、いつまでも続けられるものではない。体力の限界に直面したり、モチベーションが下がったり、また脳神経外科以外の世界があることに気づいたりすることもある。私は常々、逆立ちができる限り手術を続けると言ってきた。今でもできるんだけれどね。

私に対する称賛を端的に記したのは、2015年の退職後、アームレフティ紙（Aamulehti）に2015年12月29日に掲載されたものだ。タンペレ大学のマティ・アプネン教授はこう書いている。

「注目すべきは、彼が示す労働倫理だ。それは、何千回も繰り返し行われた回復への思い、完全な透明性と説明責任を伴うものである。組織のワーキンググループを作ったり、創造性セミナーの開催など行わず、早く引退しようなどとも思っていない。脳神経外科医の仕事を表現する最も適切な言葉は『過酷』

かもしれない」

※左記の未収録原稿はWEBサイトでご覧いただけます（13ページ参照）
「2011年　エミリア」「2014年　3児の父」「脳神経外科病棟の日常　2014年　患者さんからの手紙」「脳神経外科病棟の日常　2014年　脳神経外科医」

海外出張

私はたくさん海外出張をした。あまりに多く出張をしていたので、それが普通になって、フィンランドでの生活への影響もほとんどなかった。海外出張から戻ると、すぐに仕事に取りかかった。出張ができることをうらやむ人もいるが、アメリカ西海岸まで講演に行き、そこで8時間滞在し、そして飛行機で戻ってくるというのは、負担以外の何物でもない。目的地での滞在時間が短いので、時差もあまり気にならず、帰ってすぐに仕事に向かうことができた。

あるとき、最も忙しい時期に私の出張を手配してくれた秘書のイブに、私は年に何回出張していたのかと尋ねたことがある。彼女は年に30～40回海外出張していると答えてくれた。そうすると、トータルで800～1000回の出張があったことになる。そのほとんどが、学会や手術のための出張だった。学会には1人で行き、手術にはチームと一緒に行った。そして、現在も全大陸に出張している。

主にヨーロッパを中心に、トルコ、アメリカ、ラテンアメリカ、イラン、ロシア、中国によく出張した。

夕方になると、手術で疲れ果てているので、ベッドに入る。4～5時間の休息を取った後、私は銀色の傷だらけのノートパソコンに向かう。このノートパソコンは、前の出張からすでにバックに入れたままになっている。

空港に向かう直前まで、プレゼンテーションの資料の準備ができないこともよくある。ビデオ付きのパワーポイントにまとめ、機内かホテルで確認する。機内で専門書を読むのは好きではなかった。また、映画を見ることも覚えた。

世界各地での手術のデモンストレーションは日常茶飯事だった。チームにはたいてい器械出し看護師のハンナ・レーナとローラがいた。彼女たちは結婚して子供たちがいた。彼らは、慣れない手術室に入り、現地のチームの助けを借りて、自分たちの手術室のような環境にするという能力を持っていた。設備に限りがある場合は、そうはいかないこともあった。手術器具は自分たちで用意し、杉田式ヘッドフレーム（頭を手術台に固定する器具。持参するには別にスーツケースが必要なくらい大きい）も持っていくことさえあった。顕微鏡の種類もさまざまで、私の素早く顕微鏡を動かし続ける手術のスタイルとは相容れないことも多々あった。メールや写真、ビデオで事前に現地の手術室の設備を確認することも覚えた。

※左記の未収録原稿はWEBサイトでご覧いただけます（13ページ参照）
「チェコ、南ボヘミアにて」「サラエボ」「ポルト」「ベルリン」「ムンバイ」「中国」「ペトロザボーツク」「モロッコ」「イラン」「米国」「アルゼンチン、チリ」「ベネズエラ」「ウクライナ」「ペルー、コロンビア」「オデッサ」「ダッカ」「ウズベキスタン」

10章 よい脳神経外科医になるために必要なこと

キャリアに必要な条件

ピアレスがドレイクの追悼式でスピーチを行った。「素晴らしい脳神経外科医になるには」というテーマだった。最も重要なポイントとして挙げたのは正しい配偶者を選ぶことだった。私も同感だ。一生懸命働くことやそれ以外のことはこの後にしかない。その他は、「訓練し、努力し、解剖学を学ぶ」に集約されると思った。

私たちの旅の始まりに、妻のリールは、私がやりたいことをやるのを止めたくはないが、ずっとサポートすることはできないと言っていた。彼女はとても強い女性で、最終的には私たちの結婚生活を続けることはできなかったが、すべてをやり遂げた。私は彼女について悪く言うことはない。私は、彼女にはいろいろな意味で感謝している。オストロボスニアの女性には秘めた強さがあるが、妻のリールもそうであった。「私が働いてキャリアを積んでいる間、彼女は子供たちを育て、面倒を見てくれた」と私たちの離婚問題を担当した弁護士も書いている。私たちは50年近く経った今でも、仲良くする方法を知っている。

クオピオから世界一流のトレーニングを求めて海外に飛び出していったが、ヘルシンキ大学トーロ病院は、世界一の脳神経外科であると思ったのでそこで働くことに満足していた。私がスイスにいるときは、海外のいろんなところへ出向いて、さまざまなことを観察し、学んでいくことが大切だという考え方でいた。

手術の訓練は長い道のりであり、何年もの長い間、トレーニングが必要であり、それは決して完成することはない。何千回と手術をした後でも、不安は常につきまとう。前日の夜に手術の夢を見るときもある。

西ドイツの工場で働いていた高校生の頃、私は自分の手先が器用であることに気づいた。決断が早く、行動も早い。自分のしていたことに集中し、周りのことに気を取られることもない。

しかし、最初の手術は手がひどく震えた。ヘンリー・トロップは、6ヵ月で治ると言った。私が自信を持てるようになるには、もう少し時間がかかった。クオピオとヘルシンキでは、ほとんどの脳神経外科医がするように、長い間アームレスト（術者の手を保持する肘掛けのようなもの）を使用していた。スイスで購入したヤサーギルモデルが、手の震えを取り除いてくれた。腕が支えられていると、手の疲労が震えにつながりにくいのだ。

とある海外出張で手術をする際、アームレストがないことに気づいた。少し慌てたのだが、私自身にすでにアームレストのような機能が自然と身についており、アームレストが必要ないことに気づいた。

安定した手術の技術は、練習と経験によって得られるものである。繰り返し、繰り返し、そして確かな自信が、不安から来る震えを消してくれる。経験しても震えが薄れない場合は、別の分野を探したほうがいい。それは震えが脳にプログラムされてしまっていて、消えないということだからだ。左手の親指が2本ある人や、手の震えがひどい人には、脳神経外科は向いていない。また、自分の知識の限界を見極めることができない人も向いていないと言えるだろう。覚悟のない手術はしないほうがいい。

最初は切開部の縫合の練習に力を入れた。簡単なことから繰り返し、繰り返し練習することが大切だ。毎夜、脳神経外科医の誰よりも手術のテクニックの本を読みあさった。自分が手術していたところを想像しながら読んだ。こうして読むと、1ページに1時間から2時間かかる。

ヘルシンキでのレジデント時代や脳神経外科医になったばかりの頃はよく批判されたものだ。私は手術の際、よく動いた。顕微鏡を覗き込み、常に角度を変えながら、スピードアップするために立って手術を行った。座っていると、体勢を変えたり、角度を変えたりするのに時間がかかる。マウスピースを導入したことで、手術にかかる時間は3分の1に短縮された。しかし、目指したのはスピードではなく、上手に、きれいに、エレガントに手術をすること。こうすると落とし穴を避けることができる。中断がないのだ。

シンプルに、きれいに、素早く、正常な構造を保ったまま手術することは、患者にとっても有益なことである。手術は複雑でなければないほどよいのだ。綱渡りは簡単そうに見えるが、よい手術も同じで、簡単そうに見える。

私が行った最短の中大脳動脈の動脈瘤手術は、最速で切開から閉創まで25分という速さだ。ミカ・ニエメが切開部を縫合した場合、もっと早くなっただろう。次に早い動脈瘤の手術は、切開から閉鎖まで28分だったが、これはほとんど誰も信じていない。これが繰り返し練習すること、経験、熟練という結果である。私も最初に手がけた動脈瘤の手術は1日かかった。

手術のあらゆる工程で、改善させたり分析的に考えたりしない人がいる。それではいつまで経っても手術に時間がかかる。失敗や出血もあるし、失敗を修正するのにも時間がかかる。長時間に及ぶ手術では、疲労が原因で失敗することもあるのだ。

手術は1回1回が勝負であり、スポーツでもなければ、記録を狙うものでもない。ミスの代償を払うのは患者なのだ。手術室でのチームからのフィードバックは励みになり、自信につながる。称賛は消えるが傷跡は消えない。大きな合併症にも負けない自信、自尊心をつけることが大事なのである。

脳神経外科医は、切開から閉創までの時間が、最も重要ではあるが、それは手術のほんの一部に過ぎないことを忘れてしまう人もいる。患者を病室から運ぶ、手術台に移す、麻酔をかける、カテーテルを入れる、手術のための体勢を整える、手術部位を準備し洗浄する、ドレーピングする、器具を選ぶ、顕微鏡をチェックする、といった工程を踏まなければならない。手術後は、患者の体勢を戻し、麻酔を覚まし、回復室や入院病棟、多くの場合はＩＣＵに患者を移動させなければならない。その後、手術室は清掃され、次の手術のために準備されなければならない。

脳神経外科医になるためのトレーニング

私には、絶対の自信があった。ヤサーギル教授に学び、クオピオで強化された私の脳神経外科手術のスタイルへのこだわりがあった。労働時間の考え方も知らないし、そんな法律も私には通用しなかった。日中は難しい手術の指導や助手をしなければならず、時間や曜日に関係なく、いつでも仕事をすることに慣れていた。しっかりとした日々の計画を立てることもできず、患者が来るままに手術をしていた。この流れに身を任せていた。私は、手術をサポートすることは極端に苦手で、忍耐力がなかった。手術は、たくさんの手術の助手をして、見学、解剖の勉強、実験室での練習、手術のビデオを繰り返し観ることで、身につくものだ。努力、研究室での反復練習、多くの手術、自分の手術結果の振り返り・評価、解剖学の生涯学習が、よい脳神経外科医になるための重要な要素なのである。「苦しみ、深い苦しみ」、これがヤサーギル教授のアドバイスだった。

手術のさまざまな要素

外科手術の技術には多くの要素がある。手術に挑戦するのではなく、成功を確信する態度が必要だ。しっかりとした計画、画像の分析、正しい手術の体位、患者の頭の適切な位置、そして上手な開頭により、成功は約束されるのである。

顕微鏡下でマイクロハサミや吸引管、バイポーラ鉗子を使って露出、切断、焼灼を行うといった技術は、手術自体の焦点となるものでなければならない。吸引の力を調節できないと、繊細な人体の構造物を傷つけてしまったり、血液で視界が遮られたりする。

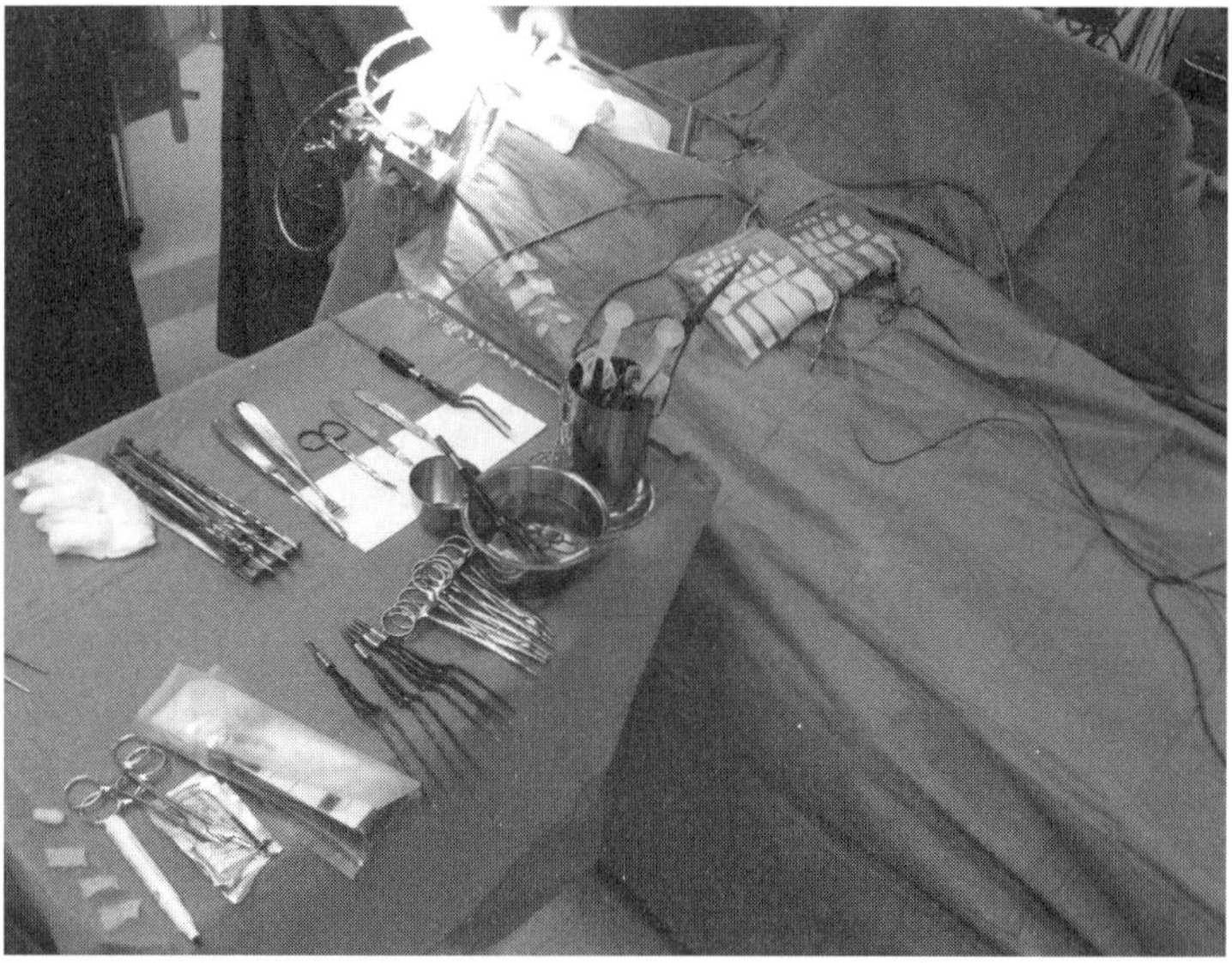

手術室のセッティング。ヘルシンキ、2013年

私はスリーホール吸引器を開発し、左手の親指をスライドさせることで吸引力を調整できるようにした。10〜20ミリリットルの注射器を使って生理食塩水で術野をときおり洗浄していた。これは自分をクールダウンさせる（はやる気持ちを落ち着ける）ためだった。手術用顕微鏡はマウスピースで使うのが得意で、常に動いて手術対象をいろいろな角度から観察している。脳や血管、神経を傷つけないよう、十分な注意を払いながら、しかし過剰な注意を払わないよう、経験を積むことで脳組織に対する感覚を身につけていくことができる。

手術には立体的な想像力が重要である。イメージングを十分に行い、それから生きた脳へと想像をシフトさせる能力が必要だ。立体的に把握する能力は経験とともに発達し、最高の画像から見るよりも、その能力を使って見るほうがより見えるようになるのである。

現代の技術によって、手術は昔より安全になった。ナビゲーション（術前に撮影したＭＲＩなどの画像上に、手

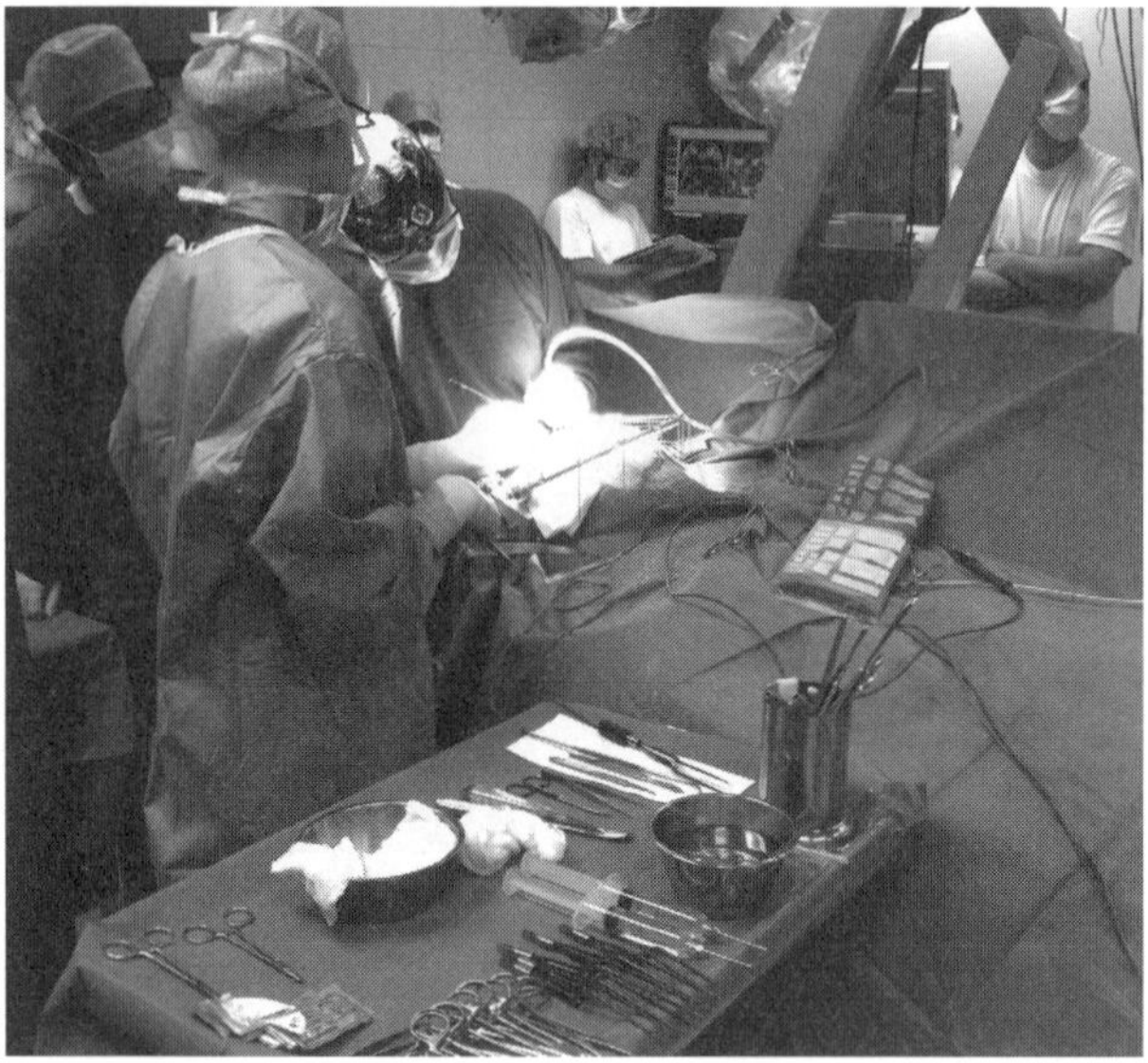

手術室の整然とした佇まい。ヘルシンキ、2013年

術器具の位置情報を術中にリアルタイムで写し出すシステム。カーナビの位置情報のようなもの）をすぐに導入しなかったのは、解剖学の知識があれば十分だと思ったからだが、それは失敗だった。内視鏡手術も、第三脳室底部を開く手術を何度かやっただけで「子供のおもちゃみたい」と思い、ほとんど使わなかった。しかし、今や内視鏡手術は、従来の顕微鏡手術に取って代わりつつあり、少なくとも競合する手術となっている。下垂体の腫瘍は、最近では必ずこの手術で治療するようになった。

技術革新の早い現代社会では、外の世界とリアルタイムにつながることが必須である。インターネットを使えば、他人の経験を広く知ることができ、自分の経験と照らし合わせたり、学会に参加したりすることができる。論文になるのを待つ必要はない。私はアドバイスを求められた場合のみ、説明するようにしている。オンラインでのアドバイスは、現地の状況やチームのスキルを知らないので、遠隔操作では信じられないような失敗を引き起こす可能性が

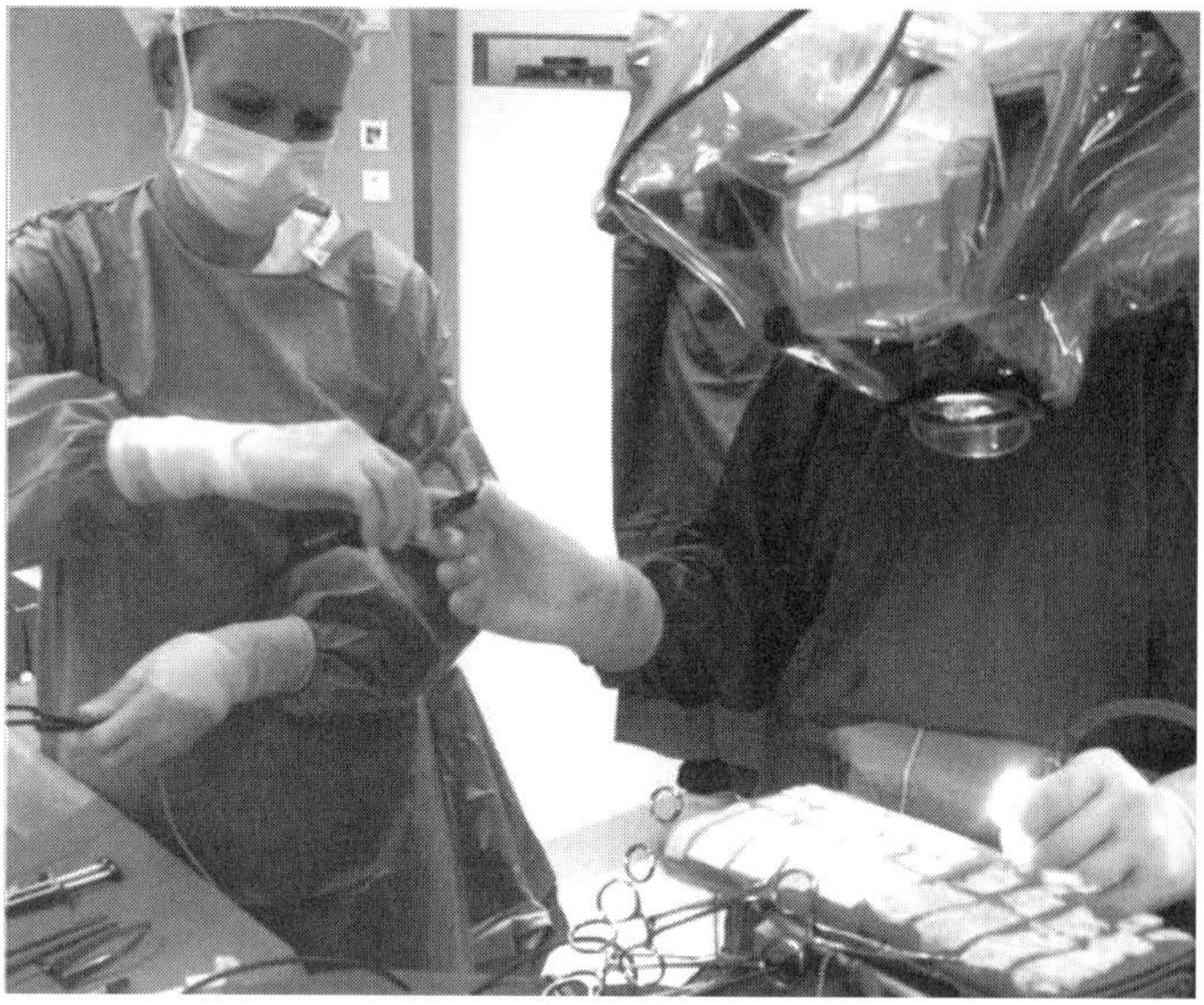
流れるような手術器械の受け渡し。ヘルシンキ、2013年

あるのだ。

後年、多くの手術を行うようになってから、自分にはまだ1つ使えるギアがあることに気づいた。どんなに手術を重ねて疲れていても、その後にオンコール当番で手術をするエネルギーがあるということだ。

私は、きちんとした、無理のないバイパス技術を身につけることができなかった。始めるのが遅過ぎたのだ。20年早く始めなければならなかった。1970年代から1980年代にかけて、私の病院の脳神経外科部長はこのバイパス手術に対して否定的で、この手術を行うことは賢明でないと考えていた。バーネットとピアレスが主導した国際的なバイパス手術の研究では、アスピリンが当時のバイパス手術よりよい方法であるという結論になり、世界中でこれらの手術に終止符を打つことになったのだ。バイパス手術の名医であったピアレスにとって、この研究の結論は大きな失望につながったことだろう。ピアレスは、多くのバイパス手術が、赤血球がバイパス部位を移動するために横向きにならざるを得ないほど狭窄していた（研究に参加していた施設の手術の質が極端に悪かった）ことを説明していた。

私の場合、設備の不備と手術回数の多さで、このバイパス手術の繊細さを学ぶことができなかった。手術のやり方はわかっているつもりでも、リラックスした状態での訓練が足りなかったのだ。バイパス手術は、技術よりも意志の強さで行うものだと私は考えている。

動脈瘤の手術では、不安な気持ちでそのドアを開けるのだが、気がつくと見慣れた場所にいるのである。そのときは、まるで家に帰ってきたかのような感覚になる。余計なものは何もなく、目標に向かって大胆に、動脈瘤を見事に治療できる。世の中が血管内治療（カテーテル治療）に移行していたように見える中で、私が動脈瘤の手術（開頭術）を続けてきたのはそのためである。しかし、今でも、ほとんどの動脈瘤では、血管内治療よりも根元に上手にクリップを挟んだほうが長期的によい結果が得られると思っている。残念ながらクリップを動脈瘤の根元に挿入する技術は忘却の彼方へ消えつつある。

スピードとは、即断即決のことでもある。余計な議論はせず、正しくステージを進めていく。1つでも手を抜くと危険な状態になる。余計なものは省き、必要なことだけをエレガントに行うのがベストである。

よい手術のトリックはどんどん吸収し、自分なりのスタイルを確立してきた。便利なものがあれば、それをテストして、うまくいけば採用した。私はこれを「技術を盗む」と呼んでいたが、自分のものとして公開すれば、それは単なる「盗む」ことになってしまう。私は、自分がどこで誰から学んだ技術なのかを覚えていて、手術の解説をするときに、他の人に教えていた。

手術中は常に、もっと違う方法がないかと考えていた。私は、あるアイデアを数回の手術の間、しばし考えてから試していた。一度に変えるのは1回だけだ。また、見学者やフェローとの会話も、自分の手術の改善に役立った。なぜ、そのようなことをす

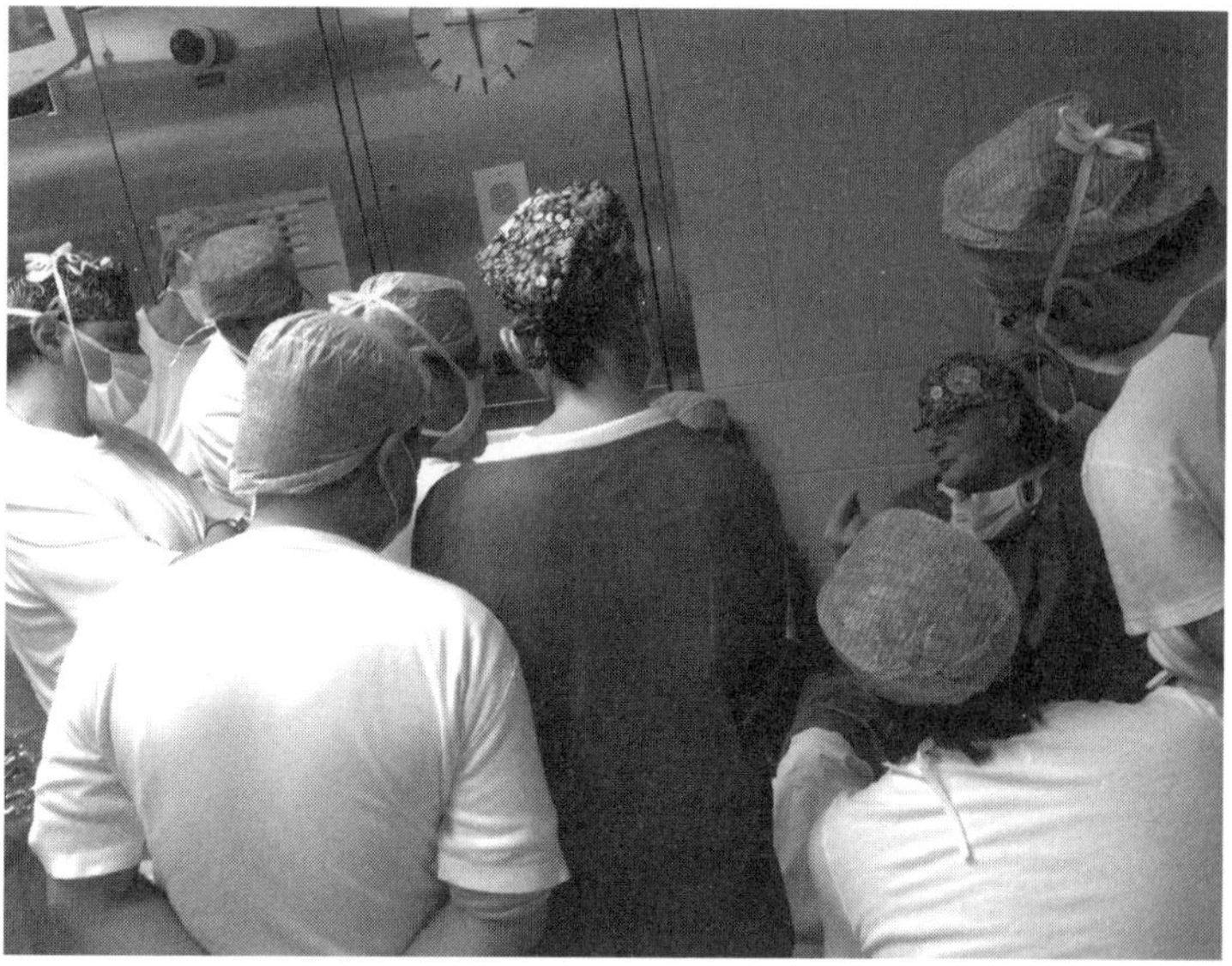

手術後のレクチャー。ヘルシンキ、2015年

るのか、その理由を説明しなければならないからである。手術の技術的な話を、手術後に聞かれるのは得意なのだが、手術前に聞かれるのは苦手だった。手術直前の発言は、経験不足か、手術する人への配慮不足か、あるいは手術するチームと患者さんへのリスペクトの欠如を表しているように思うからだ。変化は絶え間なく続く。変化に対応していくことが重要なのだ。一生とまではいかなくても、せめてあなたのキャリアが続く間だけでも。

※左記の未収録原稿はWEBサイトでご覧いただけます（13ページ参照）
「他の手術室への適応」「絶え間ない変化」

動脈瘤の破裂

稀に開頭前の麻酔中に動脈瘤が破裂することがある。その場合は麻酔科医が血圧をしっかり監視し、血圧を上げないように調整する。出血は、頭蓋骨や硬膜を切開するときにも起こるが、動脈瘤に近づいたり、周囲から動脈瘤を露出させたりするときに起こることがほとんどだ。顕微鏡手術により、動脈瘤の破裂は減少したが、完全になくなったわけではない。熟練した経験豊富な外科医が執刀を行えば、破裂は5%以下にまで減少すると思う。緊急手術では破裂の危険性が高くなるが、これはまったく自然であり、当然のことだ。

動脈瘤が破裂したとき、多くの人が困難だと感じるが、冷静でいることが大切だ。私は大声で叫ぶ。「破裂だ!」と。そうすると、手術チーム全員がすぐに行動を起こすことができるのだ。アラームを鳴らすと、私のチームは完全に沈黙して対応することになる。麻酔科医が休憩中であれば、すぐに手術室に戻る。出血した血液を吸引し、動脈瘤が見えている場合はそのまま吸引しながら動脈瘤をクリップで閉鎖することができる。出血部位が見えない場合は、吸引管とバイポーラ鉗子で素早く動脈瘤を露出させる必要がある。動脈瘤のある動脈の心臓側が見えている場合は、一時遮断クリップでこれを一時遮断することが多い。そうすることで、出血の勢いは弱まるため、動脈瘤の根元にクリップを挿入することで治療することができる。一時遮断クリップは血行を遮断するため、数分以上そのままにしておくことはできない。また、手術による出血がない場合にも、出血の予防として一時遮断クリップを使用することがある。私は、私のキャリアの最後のほうはほとんど一時遮断クリップを使っていた。

また、麻酔科医はアデノシンという薬を投与して、心臓の機能を一時的に停止させることができる。ヘルシンキ大学トーロ病院でのキャリアの終盤、私たちはこれを頻繁に使用し、論文も発表した。アデノシンは脳を含む全身の循環を数十秒だけ止めることができる。血流が止まっている間に動脈瘤を素早く治療することができるのである。

最も難しいのは出血が術野の外に噴き出さず、脳内に溜まっていくことで、この場合、脳が突然腫れ上がることがある。私の親友であり師匠でもあるヴィンコ・ドレンクが、内頚動脈瘤の手術の際、器械出し看護師と一緒にサイドテーブルから適切なクリップを選んでいたときのことを話してくれた。開頭部を見ると、脳が飛び出していたそうだ。クリップを選んでいる間に動脈瘤が破裂したのだ。

そのようなことは、私は5回も経験した。ヘルシンキ大学トーロ病院で後方循環系動脈瘤破裂の手術中に突然側頭葉が開頭部から押し出されたのだ。私は側頭葉を無理やり押さえ込み、出血していた動脈瘤の根元をなんとかクリップで閉じて難を逃れた。イタリアのパドヴァでは、左内頚動脈の巨大動脈瘤が破裂したことがあった。内頚動脈を一時遮断クリップで遮断し、動脈瘤をクリップで閉鎖することでこの事態を乗り切った。

※左記の未収録原稿はWEBサイトでご覧いただけます（13ページ参照）
「合併症」

許し

過ぎ去った一瞬を取り戻すことはできない。牧師の息子だった私の上司のマティ・ヴァパラハティは、深い知恵を持った人で、よくこう言っていた。

「脳神経外科医はいつも良心の呵責にさいなまれている」

50年近くの間、私は何度も失敗したと感じている。年を取るにつれて、罪悪感はさらに私に重くのしかかり、それは私の中で大きな塊になっている。少しずつ克服しても、また次のことが頭をよぎり、平穏な水面の下からワニのように襲いかかってくる。時間が経てば経つほど、罪悪感は増していく。なぜなら、私にはもう絶え間なく続く大きな成功がないからだ。時間に追われることもなく、深く思いをめぐらす時間がある。

レジデント時代、合併症に関する本を読んだ。許し、思い出すという話だ。自分を許しながら、忘れない。私が若く未熟だった頃、セッポ・パカリネンにあらゆる合併症を記憶していたいと言ったことがある。当時45歳にもなっていないセッポ・パカリネンは、パイプを歯に挟んだまま、黙って私の顔を覗き込んだ。

「いや、そんなことはない、ユハ」

キーワードやキーとなるイメージが目の前に現れたときだけ思い出すのがいい、と教えてくれた。

なぜ、自殺した患者の様子をもっと深く探らなかったのか、なぜ、彼があんなに静かだったのか、私は疑問に思わなかったのか。なぜ、あの一瞬のうちに重要な動作を間違えてしまったのだろう。それなのに、この手はまた同じ間違いを犯すかもしれない。経験とは、無数にある危険な状況を回避することだ。

病気が治る過程で、はたまた人生のあらゆる局面で、合併症は起こる可能性がある。人生は公平ではない。津波で被災した人が脳腫瘍になる。若い人が交通事故で亡くなり、子供が脳腫瘍になる。ある人は突然に亡くなり、ある人は疲れ切って先に進めなくなる。私の周りでは、自殺が多い。それらは、過激な合併症でもある。人生全体の合併症だ。

患者にセカンドチャンスはないが、罪悪感には改善の種が含まれている。自分の失敗を分析し、公表することは助けになる。自分の損失から学び、その教訓を他の人と共有するのがいい。セカンドチャンスは、未来の世代の脳神経外科医の手に委ねられているとも言える。

死と向き合う

患者の解剖に立ち会うのは、つらいことだ。忙しい、次の手術がある、会議がある、他の人が代わりに行ってくれるかもしれない、などと解剖に立ち会わない言い訳を探そうとする。それでも行かねばならない。行かなければ、そのことにも罪悪感を抱いてしまうからだ。

死体置場は異臭がし、寒くて殺風景だ。ここは私のいるべき場所ではない、来なければよかったと思うこともある。数日前に話していた患者は、解剖される金属台の上で冷たく硬直している。外反母趾には番号入りの名札が結ばれている。いつもこのような理解しがたい変化を目の当たりにしなくてはいけない。

病理医と助手が頭皮を長く切開し、目の上と後頭部にかけて頭皮を下げる。胸と頭蓋骨がノコギリの音に包まれて開かれていく。私は部屋の隅に移動し、自分の手術した部位に集中しようとする。脳が現れるのを待ち、血管をチェックする。

平らになったウイルス動脈輪（脳の大きな動脈が集まり、輪状につながっている部分）を観察する。動脈はふさがっていないのだろうか。閉塞していたら、私の責任になってしまう。私の技術が足りず、クリップで動脈をふさいでしまい、患者は脳が壊死して死んでしまったのだろうか。検死官の無言で探るような視線は、非難しているようにも見える。彼は熟練し、経験も豊富で、仕事もよくできる。それはわかっている。それでも、すべて私のせいなのか。私のせいだ。しかし、健康な人はそもそも手術を受けない。

数ヵ月後に送られてくる何ページにもわたる検死報告書に、私は注意深く目を通した。私のせいなのだろうか？　もっとうまくやれたのだろうか？　という疑問が湧く。その後、タイトなスケジュールの中で忘れられたり、あるいはどこか記憶の深い部分へ埋もれてしまったりするのか。しかし、いずれ表面化して私を苦しめる。

死について語ることについては、私よりも優れた人たちがいる。しかし、この問題については、誰も大した知恵を持っているとは思えず、ただ不確実な終わりのない議論をしていたに過ぎない。この仕事には、いろいろな種類の死がある。これらの終わりは、家族や地域社会にとってはショックであり、そしてこれが脳神経外科医の痛ましい日常である。仕事の一部なのだ。私がクオピオに赴任した最初の年、動脈瘤の術後患者が2人、同じ日に亡くなった。ICUの責任者が「タフブレイク」と言っているのを聞いた。手術はうまくいったのに、くも膜下出血がひどかったために死んでしまったのだ。運が悪かっただけだ。それでも、そのタフブレイクという言葉には、「他の人ならもっとうまくやっただろう」という批判を含んでいた。

死は、高速道路を走る車のように、あっという間に過ぎ去ってしまうことが多い。患者が怪我や重度の脳出血で亡くなっても、あまり重く感じない。罪悪感も抱かない。全部を背負い込めるわけがない。

このような死は、長い間、私の胸に突き刺さる。

「おいおい、何やってんだ?」

声が聞こえて振り向く。するとその言葉は消えていく。私の感情は乱れる。彼らは必ずまた私を見つける。そして、いつまでも彼らはそこに留まる。

「私を覚えていますか?」

ああ、はっきりと覚えているよ。彼らは私を安らかにしてくれない。

重度の脳出血を患った男の子に、できる限りのことをした。しかし、その男の子は亡くなった。母親からの非難が何年も降り注いだ。脳動静脈奇形の女の子を殺したのは私たちだと、その子の父親は言った。クオピオで治療した脳腫瘍の子も、その母親は私を責めた。若い女性の開頭術の際、彼女の脳血管を傷つけてしまったことが彼女の死につながった。

これらのことは、いつも重くのしかかる。

子供や若者の死は、いつもつらい。私がレジデントだった頃、救急病院の前の道路で小さな子供が車に轢かれたことがあった。私たちは、血を流して死んでいるその子を手術室に運び入れた。どうすることもできないし、私たちのせいでもない。それでも私たちは泣いた。子供や若者を失うことは誰にとっても重く、病棟全体が悲嘆にくれるのだ。

私はこれまで1万6500人以上の患者を手術し、キャリアを通じて7万人以上の患者の運命に部分的または全体的に責任を負ってきた。外傷や脳出血から深い意識のない死の間際の患者まで含めると、死亡率は5～10％と見積もっている。つまり、50年間で、私個人が関わりのある患者で８００～１６００人、病棟で３５００～７０００人が死亡していたことになる。１週間に２～３人、病棟では年間50～１５０人だ。

脳神経外科医は両肩に墓があるという。私の場合、それは心の中、魂の中、記憶の中にある。そこには常に新しい死が現れ、他の死と混ざり合っている。心の中で１つの死を受け入れると、まるで大きな湖の底から新しい死が浮かび上がってくるかのように。

死に直面することは仕事の一部であり、自分を深く責めて落ち込むことはできない。しかし、私たち一人ひとりの宿命である死を完全に排除することもできない。

死者にも家族があり、彼らは残される。誰もその亡くなった人のことを思い出さなくなったとき、その人は死んでいるのである。２人の美しいティーンエイジャーが、意識のない酔っ払いの父親に、静かに最後のお別れを言いに来た。彼は、彼女たちの父親であった。それまでは、看護師はこの酔っぱらいのことを軽蔑していた。しかし、彼は倒れて気を失ったただの酔っぱらいではなかったのだ。今でもそれを思い出すと恥ずかしい気持ちになり、同時に眼頭が熱くなる。

こんなこともあった。信心深い家族が、ＩＣＵに運ばれてきた意識のない息子に特別な扱いを要求してきた。私が「状態の悪い患者が病院にはたくさんいる、私は最善を尽くした」と説明すると、その家族は「他の患者はどうでもいい」と言った。ある日、私は5件の手術の後、この家族に夕食に招かれた。この青年は、手術によってすでに回復していたのだが、家族は、彼の受けた治療についていろいろと小さな不満を口にした。私は、それについて話し合うようなそんな気力はなかった。明日またこの話をしよう、と言った。パニックになった家族には、ある種の見通しを示すことは重要である。

　ときには、いや、しばしば、死は安堵をもたらすことがある。残念ながら、重度の脳挫傷や脳出血を起こした後の人生は、必ずしも質の高いものではなく、むしろ愛する人を苦しめることになる。フィンランドには、このような患者によいとされるケアを徐々に緩和していく習慣がある。必ずしも脳死状態である必要はなく、数日、数週間と時間をかけて患者に対する介護度を下げていくのだ。自然や生命、あるいは死がそれを解決してくれるのである。ただ、受け入れなければならないことがあり、野心的な目標は放棄しなければならないことも多いのだ。もちろん若い人の命を救うためには、常にあらゆる努力が払われている。

　外科医は手術による死を苦しみながら乗り越える。その埋め合わせをするために多くのことをする。そこに次の成功がある。そうすることで気持ちを正常に保つのだが、死者は戻ってこない。

　病棟での死亡者数は、患者の選別で最小限に抑えることができる。世界には、年間1人か数人しか死なないことを自慢している病棟がある。しかし、その病院には、治療を受けずに亡くなった人は何人いるのだろうか。私は、苦しむ患者全員を治療のために受け入れた。このまま治療を受けさせなければ、死が確定してしまうという、無理だと思うような状況でも、本当に助けようとしてきた。電話で患者の手術を断るのは簡単なことだ。

「どうせ助からない」

「どうしようもない」

「脳のダメージがひどいから回復は無理だ」

　大都市にある多くの病院は、治療する患者と治療しない患者を選別していたにもかかわらず、それを伏せて、実際に治療した一部の患者からなるよい治療結果を公表していた。

※左記の未収録原稿はWEBサイトでご覧いただけます（13ページ参照）
「後遺障害」「どうすればやっていけるか」

幸せの瞬間

「私は、手術への情熱、恐怖、不安、成功したときの喜びと満足感をいつも感じています」

私はいつもこのように質問に答えてきた。手術がうまくいったときの幸福感と、失敗したときの深い絶望感は何千回も味わってきた。幸せは両極端を求める。寒いところからサウナに向かうと気持ちがいい、お腹が空くと食べ物がおいしい、雨が降れば屋根があるところがいい、疲れたら寝る。オンコール当番のとき、ポケットから出した硬いライ麦パンがとてもおいしくて天国にいるようだった。1日がかりの手術の後、濡れた服から乾いた服に着替える。

私にとって、平凡な日常が幸せだ。脅かされることも、強く要求されることもなく、ただ平穏に過ごす。準備する海外出張もない。手術は明日までないが、私はすでに無意識のうちにそれを頭の中で処理していた。幸せとは、長く困難な手術が終わった後、クオピオの夏の夜を自転車で駆け抜けることだ。そして幸せは健康な子供たちを見ること。どうしてこんなに立派に育ったのだろうか。私はほとんど家にいなかったが、彼らは素晴らしい私の子供なのだ。

記憶が幸せな瞬間を呼び起こすことは、あまりに稀だ。ナナはドアの前で尻尾を振って私に駆け寄り、リールが開けたドアは前後に揺れ動く。そんな些細な思い出に助けられて、私は生きてきた。

こうしておけばよかった

もっと家族のために時間を割くべきだった。私が手術と患者の手術ばかりしていた間に、子供たちはどんどん大きくなり、そして家を出て行ってしまった。妻のリールも子供たちも、私がいないことで苦しんでいたのだ。私が家族と住んでいるときでさえ、私はいないようなものだった。

それでも、そのときはもっと手術がしたかった、もっと経験を積みたかった。そして私は、今ここにいる。もっと知りたい、成長したいという衝動に駆られ続けているのだ。それは私の血の中にあるものだ。あとどれくらい続くのだろうか。最近は週に2、3回の手術で満足している。もう毎日手術したいとは思わなくなった。執筆やプレゼンの準備など、いろいろとしなければならないことがまだある。夜間や土日の手術ももうしたくない。

いつか、私は今よりもっと動けなくなるだろう。いつかは体力の限界に達する。手術のときは座っていたほうがいいのだろうか。いや、足が動かなくなったら辞めようと思う。それ以降も何かしら役に立つことはできるのではないか。体調はまだいいのだから、維持したい。朝の体操と逆立ちができる限りは、手術を続けられると思っている。

後悔と言えば、もっと多くの言語を習得しておきたかったということだ。私は4つ、いや5つの言語をそれなりのレベルで話すことができる。ロシア語を習っていたが、最近は時間を縮小した。スペイン語も同様だ。中国語は、1年間頑張ったので、もう習うつもりはない。イタリア語とスペイン語は、もっと上達したいと思っている。

コロナウイルスは少なくとも一時的に世界を閉じ込めてしまった。

もう出張ばかりしていたくはないのだが、もう少しだけ中国を見たかった。

私はもっと本を読むべきだったし、今もそう思っている。中国では本を手に入れるのが難しい。中国語の本しかない。インターネットで本を手に入れるのは不可能だ。また旅行ができるようになったら、電子書籍端末を買おうと思っている。

もっと解剖学を学び、もっとバイパス手術をして、ひたすら練習に励むべきだった。しかし学ぶための環境があまりよくなかった。クオピオで、1人でバイパス手術の練習をしようとしたが、仲間がいなかった。解剖実習室も使えなかった。今は手術のビデオがあって、それを観て勉強すれば、何でもわかる。意志の問題だ。

私は流木のようなもので、バランスがとれておらず、たまたま目の前に現れたものを何でもやった。時間と気力で多くのことをやらせてもらった。疲れていても、新しい患者のための準備をすれば元気になるし、切開すれば、最近ではフロー状態を経験することができた。また、時間的なプレッシャーの中で仕事をすることも学んだ。私は決して遅れることなく、神経を冷静に保つことができた。

　もっと教えればよかった、もっと辛抱強く教えればよかった。それでも、私の後輩たちは立派に育ってくれた。私自身は、観察したり、本を読んだりして、多くのことを学んだ。才能のある人は、1日中教わらなくても学んでいることが多いのだ。私は教えるのが苦手で、生徒の立場に立って、ゆっくりとした努力を辛抱強く見守ることができなかった。私のお手本はヤサーギル教授であった。助手をしながら技術を盗み、それから自分でやり始めるのだ。開頭（皮膚切開から、必要な部分の頭蓋骨を切り、骨片を取り除くまでの一連の操作）は、中国に行くまでは、自分自身でやっていた。

　私が国際的に最も貢献したものの1つは、開頭の効率化だと思う。大きな病院では、開頭はエキスパート以外の人が行っていた。その場合、開頭は単に若手の練習になってしまい、開頭技術自体を発展させることはできない（通常、開頭は30分から1時間かけて行われる。しかし、ヘルネスニエミ教授は10分程度で行っていた。必要最小限の切開のため、患者への負担も極めて少ない）。

※左記の未収録原稿はWEBサイトでご覧いただけます（13ページ参照）
「音楽、絵画、文学」

11章 ヘルシンキ大学中央病院、退職

さようなら、ヘルシンキ病院

私は68歳まで仕事を続けることができた。私はフィンランドの社会と雇用主に感謝している。私が勤務したクオピオ大学病院の脳神経外科部長ヴァパラハティは、65歳で退職に追い込まれたと言えるだろう。彼はあと3年は続けたかっただろうし、クオピオ大学病院もそれを許したはずだ。

母セーニャは生前の祖母同様、重度の認知症だった。認知症であっても、父オイヴァに本を読んで聞かせていて、父はそれを聴くのが好きだった。彼女の最期は、特に父にとってつらいものだった。母は股関節を骨折し、タンペレ病院で手術を受けた。病状悪化の知らせを受け、私は電車に飛び乗って病院へ向かった。母セーニャは、2013年7月24日、88歳で亡くなった。看護師から彼女の指輪をもらった。そして、少しの間、母の枕元に座らせてもらった。

父オイヴァの記憶力は最後まで衰えることがなかった。父は年老いて、よく「寂しい」と言うようになった。元気がなく、人生をあきらめたような感じになってしまった。

父オイヴァは2014年2月3日、腹部大動脈瘤の破裂で急死した。91歳だった。

リールは、私の両親の葬儀を手配してくれた。この頃、私たちはうまくいっていなかった。私の仕事のリズムと子供たちの生活のリズムはすれ違った。ヘルシンキでの生活が、私たちを疎遠にしていた。リールとは定期的に電話で連絡を取り合っていたのだが、連絡が取れなくなると、気分がふさぎ込んでしまい、そんなときは仕事もうまくいかなかった。

両親の死後、私の定年退職が迫ってきた。私は新しい仕事を見つけようとした。その希望と準備で時

間はあっという間に過ぎていった。

※左記の未収録原稿はＷＥＢサイトでご覧いただけます（13ページ参照）
「肖像画と退職記念パーティー」

定年後の働き方

まだ、何かしたい、役に立ちたいという思いがあった。正直なところ、手術は続けたかった。その後、個人で開業してみたが、やはり自分には合わなかった。昔、クオピオでもやってみたことがある。投資したお金は消えてしまい、今もその支払いを続けている。私は、ビジネスには向いていないのだ。

この回顧録を書いている現在、中国のある国際企業が、私に3年間、大きなお金を提供してくれるそうだ。どうだろう。世の中にそんなにいい話があるのだろうか。現在、アメリカやスペインのマドリッドで仕事がある。私は、何事も見るまでは信じない。これまでの経験がそれを教えてくれた。中国の河南省人民病院の仕事は充実していた。以前のように熱狂的に仕事をするのは無理だし、ストレスを感じるのも大変だ。ただ、中国は脳神経外科のチームの一員になるにはよい場所だと思った。

※左記の未収録原稿はＷＥＢサイトでご覧いただけます（13ページ参照）
「ペルー」「インドネシア」「米国」「２０１６年　中央アジアの独裁者」

卒倒

２０１６年の夏、私はまだヘルシンキ大学トーロ病院で研究プロジェクトに携わっていた。そのときはなぜかヘルシンキ大学トーロ病院まで、息切れしてしまい歩く気力もなかった。私のアパートからオフィスまでは５００メートルちょっとの距離だが、

5～6回立ち止まらなければならなかった。立ち止まって座れる場所があれば座るし、そうでなければ建物や木に寄りかかったりしていた。

タシケントから帰ってきた翌朝、ペルー人のヨハムが訪ねてきた。私は家のドアを開けようとして、リビングルームに足を踏み入れようとしたとき、世界が真っ暗になった。立っていられなくなり、カーペットの上に2リットルほど黒い血を吐いた。そして意識を失ったようだ。しばらくして目が覚めた。娘のヘタが病院に電話をしたらしい。病院に行くのは断固反対だったが、仕方がなかった。

救急車でメイラハティ病院に運ばれた。ひどい貧血で、胃に大出血しているのがわかった。

入院病棟に移り、輸血をしてもらった。もう大丈夫だろう。濃い赤色の濃厚なスープが、ゆっくりと私の静脈に滴り落ちていくのを見た。体力は徐々に回復していくような気がした。

翌日、胃カメラで検査を行った。十二指腸で出血した潰瘍を焼灼し、生検を行った。

腕のいい主治医は、「もう大丈夫です」と言ってくれた。生検の結果はすぐに出た。十二指腸の出血の原因はヘリコバクター・ピロリであった。また、ペルーからのプレゼントだったペルーの珍味「セビチェ」の生魚や肉からうつった寄生虫「ジアルジア」が、腸内で発見された。私はペルーで断続的にひどい下痢に悩まされ、市販の薬で対処していたのだ。内視鏡検査後、抗生物質を処方してもらって飲むようになった。私は出血で死んでいたかもしれない。治療してくれたチームに大感謝だ。まだ、私は死ぬときではなかったのだ。

1週間後、私は医師から中国の学会に参加する許可を得た。もちろん薬は服用する必要がある。中国への出張は、私の人生を変えた。そこには、河南省の脳神経外科医が出席していた。河南省人民病院の院長の李天祥教授と脳神経外科医たちは、私に断り切れないほどのオファーを出してきた。私はすでに1年間ネパールに行くことを決めていたが、その後に行くことを約束した。

ネパール

退職後、世界のいろいろなところで仕事を探したが、すべて失敗に終わった。トルコの新しいきれいな病院に動脈瘤の手術をしに行ったが、継続できなかった。私はひどく落ち込んだ。

そんなとき、ネパール、ビラトナガルのノーベル医科大学で働かないかと、脳神経外科部長のアイプ・チェリアンに誘われたのだ。私は彼に会ったことはなかったが、アメリカの脳神経外科専門誌の編集長に、チェリアンの論文を支持する手紙を送ったことがあった。

チェリアンからのメールが、すべてを変えた。このメールが届くまでは、脳神経外科医として生きていくための扉がすべて閉ざされたような気分だった。私は絶望していた。そのメールは、天からの招待状のように感じられた。ネパールに行けば、もう一度生き返ることができる。手術を続けることができる。

ネパールはとても貧しい国だ。カトマンズに到着してすぐに、この国の貧しさがわかったが、インドとの国境にあるビラッナガルという地方都市では、さらにはっきりと感じられた。病院は大きいが荒れ果てていて、患者やその家族でいっぱいだった。病院のすぐ先には牧草地が広がり、大量のヤギや、神聖視されていた牛がいた。

フィトリは麻酔科医で、インドネシアのライブ手術コースで出会った。私は彼女と、埃っぽい道路沿いにある病院のアパートに住んでいた。私たちは、そのアパートの2部屋を使わせてもらった。食事は同じ階の食堂で、2人の男がインド料理のマサラフードを作ってくれた。

近くには、動物が飼われている荒れ果てた農場があった。階下には医学生や女性、イスラム教徒が住み、上階には医師や病院の職員が住んでいた。多くは、退職した後もキャリアを継続しているインド人教授たちだった。

職場では、チェリアンの勅令で脳神経外科部長、教授に任命された。私立病院の院長で、政治的影響力のあるシャルマが、その決定を承認してくれたようだ。病棟やICUは大きく、鉄のベッドがあった。患者は非常に貧しい。300ドルもする動脈瘤のクリップは、彼らには買えない。保険に加入していなかったり、保険料を払う余裕がなかったり、大家族が食べていかなければならなかったりと、手術を受けられずに家に帰る人が多かった。私は、手術可能な動脈瘤や脳腫瘍の患者が手術を受けずに帰宅するのを何度も見た。

古い手術室には、よい顕微鏡と器具があり、数人の非常に有能な看護師たち、中でも小さなプリヤンカがいた。3人の麻酔科医はベテランで、すぐに患者を座位の体勢にした。私は慣れない環境で少し動揺した。

私は、週に2、3回は手術をしていた。チェリアンは熱心な外科医で、多くの患者を自分で連れてきた。彼は、この荒れ果てた病院の中に立派なオフィスを構えていたのだが、そこには大きい近代的な手術室とICUが建設中だった。私たちは、1年間そこで働くことができた。

チェリアンの子供たち、ヨーコとスツキは、私たちのアパートを頻繁に訪れ、アニメを見たり、他の子供たちも立ち寄って、私たちのキャンディーを食べたりしていた。彼らは恥ずかしそうにドアをノックしてくるのだ。

夏は暑かった。ここでは扇風機が活躍した。冬は逆にとても寒く、オーバーコートを着て過ごした。ソファーに横になり、本を読むことが多かった。テレビはほとんど見なかった。

私はネパールで約100人の患者を手術した。最も印象深い失敗は、若い患者の脳室に達する（脳の深部）脳動静脈奇形の出血例だ。それを摘出する際に、脳の深部が出血した。脳は切開部まで膨れ上がり、なすすべがなく閉頭せざるを得なかった。その患者は亡くなった。

大きなヒゲを蓄えた小柄な老人が奥さんと一緒に１ヵ月以上ＩＣＵに通い続けていた。意識不明の一人息子を看病するためだった。この老人は、少なくとも70歳には見えたが、実はずっと若かったようだ。その後、奥さんが亡くなり、その直後に一人息子の患者も亡くなった。その男の痩せこけた顔には、涙が流れていた。フィトリと私は、彼を慰めようとした。彼は家族を２人とも失ったのだ。

メキシコ

２０１８年にメキシコの首都、メキシコシティで、エドガー・ナタル主催のライブ手術コースがあった。そこには日本から川島明次も招待されていた。私はリトルロック経由でメキシコへ向かった。事前に大量の患者の画像が送られてきており、その中から脳幹海綿状血管腫（脳幹の中に発生した血管の奇形）の出血例と中大脳動脈の動脈瘤を選んだ。脳幹海綿状血管腫はＭＲＩ画像には大きな血腫を伴って写っていた。

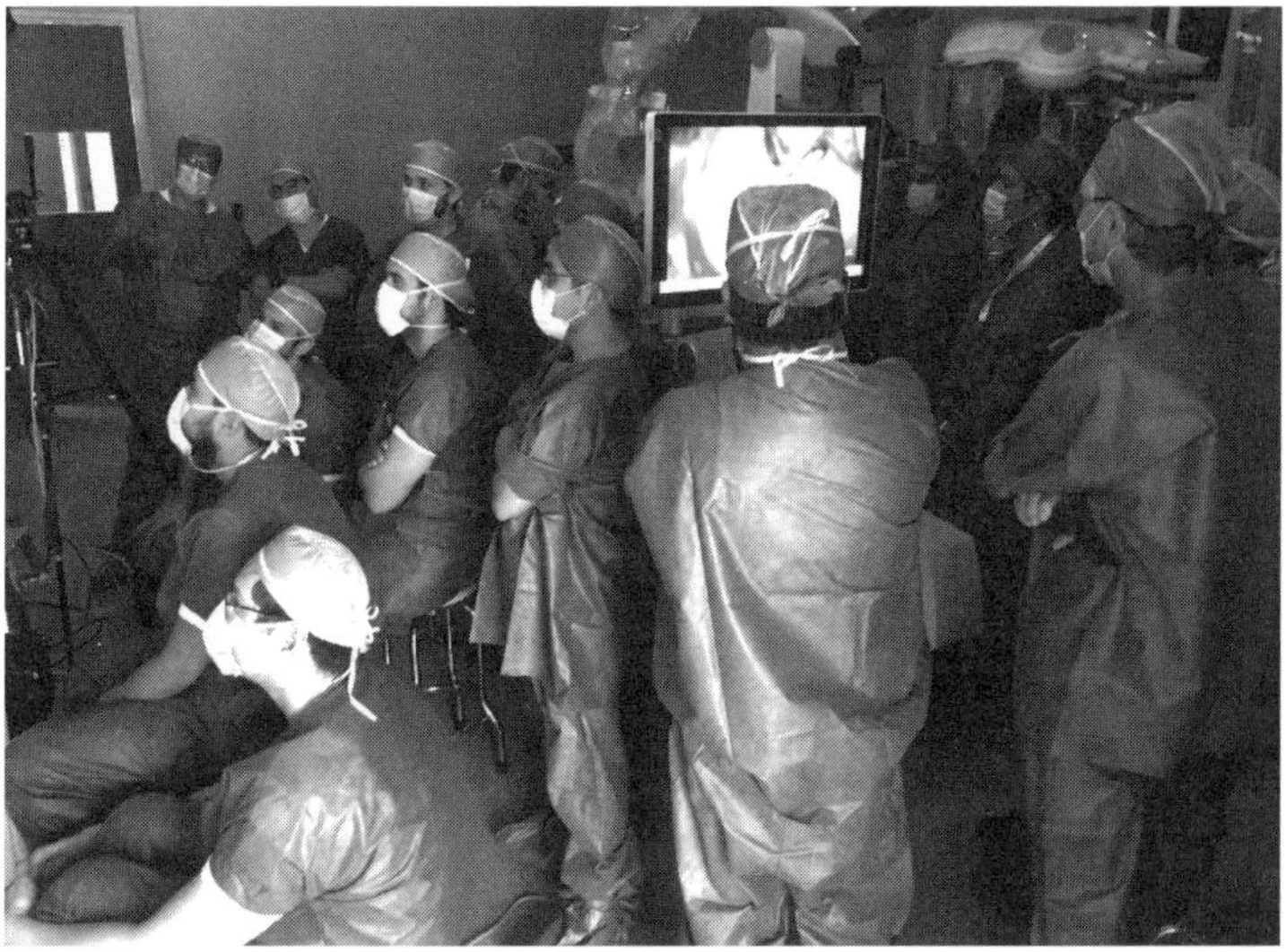

ライブ手術。メキシコシティ、2018年

私は顕微鏡を覗き込む。脳の深部まで進み、脳動脈と脳神経から海綿状血管腫がある部位を特定した。表面からは病変部は見えないのだ。手術室には大勢の見学者がいた。私は鋭利な鉗子で脳幹の中に入っていく。脳幹はとても重要な働きをしているため、このような操作は1ミリが1キロに感じられる。病変部は見つからなかった。その患者を治療していた教授を呼んだ。

私たちはいろいろ話して、今いる場所から3ミリほど離れた場所だろうと推測した。私は再び顕微鏡を覗き込んだ。少し出血を確認できた。小さな動脈瘤クリップを目印として残してきた。それから24時間、私は質問を浴びせかけられた。なぜ海綿状血管腫が見つからなかったのか？　何が起こったのか。なぜナビゲーターを使わなかったのか？

翌日のCT検査では、昨日残したクリップを確認できた。しかし、なんと手術に使った画像は8ヵ月前のもので、血腫は完全に消失しており、海綿状血管腫も同定できないくらいのものだったのだ。私は、もう一度、見学者全員に画像を見せた。特にCT画像では、クリップがはっきり写っていた。

一方、未破裂の動脈瘤は何事もなく終わった。ラテン文化圏ではよくあることだが、議論は多かった。川島は2件のバイパス術を行い、その卓越した技術を披露した。川島は、このコースで間違いなく最高の外科医であった。

数時間かけて首都の空港に向かい、乗り継ぎを経てネパールのカトマンズに戻った。フィトリが出迎えてくれた。いつもと同じエアポートホテルで一夜を過ごした。フィトリはいつも私との再会を喜んでくれる。

エピローグ　2022年　中国

ネパールから、私の次の職場である鄭州市の河南省人民病院へ行き、ライブ手術コースを行った。3日間、2つの手術室で16人の動脈瘤と脳腫瘍の患者の手術をした。私は3年契約を結び、翌年の夏、2018年7月1日から勤務開始することになった。

ネパールでは貧しい患者もその家族も驚くほど親切で、ネパールにいてよかったと思った。それでも、周囲の貧しさに息苦しさを感じることもあった。

私たちがネパールを出発するとき、荷物の多くは料理人や清掃員に譲ってきた。それでも、中国に移動するときには、15個で合計120キログラムという大量の荷物があったが、すべての荷物を飛行機に乗せることができた。ネパールで、そして今度は中国で、仕事を続けることができた。しかし、私はもうヒーローになりたいとは思っていない。不可能を可能にしようとするときに感じる恐怖を克服する人は皆、英雄なのだ。

老後、何もしないでいるのは嫌だが、100歳まで脳神経外科医にしがみつくのも嫌だった。現在、私は中国で地位を得て、大過なく何年も仕事をしている。今、ここ中国では、私には、病院を率いるという意味での権力や地位はない。私には、どんなに改革をしたくてもできないのだ。私の思いを届けることはできない。私の思い通りになるのは、手術室の中だけなのだ。

ここで一番困るのはコミュニケーションだ。中国語を習っていないことを恥じて、最初は頑張った。1年間、週5回、1回2時間、家庭教師をつけた。600～700の単語やフレーズを覚えたが、いざ病院や店でしゃべると通じないのだ。「仕事も大変だし、定年退職した身だから、無理してやる必要はない」と自分に言い聞かせている。

※左記の未収録原稿はWEBサイトでご覧いただけます（13ページ参照）
「研究計画」

ある1日

金曜日、手術当日の朝だ。もう少しで週末がやってくる。早朝4時頃に起きて、原稿を書いたり、メールで世界とコンタクトを取ったりしていた。体操を終えて、逆立ちをして、シャワーを浴びる。iPhoneを使って、ヘルシギンサノマットを読む。

ポンフェイは朝食を用意していた。パン2つ、卵、チリ、果物、牛乳だ。携帯電話、ノート、マスクなど、必要なものが揃っているか、部屋の中をチェックする。仕事場へ向かう。エレベーターを待つ。21階だ。そのエレベーターは驚くほど速く来る。中にはマスクをしたカップルがいたが、彼らは静かで挨拶もしない、ここでは挨拶などしない。何度か停止し、マスクの人が増え、彼らは携帯を見ている。中国では誰もが携帯電話を持っている。

階下では、軍服姿の警備員が帽子に手を当てて敬礼していた。私は交差点に向かう。横断歩道を渡ると、歩道は満員だ。ここの人たちは、お互いの身をかわすのに長けている。私は群衆の中に身を置く術を知らない。現在、私は中国の大群衆の中にいる。大量の人々、熱狂的な交通の中、周囲に気を配ることをやめた。

病院の玄関でのセキュリティチェックは、あの目がほとんど見えない若いガードマンだ。大きなグループは、チェックをスキップする。エレベーターを待って、私のオフィスへ向かう。壁には美しい絵画が飾られている。机の上にはパソコン。私はマスクをする。ここ中国では、安全な距離を保つことは不可能だ。

外国での病院文化を多く経験するにつれて、挑戦

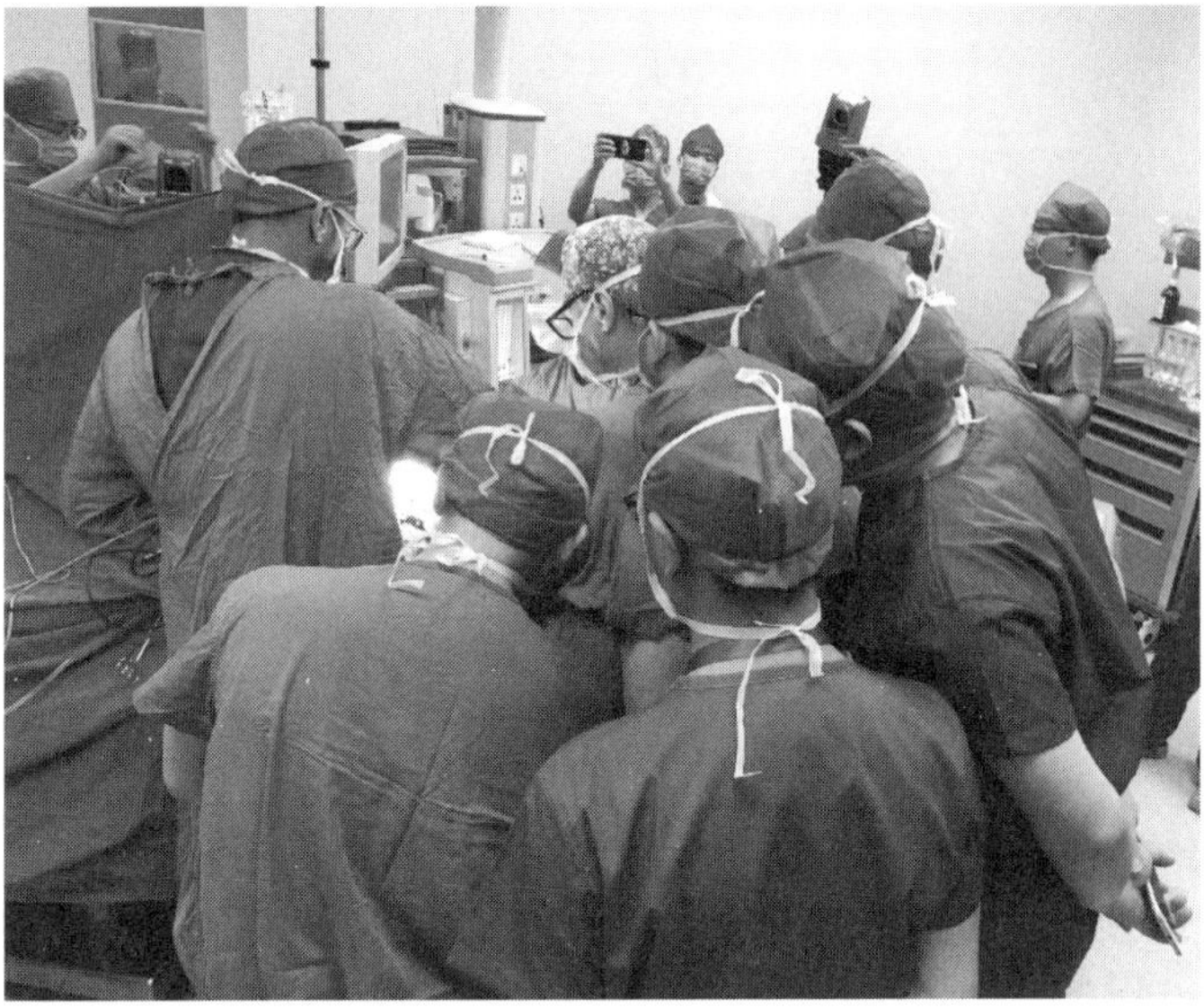
ライブ手術。河南省人民病院、2018年

する意欲、ひたむきさが減退する。外国の文化は自分の国の文化とは異なるものだ。そして、私が最近働いている大きな病院は、基本的に小さなヘルシンキ大学トーロ病院とはまったく違う。ヘルシンキ大学トーロ病院は何でもすぐ近くにあった。大きな病院では、距離の長さによる遅延が、手術の件数、手術室への入室スピードなど、すべてに影響する。また、脳神経外科は単なる手術ではない。それ以前に、何十年にもわたる医療文化があるのである。

中国には同姓同名の人がたくさんいるので、間違いが起こりやすかった。しかし、当然ながら間違いを起こしてはいけない。そのために何重ものミスを防ぐ管理がなされている。広大な病院の何百もの手術のリストを見ると、正しい患者が正しい手術のために正しい外科医に運ばれていることが奇跡のように思えてくる。

不安を感じ始める。フィトリは、集中すればきっとうまくいく、と言ってくれた。そして、その通りになった。もう一度、頭の中で手術のイメージを描き、動脈瘤の広い根元にほぼJ字型のクリップを選ぶ。素早く切開をする。大きな動脈瘤の表面が見える。2つのクリップで動脈瘤を挟む。術中の検査で、中大脳動脈の1つの枝が流れていないことがわかった。クリップを外し、やり直した。周りの人たちは、まるで田んぼの中にいるようにうるさく、なかなか静かにしてくれない。私はフィンランド語で「ちくしょう！」と大声で叫んだ。そうしたら、皆、静かになって、ペースに集中できるようになった。新しいクリップをきれいに装着した。術中検査でもすべての動脈の枝が流れていることが確認できた。すべてがうまくいったように思えた。アシスタントが閉頭を始める。彼らは顕微鏡の使い方を知らないし、習おうとはしない。私のメッセージは伝わっていない。ヘルシンキ大学トーロ病院では、閉創の最終縫合まですべて顕微鏡で縫合した。このトレーニングによって、皆、3ヵ月で顕微鏡の操作を熟練するように学んでいたのだ。

この仕事は、私の血肉になっている。辞められない。ワクワクするような高揚感、静かな手術室の雰囲気をまだ味わいたい。手術という最も重要な局面を終えたときの安堵感、リラックス感。私はマスクを顔から外して、手術の一番難しいところを説明する。皆、聞いてくれるが、あまり理解できないようだ。これこそが私たちの問題なのだ。

手術室の外には6人の家族が待っていた。娘は少し英語を話した。私は、手術は難しかったがうまくいったこと、切開した部分を縫合して閉じていることを説明した。手術室ではまだ2〜3時間かかるだろう。

私は、患者の麻酔の覚め具合の連絡を待っていた。怖いし、不安だ。そして、ソーシャルメディア（WeiboとWechat）にメッセージが写真と一緒に届いた。患者は特に問題がないようだ。しびれもないらしい。いい週末になりそうだ。私は苦しむことなく、よく眠れるだろう。

※左記の未収録原稿はWEBサイトでご覧いただけます（13ページ参照）
「河南省人民病院」「中国の風習」「1年」

それでも望むこと

私は、手術室とともに過ごした私の人生を振り返って考えている。私はここでの自分の力量に満足していた。最近、私の病院の動脈瘤治療は血管内手術に移行してしまった。ただ、まだ私はここで必要とされている。週に数回、常に手術をしなければならない。長い休みを取ると、常に手術をしていたときよりも敷居が高くなるからだ。今、私の病棟の一部を顕微鏡手術センターにする計画があり、そうすれば、手術と指導が集中的にできる。私の幸せな時間が戻ってくるだろう。

もちろん、いつかは終わる。私の両親は長生きし

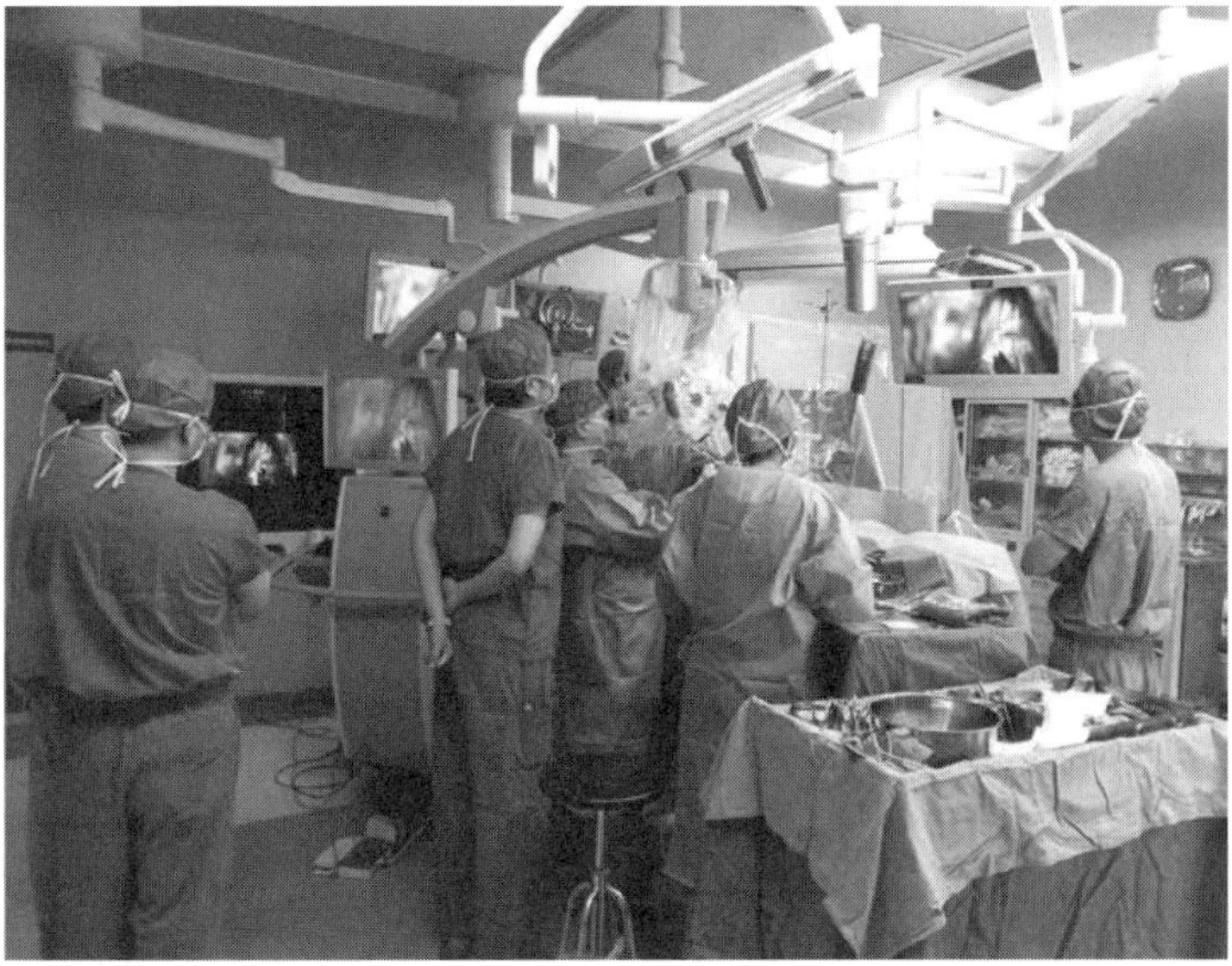

手術室。2020年

た。私はまだまだ元気だ。私はまだ難しい手術のやり方を知っているし、昔のように成功することもできる。

まだ実力があり、パフォーマンスを発揮できる時期に辞められたらいいと思う。中国は管理が厳しいが、病院も同じである。私の業績は常に監視されている。引退の年齢を決めるのは難しい。逆立ちができるうちは手術ができる、できなくなったらそれが私の限界だ。では、医師を辞めたら何をしようか。脳神経外科の手術以外にもいろいろなことがあるし、まだまだ私の人生はこれからだ。

河南省人民病院では、十分な給料、手術、トレーニングなど、私にとってよいことがたくさんあった。私は、彼らが望む限り、中国に留まると思う。今は週に2～4件ほど手術をしている。俗に言う「クールダウン」中だ。しかし、私は脳、記憶、そして精神は老け込んでいない。

コロナウイルスがコントロールされれば、私の海外出張は今後も続くかもしれない。しかし、パンデミックはまだまだ続きそうだ。世界中を飛び回って手術や講演をすることに意味があったのかどうか、私は考える。コロナウイルスの時代になって、ウェビナーの普及が進み、よい感じになっている。

私の中国での脳神経外科の最も重要な功績と言えば、重要な教育イベントを挙げることができるだろう。この脳神経外科のウェビナーでは、通常2000人から5000人という大勢の聴衆が集まる。中国の脳神経外科医の総数は約1万7000人だから、これは大きな数字だ。

私は何かを成し遂げたのだろうか？

仕事を継続し、前進し、そして改善を重ねていくのはよいことだ。私は、そのような先人の背中を見てきた。私は今、自分が背負っていた重荷をすべて後継者の肩に下ろしているところだ。

私は脳神経外科医になったことを後悔したことはない。確かに大変だった。しかし、心の中に炎が燃

河南省人民病院、2021年

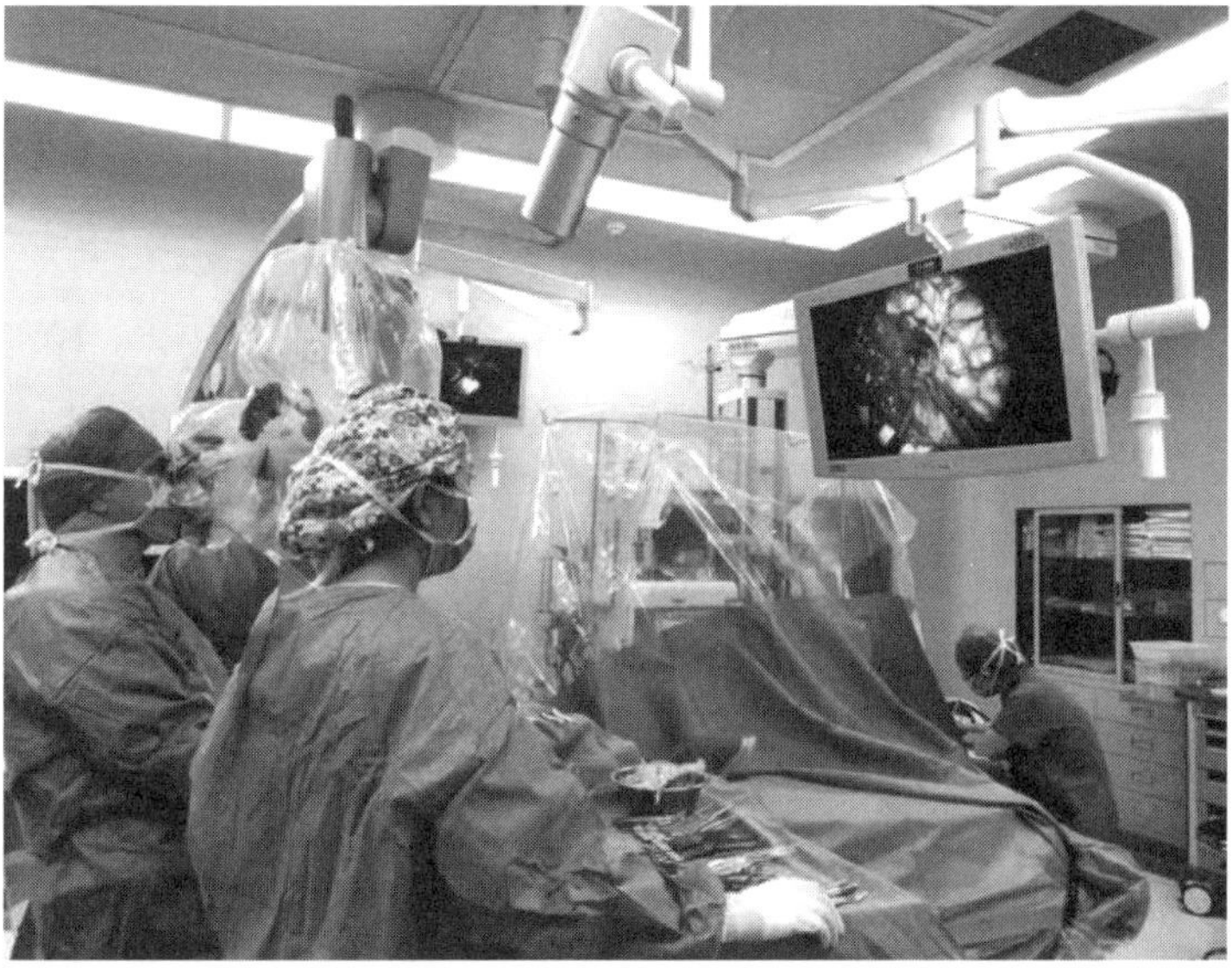

手術中。河南省人民病院、2021年

えている限り、つらいことも乗り越えられる。自分が正しい分野にいて、何か重要なことをしているという実感が持てる。毎日が違う。朝起きたときには、その日がどんな日になるかわからないのだ。

時間が経つのは早い。突然、技術の進歩が自分を置き去りにしていることに気づくことがあるかもしれない。そのときはもうトップではない。もっとシンプルでよい方法があるのだ。何度も何度も、笑顔で同じように褒められたり、慰められたりすると、それはもう終わりのサインなのだ。周りを見渡すと、私はまるでモヒカン族の最後の1人のような気分になり、より若く、より熟練した人たちを見ている。そろそろ身を引いて、自分の経験をまとめて、後進に伝える時期だ。しかし、それには私自身が手術を続けていなければ言葉に重みがない。

世界、特に中国の脳動脈瘤の大半は、グリエルミが導入した血管内治療が行われている。何千もの脳動脈瘤を開頭術で治療した脳神経外科医は、最近では珍しい。

動脈瘤のクリッピングは潰瘍のビルロート手術と同じ運命をたどり、完全に消えてしまうのかもしれない。血管内治療の中には、ロボットの力を借りて精密に行えるようにもなってきた。私の予想では、将来、動脈瘤は薬剤で治療されるようになると思う。

私の最も重要な功績は、「Helsinki book」と「1001 Microneurosurgical Videos」だ。これらのおかげで、私は世界中の脳神経外科医に自分の経験を広めることができた。手術の技術面では、よりシンプルな開頭手術と、世界最速クラスの高速で無駄のない手術の開発が私の最も大きな功績である。動脈瘤や脳動静脈奇形の手術の開発にも何十年も携わってきた。私は、顕微鏡手術を脊髄手術に、さらにすべての脳神経外科手術に採用した。手術法を開発した後、その詳細についての研究結果を数多く発表し、術中のポジショニングの重要性、開頭法についても指導し、論文を発表してきた。

他に何と言えばいいのだろう。人生とは、一瞬のように短いものだ。1973年6月1日の脳神経外科勤務の初日が、まるで昨日のことのように感じられる。

17歳の夏の終わり、ルオベシで湖を眺めた。私は多くの経験をし、成長をしていると感じていた。57年後の今、私はまだまだ未熟だと感じている。やり残したことがたくさんある。私にはまだ時間があるのだろうか？

私はまだ動けるし、足もある。しかし、若い人たちは私を追い越していくことを認めざるを得ない。私は急ぐこともなく、物思いにふけりながら、ぶらぶら歩いている。この秋、私は75歳になる。フィンランドの常識では、もう働くことが適切な年齢ではないことはわかっている。多くの人は、仕事しかないなんて、なんて惨めな人生だろうと言うだろう。インタビューやコメントでは、人生を棒に振って働く、哀れなワーカホリックの私を哀れんで見てくる人もいた。確かに、充実した時間、バランスのとれた生活を送ることは大切だ。しかし、私は何かを逃したとは思っていない。慌ただしくもよい人生だった。

もちろん、この中国での生活もいつかは終わりが来る。この時間は終わりを迎え、私は終わりを迎える。毎年春になると、ツバメは戻ってくる。同じツバメではないが、戻ってくる。

※左記の未収録原稿はWEBサイトでご覧いただけます（13ページ参照）
「ユハ・ヘルネスニエミ」マティ・アプネン
「愛する息子　ユハへ」
「ユハの幼少期」オイヴァ・ヘルネスニエミ
「ナイフの刃のような人生」ミカ・イハムオティラ

謝辞

10年以上前に回顧録の構想が持ち上がったが、私はまだ脳神経外科医として成長の途中であることを告げ、断った。故ヨルン・ドナーはとても熱心に、自分で回顧録を書くように、あるいは口述筆記をするように勧めてきたが、私は一行も口述筆記しなかった。こうした中、WSOY社が一番熱心だった。ノンフィクション編集者のヘンリッキ・ティムグレンが、わざわざ中国まで来て私に会ってくれた。あまり深く考えずに、手術の合間に契約書にサインをしてしまった。その直後から始まった中国のコロナ感染パンデミックによって、私は6週間の隔離や2年間の移動制限を強いられた。こうした背景から、私は、もっぱら記憶を頼りに書き始めた。膨大な資料の中から、最も重要なものを選び抜いたのだ、と今になって思う。

私の文章を推敲してくれたレアとイルカに感謝したい。リータ、アイダ、ヘタ、ユシは原稿を読み、私の記憶の欠落を訂正してくれた。フィトリとヒューゴは、中国での滞在中、孤独と仕事の両面で私を支えてくれた。ヤンは、中国に関する事実をチェックしてくれた。ベーナムとヨハンナは執筆のプロセスをさまざまな形でサポートしてくれた。中国の職場の上司である李天暁教授とその部下、特に陈中灿は、私が回顧録を書くという私の言葉を受け入れてくれた。

この本の中で、私は数多くの同僚を思い出したが、それ以外にも多くの人が言及されていない。私は常に、世界で最も優れたチームと仕事をする幸運に恵まれてきた。あなた方一人ひとりに感謝する。

2022年　イースター、ヘルシンキにて

ユハ・ヘルネスニエミ

世界《せかい》をリードした脳神経外科医《のうしんけいげかい》Juha《ゆは》の素顔《すがお》

2024年3月28日　初版第1刷

著　者――――――ユハ・ヘルネスニエミ
発行者――――――松島一樹
発行所――――――現代書林
〒162-0053　東京都新宿区原町3-61　桂ビル
TEL／代表　03(3205)8384
振替00140-7-42905
http://www.gendaishorin.co.jp/

ブックデザイン―――山之口正和（OKIKATA）
写真――――――――203ページ下、221ページ、222ページ、225ページ、241ページ、245ページ：川島明次。他は原著より

印刷・製本　㈱シナノパブリッシングプレス
乱丁・落丁本はお取り替えいたします。

定価はカバーに
表示してあります。

ISBN978-4-7745-1996-8 C0047